Finbar's

D0657353

BEDACHT EN GEREDIGEERD
DOOR DERMOT BOLGER

NIJGH & VAN DITMAR
AMSTERDAM 2000

Voor Lar, Cassidy, Imogen Parker en Dan Franklin – met dank

Deze uitgave is mede tot stand gekomen dankzij een subsidie van ILE (Translation Fund), Dublin, Ierland.

NUGI 301 / ISBN 90 388 0309 5

INHOUD

Kamer 101

Benny doet Dublin

Ben Winters zocht de minibar. Hij liet zijn blik langs de plint gaan, volgde hem tot in de verste hoek. De minibar was een fantastische uitvinding; hij had hem in tientallen films gezien. De afmetingen van de flesjes, de hoeveelheid en de verscheidenheid die je in zo'n kleine ruimte kwijt kon, hij vond het geweldig. En ook de chips, als je er zin in had. Hij had altijd op zijn knieën voor zo'n ding willen liggen om er eens lekker in te snuffelen. Maar nu had hij al tien minuten gezocht zonder het kreng te kunnen vinden.

Het was voor het eerst dat Ben in een hotelkamer zat. Hij was best tevreden. Maar het verstoppertje spelen van de minibar ging hem vervelen. Het was een van de dingen waar hij naar uitgekeken had. Hij trok een la open, de onderste, dezelfde waarin hij thuis zijn onderbroeken en zijn sokken deed, wel wetend dat daar de minibar niet was. Toch trok hij hem open. En hij was er niet.

Hou op.

Hij liep weer naar het bed en ging erop zitten. Hij wipte een keer. Niet slecht. En nog een keer. Goeie veren, geen gepiep. Het was een goed bed om in te neuken. Niet in, op. Op de dekens. En niet alleen maar neuken; de liefde bedrijven. Met de gordijnen open. En de minibar op armlengte afstand. Het ding moest hier ergens zijn. Hij had iemand van de receptie beneden kunnen bellen om te vragen: 'Waar is de minibar?' Maar hij zou zich een stomkop hebben gevoeld; hij zou ze hebben horen grinniken terwijl ze zeiden dat hij twee stappen naar rechts moest doen en achter de plaat van het renpaard moest kijken. Hij had er al gekeken. Erger nog, ze zouden misschien zeggen dat er geen minibar was. En wat moest hij dan? Met zijn droom in flarden, nog voordat hij zijn tanden had gepoetst en zijn schoenen weer had aangetrokken. Nee. De minibar was hier. Op een voor de hand liggende plek. Een plek die nog niet bij hem opgekomen was. Voor zijn neus.

'Ik weet dat je er bent,' zei hij hardop.

Toen luisterde hij. Hij was maar drie stappen van de deur en de gang vandaan. Iemand die langskwam had hem kunnen horen. En wat dan nog? Hij kende niemand daar. Niemand die hij ooit eerder had gezien. Hij kon doen wat hij wilde. Maar wat hij tot nu toe had gedaan was: hij was op het bed gaan zitten en had zijn schoenen uitgetrokken, hij was op jacht geweest naar de minibar en weer terug naar het bed gegaan. Ja, hij maakte heel wat mee.

Maar het was vroeg. De avond was nog jong. Hij zou zich zo meteen vermannen, besluiten nemen, zijn schoenen weer aandoen. Zo meteen. De kamer beviel hem. Hij was helemaal niet slecht. Zoiets als thuis. Hij had gedacht dat hij groter zou zijn misschien, iets exotischer – een schaal met fruit misschien, of zo'n witte kamerjas van badstof bij het voeteneinde of, beter nog, twee kamerjassen. Maar hij was niet ontevreden.

Hij had iets dergelijks nog nooit gedaan. En, bij God, zoveel stelde het niet voor. Hij had alleen maar een kamer in een hotel genomen voor één nacht, dat was alles. Toch voelde hij zich schuldig. Hij had het gevoel dat iemand naar hem keek en hem wou betrappen. Dat gevoel had hij vaak. Hij had hele stukken van zijn leven voor een denkbeeldige camera doorgebracht. Thuis trok hij altijd eerst een T-shirt aan voordat hij midden in de nacht van de slaapkamer naar de wc ging, voor het geval een onbekende op de overloop naar hem zou staan kijken. Of als hij niet aan het T-shirt had gedacht, of er geen kon vinden in het donker, trok hij zijn buik in en liep hij met een zwierige gang die zijn piemel deed dansen over de overloop naar de wc, duwde hij de deur met zijn elleboog open en piste hij luidruchtig ter wille van degene die nog op was – en naar hem keek. Toen hij jonger was zette hij zijn kinderen vaak op zijn schouders, zelfs als ze tegenstribbelden om op de grond te blijven staan, omdat hij wou laten zien dat hij een goede vader was. En toen hij nog jonger was had hij geprobeerd op winkeldiefstal betrapt te worden – omdat hij door geen mens gezien zou worden wanneer hij niet gepakt werd, wat hem een vreselijk verlies aan spanning had geleken. En nu, zo oud als hij was, was hij daar nog steeds mee bezig. Helemaal alleen in een kamer op een hotelbed omdat hij zich niet durfde verroeren uit angst dat hij iets verkeerds zou doen.

Zijn eerste nacht in een hotelkamer. Hij had tegen zijn vrouw gezegd dat hij die nacht bij zijn broer zou slapen en dat zij 's ochtends samen naar de begrafenis van een oude schoolvriend zouden gaan. Dat excuus had hem de gelegenheid gegeven in zijn kostuum de deur uit te gaan. Ze had zelfs zijn das voor hem gestrikt en hem gevraagd of hij zich naar voelde omdat iemand was gestorven die hij kende, en die van zijn eigen leeftijd was.

'Ach, een beetje,' had hij gezegd. 'Hoewel ik hem in geen jaren meer gezien heb.'

'Dan nog,' had Fran gezegd. 'Het is naar.'

'We hebben een tijdje naast elkaar gezeten,' had hij gezegd. 'In de vijfde klas.'

Ze had hem omhelsd.

En nu zat hij dan hier.

Aha.

Hij stond op van het bed en liep naar de stoel naast de televisie. Hij keek erachter. Geen minibar. Alleen een hoop snoeren die over elkaar heen naar de contactdoos kropen. Hij deed op de terugweg naar het bed de televisie aan. Het RTE-nieuws. Een of andere kerel, hun correspondent in het westen, interviewde een knaap met een pet die klaagde over het lawaai dat de struisvogels van zijn buurman vroeg in de ochtend maakten. Ben zocht naar de afstandsbediening. Hij vond hem op het nachtkastje – ook daarin geen minibar. Het ding zat vast aan de muur met een stuk kronkelig plasticdraad. Een heel kort stuk kronkelig plasticdraad. Ben moest achteroverleunen op het bed om de afstandsbediening op de tv te kunnen richten. Hij liet zich zakken en voelde dat de statische elektriciteit hem vastbond op het bed. De afstandsbediening deed het niet. Hij drukte de toetsen in die hem thuis B B C 1 en Network 2 gegeven zouden hebben, maar er gebeurde niets; een struisvogel keek over een heg naar de proleet met de pet. Hij liet de afstandsbediening op het bed vallen en kwam weer overeind. Er glipte wat weg, over het bed. Ben gleed naar de grond. 'Jezus Christus!' Het was een rat verdomme of zoiets. Hij hield zijn gezicht een flink eind van de rand van het bed vandaan en keek. Het was de afstandsbediening; de plasticdraad haalde hem terug, trok hem naar het nachtkastje.

Ben wilde dat hij thuis was. Het was donderdag. Meestal zag hij zijn vrienden op donderdagavond in zijn stamcafé; hij vond dat altijd leuk. Hij deed zichzelf tekort. Niemand wist dat hij hier was. In een hotelkamer vijf kilometer van zijn huis vandaan. In zijn goeie pak, op de grond gezeten, zich lam geschrokken van een kruipende afstandsbediening. Hij wist niet waarom hij hier was. Als Fran nu binnen was gekomen, had hij het niet uit kunnen leggen, zelfs niet als hij eerlijk had willen zijn.

'Wat doe je op de grond?'

'De afstandsbediening bewoog.'

'Wat doe je in het hotel?'

Dat was een hele goeie vraag. Hij kromp in elkaar bij alleen al de gedachte dat hij daarop antwoord zou moeten geven. Hij was nooit eerder in een hotelkamer geweest.

Hij wou weten hoe het was om in zo'n kamer te zijn. Hij was benieuwd. Dat waren allemaal goeie, eerlijk antwoorden. Maar waarom alleen? Waarom zo dicht bij huis? Waarom alleen? Waarom alleen, Ben? Waarom alleen? Fran was ook nog nooit in een hotelkamer geweest. Voor zover hij wist. Waarom alleen, Ben?

Wat zou hij gezegd hebben? Hij was ongelukkig. Dat was ook waar; hij was ongelukkig. Maar hoe zou hij dat uit kunnen leggen? Hij had werk waar hij goed in was en dat hem beviel; hij had een vrouw van wie hij hield en die ook van hem hield, die er beter aan toe was dan hij; hij had drie kinderen die 's ochtends helder uit de ogen keken, die hem nog een nachtzoen gaven als ze eerder naar bed gingen dan hij; hij was niet zo dik als de meesten van zijn vrienden. Allemaal dingen om dankbaar voor te zijn – en dat was hij. En toch was hij ongelukkig. Als hij jonger was geweest, zou hij gezegd hebben dat hij er genoeg van had. 'Spuugzat' of 'beu' was niet het goeie woord. 'Op de rand van zelfmoord' was te veel gezegd, maar soms had hij het gevoel dat het er niet zo ver vandaan was. Hij was gewoon ongelukkig.

Hij wist niet waarom.

Hij kwam overeind van de grond en liep naar de tv. Naar de tv lopen; het was iets wat hij in geen jaren meer had hoeven doen. Hij deed hem uit. Er waren misschien satellietverbindingen die hij thuis niet had, Playboy Channel of porno uit Polen en andere oorden waar ze geen wetten hadden, maar het kon hem niet schelen. Hij had geen kamer in het hotel genomen om naar de tv te kijken. Dat was tenminste iets wat hij zeker wist.

Het moment voor actie was gekomen. Hij zou zijn schoenen weer aandoen. Trouwens, de tv was er ook nog altijd als hij terugkwam.

Ben was drieënveertig. Hij kon zijn leven indelen in decennia. Hij was twee decennia getrouwd. Hij had Fulham drieënhalf decennium gevolgd. Hij had zijn eind-

13

examen tweeënhalf decennium geleden gedaan. Hij had Derek, zijn beste vriend en getuige bij zijn huwelijk, eenendertig jaar geleden leren kennen. Eerste heilige communie, vijfendertig jaar geleden. Eerste keer seks, vierentwintig. Hij had een huis dat over tien jaar helemaal van hem en Fran was. Over twintig jaar zou hij met pensioen gaan. Over dertig jaar ging hij dood.

Klote-Fulham. Dat vatte eigenlijk alles samen. Dat maakte vrij goed duidelijk waarom hij hier zat. Zesendertig jaar geleden, toen Ben en zijn vrienden beslisten van welk elftal ze supporter zouden worden, een eigen keuze maakten of in het voetspoor traden van hun broers en vaders, had Ben voor Fulham gekozen. De anderen hadden United, Liverpool, Leeds, zelfs Chelsea genomen. Maar Ben had zijn broer, een supporter van United, geloofd. 'Je kan niet twee mensen in één huis hebben die voor dezelfde club zijn,' had hij tegen Ben gezegd. 'Dat mag niet.' Ben herinnerde zich dat hij tranen in zijn ogen kreeg; hij had echt, echt voor Manchester United willen kiezen. Hij hoopte nog dat zijn broer hem met een grijns zou zeggen dat hij hem alleen maar voor de gek hield. 'Je moet Fulham nemen,' zei zijn broer. 'Dit wordt hún jaar.' En wat volgde was drieënhalf decennium van ellende. Eén onafgebroken ellende. Bens vrienden namen hun kinderen tegenwoordig mee naar Anfield en Old Trafford. Maar Niall, Bens jongste, had de Childline gebeld toen Ben voorstelde om samen naar Craven Cottage te gaan. Niall – vernoemd naar Bens broer.

En het was niet alleen voetbal. Voetbal was niet van belang. Het was alles. Hij had niks tegen zijn werk, maar hij had nu vijfentwintig jaar lang automotoren nieuw leven ingeblazen. Hij deed het goed – ze noemden hem Yuri Geller; in de kantine gaven ze hem vaak een kromme lepel en vroegen hem of hij die recht wou buigen – maar iets anders had hij nooit gedaan. Er waren andere dingen die hij had kunnen doen, maar het was te laat; hij zou ze nooit kennen. Hij hield van Fran. Echt waar. Maar dat hield in dat er tientallen, honderden, miljoenen vrouwen waren die hij nooit zou kunnen kennen en beminnen. Hij wist dat die gedachte tegenover Fran heel onrechtvaardig was, dat die zelfs belachelijk was – het idee dat vrouwen over de hele wereld van hem verstoken bleven omdat hij met haar getrouwd was. Maar hij keek graag naar vrouwen en hij was geen onaantrekkelijke kerel en hij had gevoel voor humor en, jezus, er waren momenten dat hij wel kon huilen. (Hij herinnerde zich dat hij een keer, tien jaar terug misschien, in gesprek was geraakt met een vrouw in de bus. De bus had ingehouden en was om twee auto's heen gezwaaid die midden op de weg op elkaar waren geknald. 'God,' zei Ben. 'Zijn er gewonden?' Ze hadden allebei naar buiten gekeken toen de bus voorbijreed. 'Er zit niemand in de auto's,' zei de vrouw. 'Gelukkig maar,' zei Ben. 'De Mazda is pas nieuw. Wat zonde.' 'Mooie kleur,' zei ze. En vanaf dat moment waren ze in gesprek gebleven. Ze zag er leuk uit; details kon hij zich niet herinneren. Zij was ouder dan hij. Ze had wat rimpeltjes die bij haar pasten. Ze waren blijven kletsen tot de bus bij Marlborough Street was en Ben herinnerde zich hoe triest hij zich gevoeld had, hoe eenzaam toen hij besefte dat hij niet echt met haar kon praten. Hij stond het zichzelf niet toe. Het zou niet juist zijn geweest; hij was getrouwd. En zij waarschijnlijk ook. Zo was het gegaan.) Beloften waren niet nagekomen, kansen waren gemist. Eén baan, één vrouw, één huis, één land. De hele wereld om hem heen en hij had er niets van gezien. Dat was niet helemaal waar. Hij was in Tramore geweest – zeventien keer. Ze hadden daar een woonwagen, waar de wielen vanaf waren gehaald. En zijn vader was een maand geleden gestorven. Zevenenzestig jaar en zijn hart had het begeven onder het scheren, en hij was dood voordat de ambulance er was, voordat zijn moeder Ben gebeld had.

Schoenen.

Het moment was gekomen. Hij ging op de rand van het bed zitten en schoof zijn voeten in zijn instappers. Ben droeg altijd dezelfde soort schoenen vanaf dat hij ze zelf kocht. Omdat hij niet erg goed in veters knopen was.

'Wacht,' zei hij.

Vorige week nog had Ben het nummer van zijn ouders gedraaid om zijn vader het nieuws te vertellen dat Raymond, zijn oudste, bij Bohs op proef was aangenomen, toen het hem te binnen schoot dat zijn vader dood was. Hij moest het zich dagelijks in herinnering brengen, telkens weer. Hij zou eraan moeten wennen dat hij hem miste. Hij zou ermee op moeten houden telkens te gaan huilen als hij aan iets dacht wat hij zijn vader wou vertellen.

Hij ging met zijn tong langs zijn tanden en besloot ze te poetsen. Hij wou niet telkens als hij zijn mond opendeed de lucht verspreiden van zijn avondeten. Als zijn adem naar lamskoteletten rook zou elke vrouw meteen begrijpen dat hij getrouwd was en op jacht. Hij zou zijn tanden poetsen tot zijn vullingen om genade smeekten.

Hij ging naar de badkamer. En suite. Vlak naast het bed. Wat een waanzinnige weelde. Hij kon bijna pissen zonder uit bed te hoeven komen. Hij deed het licht aan en de ventilator kwam sputterend tot leven.

Hij was bezig met verdwijnen. Voor één nacht maar. Hij wilde zien wat er gebeurde. Daarom was hij hier in Finbar's Hotel, om mee te maken wat hij niet kende, om te zien wat hij gemist had. Er zou iets gebeuren. Zo ging dat bij hotels – de mensen lieten hun ware ik bij de receptie achter en werden wie ze wilden zijn als ze boven uit de lift kwamen. Het hotel zou Ben laten zien hoe het bestaan had kunnen zijn. Dan, morgen, zou hij naar huis gaan. En nog lang en gelukkig leven.

Hij bekeek zichzelf in de spiegel. Fran had gelijk; hij was geen onknappe man. Hij zag er goed uit in het pak.

Antracietgrijs. Fran had hem eropaf gestuurd, gezegd dat het hem goed zou staan. En dat deed het. Hoewel het een beetje krap zat onder de armen en de broekband binnenstebuiten draaide als hij ging zitten. De das had ze goed gedaan; de stroken gleden vlekkeloos door de knoop. Fran had iets met dassen. Ze had er een om haar middel geknoopt om haar buikje te verbergen, met de knoop op haar navel. Op hun huwelijksreis. In een B&B in Galway. Met de wc mijlenver de gang door, naast de slaapkamer van de verhuurster. 'Ik hoorde doortrekken. Wilt u nu het ontbijt?' Om vijf uur 's ochtends. Terwijl Fran daar in die kamer was, op hem wachtte, op het bed stond met zijn das om en verder niks. 'Nee, dank u,' zei Ben tegen het duister achter de deur van de verhuurster. 'Ik moest alleen maar even pissen.' En toen hoorde hij Fran. 'Schiet op, zeg. Ik bevries verdomme.' En hij holde terug door de gang, vloog, om in de kamer te zijn voordat hij het uit zou brullen. Ze kropen onder de dekens en lachten tot ze niet meer konden.

Hij wilde dat hij thuis was.

Hij hoorde een kuch. Hij dacht die te horen. Hij draaide de koude kraan dicht en luisterde. Een stem. Ja? Hij kon geen woorden of stiltes onderscheiden. Hij stapte in het bad. Behoedzaam, zodat zijn schoenen geen herrie zouden maken. Hij drukte zijn oor tegen de muur. Weer een kuch. Absoluut. Een vrouwenkuch. Was ze in de badkamer? Pal achter deze muur? Stond ze in het bad met haar oor tegen de wand? Hij stapte uit het bad. Hij hoorde nu twee stemmen. Twee vrouwen in de kamer naast hem. Kamer 102. Met een tweepersoonsbed als dat van hem? Hij luisterde. Nog steeds geen woorden, maar een van de stemmen had een Engels accent. Absoluut. Er was een Engelse vrouw daar. Met een andere vrouw. Ze hadden ruzie.

Boven trok iemand een wc door. De buizen reutelden in het plafond. Hij bleef bij de badkamerdeur staan. Iemand boven, misschien degene die net van de wc kwam, nam nu een douche; Ben kende dat geluid. Een vrouw? Gebruikte zij het stukje zeep dat in je kamer lag of had ze zo'n eidooier met douchegel die rook als de scheet van een mango wanneer je erin kneep? Of was het een stel? Met douchegel?

Naar buiten.

Het was tijd om te gaan. Hij keek eerst uit het raam. Het was tenminste droog. Dat was de Liffey daarbeneden. Een kamer met uitzicht, maar hij werd er niet opgewonden van. Het was alleen maar een rivier en te recht en te smal om Bens adem te doen stokken. Hij zocht een manier om het raam open te doen maar die was er niet. Toen hij zijn gezicht tegen de ruit drukte kon hij de hoek van het station zien, verlicht. Het zag er mooi uit, heel wat beter dan overdag. Kingsbridge. Heuston Station. Genoemd naar een van de knapen die in 1916 door de Britten doodgeschoten waren. Dat had Ben mooi gevonden, doodgeschoten worden voor zijn land. 'Wil je een blinddoek?' 'Stop hem in je reet, Bonzo.' Hij liet het gordijn vallen. Hij zag stof dwarrelen in het licht en terugvallen op het gordijn. Het was er eigenlijk vies.

Genoeg.

Naar buiten.

Hij klopte op zijn borst en voelde zijn portefeuille.

Hij ging.

Hij trok de deur achter zich dicht en controleerde of hij hem niet weer open kon doen. Hij hoefde niet te controleren of de sleutel in zijn zak zat, de grote sleutelring met het ingekerfde kamernummer sneed in zijn been. Hij zou hem afgeven bij de receptie. Want, waar hij nu zat, als hij zijn benen te snel over elkaar sloeg werden zo zijn kloten afgeklemd. En hij wou hem niet in een zak van zijn jasje doen omdat dat dan scheef om hem heen ging hangen. De mouwen knelden bij de schouders. Het had niet krap gezeten toen hij het kocht, dat wist hij zeker. Hij schudde met zijn lichaam. De kleren losser maken, het vet verspreiden.

De gang. Een rij gesloten deuren. Bij één deur een dienblad op de grond. Iemand vond hun brood niet lekker. Er lag een hele onaangeraakte driehoek van toast op het bord. En kijk eens even, een potje jam met het sluitzegel er nog op. En geen geluid te horen. Ben keek of er een mes onder het servet lag. Bingo. Hij deed het deksel van het potje en het mes in de jam toen...

Klere! Er ging een deur open. 102. De potten!

'Na u, Cecil,' zei een van hen, degene die Engels had geklonken. Het antwoord hoorde hij niet doordat hij wegsprong van het dienblad en voorover op de grond viel. Hij kwam weer overeind en keek naar de loper, zocht de oorzaak van het ongeval, tikte erop met de punt van zijn rechtervoet toen de vrouwen langskwamen.

'Goed uitkijken,' zei hij.

'Gaat het?' vroeg de kleinste, terwijl de andere voorbijschoot.

'Prima,' zei Ben. 'De loper zit zeker los.'

Hij keek weer onderzoekend naar de grond.

De vrouwen liepen door. Na u, Cecil. Wat hadden ze daarbinnen uitgespookt? Cecil was geen naam die je zowel voor een man als voor een vrouw kon gebruiken, zoals Fran of Gerry zelfs. Het waren potten, absoluut. De ene die wat had gezegd, was een zurig type; ze keek alsof ze d'r kleingeld in d'r doos had zitten. En ze had van die schoenen aan, van die zwarte die zijn moeder altijd protestantse schoenen noemde. Ze zagen er niet lesbisch uit. De Engelse niet, in ieder geval. Ze stonden bij de lift. Ben hoorde de lift klimmen. Hij wou niet tegelijk met ze instappen; hij zou wachten. De protestantse keek en zag Ben naar hen staren. En ineens drong het tot hem door dat hij de toast nog in zijn hand had. Hij stopte hem in zijn zak en draaide zich om. Hij haalde de kamersleutel uit zijn broekzak. Het ding trok de voering mee. Hij hoorde dat de lift de vrouwen naar beneden bracht terwijl hij de deur openmaakte. Hij zou even wachten, dan opnieuw proberen. Hij zou even zijn jasje uitdoen.

De bar was groot. Veel hout en glas. Er zaten wat stellen aan tafeltjes, één stel had duidelijk ruzie; Ben zag het aan de manier waarop zij met een blauwe cocktailprikker het schijfje citroen in haar glas doorboorde. En wat eenlingen, uitsluitend mannen, achter aan de bar. In de hoek was een of ander feestje gaande, veel onsamenhangend joelen en gelach, maar het leek een heel eind weg, ergens in de verte. Over een breed en leeg tapijt. Ben liep naar buiten voordat hij de tijd had om teleurgesteld te raken. Hij zou het later nog een keer proberen.

'Maar wat bedoel je dat je er doodziek van wordt dat ik zo op je lip zit?' zei de man tegen de vrouw met de prikker, zo hard dat Ben even dacht dat hij het tegen hem had. 'Ik ben verdomme in geen weken op of bij je geweest.'

Ben liep door.

En bij de receptie was het niet bepaald een dolle boel. Het was er wel druk, maar in de meeste fauteuils zaten oude Amerikanen in glimmende kleren, die er zowat allemaal uitzagen alsof ze jaren in de diepvries hadden gezeten en pas nu het gebruik van hun armen en monden weer een beetje terug begonnen te krijgen. Ze zaten ineengedoken rond kommen soep en koppen koffie. Het mooie meisje met het Aideen-kaartje op haar vest was nog altijd kalm bezig achter de balie. Boven haar hing, rechts van een schilderij met een of andere opgeblazen lummel erop, een klok met daaronder een bronzen plaat waarop DUBLIN stond. Om de yanks te helpen herinneren, dacht Ben.

Hij liep door. Hij had een pijltje naar de gastenbar gezien, achter de receptie. De klank beviel hem. Beslotenheid, voorrechten, lekker bier na sluitingstijd. Hij vond hem, langs het restaurant en dan een hoek om. Het was er stil. Als de twee yanks in de hoek zouden sterven was het er leeg. Hij knikte naar ze en liep naar de bar. De barman stond een theedoek in een glas te duwen.

'Ik ben hier maar voor één nacht,' zei Ben. 'Mag ik er nog in?'

'Natuurlijk, meneer,' zei de barman. 'Wat zal het zijn?'

Ben kende zichzelf. Als hij hier een biertje dronk zat hij vast voor de rest van de avond om uiteindelijk met de yanks te praten over geweld en het weer.

'Ik wou het alleen maar even weten,' zei hij. 'Ik kom straks terug.'

Hij ging terug naar de bar.

Hij vond het restaurant er mooi uitzien, maar hij had al gegeten voordat hij van huis ging en hij had geen zin in nog een keer. Bovendien, hij had een hekel aan eten in het openbaar. Dat was het mooie van drinken: je had er geen vork bij nodig.

Klere!

Daar had je de potten van 102!

Hij dook het restaurant in. Te laat. Hij zat nu in de val als ze binnen zouden komen. Hij bloosde; hij voelde het. Hij wist hoe hij eruitzag – hij was de ergste blozer van de hele wereld, een tomaat met oren. Hij had een kop als vuur. En hij wist niet waarom. Het waren toch maar vrouwen. Die elkaar leuk vonden.

Ze liepen voorbij, door naar de gastenbar.

Dat was op het nippertje.

'Wilt u een tafel, meneer?'

'Eh, nee dank u.'

Het staat thuis vol met tafels. Hij wou dat hij dat antwoord er over zijn schouder heen had uitgegooid, maar dat had hij niet. Hij liep gewoon de zaal weer uit en terug langs de receptie en door de ontdooiende yanks heen naar de bar. Het ruziënde stel had het weer goedgemaakt. Zij aaide hem over zijn wangen en wreef haar neus heen en weer over zijn voorhoofd. En zijn handen zaten onder haar jasje. Ben kon zien dat zijn vingers omhoogkropen over haar rug. Hij was blij voor hen. Het was nu drukker. Er waren minder gapende leegten aan de bar en er was een grotere verscheidenheid aan mensen. De eenlingen leken minder alleen en het kantoorfeest, of wat het dan ook was, was verderop in volle gang. Ben wist ineens zeker dat hij op de goeie plek was.

Hij vroeg een bier en het werd al voor hem neergezet voordat hij zijn kont goed en wel had neergelaten.

'Geweldig. Hoeveel is dat?'

'Twee vijfentwintig,' zei de barman.

Ben was opgetogen. Het was hier vijfentwintig penny's duurder dan in zijn stamcafé. Hij nam het ervan. Hij was onder mensen die het niet erg vonden afgelegd te worden. Er golden andere wetten hier. Geld was niet van belang. En het was geen slecht bier ook. Hij keek naar het feestje. Een kerel stond met zijn colbert te zwaaien en 'Hey, Big Spender' te zingen. 'Zitten, eikel.' Er was een vrouw met een bloem in haar mond. Een andere vrouw kwam overeind en brulde: 'Public relations!' en viel lachend weer terug op haar stoel. Iedereen juichte. Een man stond op, viel om en kwam weer overeind. 'Wegen, straten en verkeer!' Ze juichten opnieuw, lachten en hieven hun glazen op. Hij overwoog erheen te gaan. Zijn biertje meenemen en er gewoon op af gaan. Maar hij kon het niet. Hij had het lef niet. Hij zou niet geweten hebben hoe ertussen te komen, hoe rustig te blijven, wat precies te roepen, wanneer precies te lachen. Als hij zich hard genoeg concentreerde zou een van de vrouwen misschien zijn kant op komen voor drank of chips en iets tegen hem zeggen terwijl ze stond te wachten. Hij moest zich alleen maar concentreren. Hij tuurde naar zijn bier totdat het begon te zwaaien – kom hier, kom hier, kom hier.

'Ik heet Ken. Ken Brogan.'

Er stond een man naast Ben, een man in een of ander Temple Bar-T-shirt, zo dicht naast hem dat Ben bijna van zijn stoel viel om een veilige afstand van een paar centimeter tussen hen beiden te bewaren.

Hij stak zijn hand uit. Hij wilde dat die gedrukt werd.

'Ben,' zei Ben.

En hij voelde dat zijn vingers verbrijzeld werden en daarna weer losgelaten.

'Ken en Ben! Da's een goeie.'

Ben zei niets. Het was helemaal geen goeie. En hij was nog steeds te dicht bij Ben. Hij had van die gel in zijn haar. Ben kon het ruiken. De badkamer thuis stond vol met halflege potten van dat spul. Het was net roze wagensmeer; Ben had er een keer iets van op zijn borstharen gesmeerd. En nu, die vent was zo dichtbij, Ben was bang dat het op hem zou druipen.

'Zeg, Ben,' zei hij. 'Vind jij dat er in Ierland te veel gepraat wordt?'

'Zou best kunnen,' zei Ben, en hij wendde zijn gezicht af en probeerde te doen alsof hij iemand zocht. Gelkop praatte door zonder dat Ben naar hem luisterde. Maar hij moest zich weer naar hem omdraaien toen gelkop hem op zijn schouder tikte met, zag Ben, een spanningzoeker.

'Luister je weleens naar *Liveline*?' vroeg gelkop. 'Marian Finucane?'

'Wat?' zei Ben.

'Dat ís me een programma,' zei gelkop. 'Ik kan heel wat troep verdragen, maar *Liveline* niet. Ik bedoel, ik luister er haast elke dag naar. Maar ik word gek van d'r. Al dat "Oooh" en "Aaah" en "O jee" en "Ja, maar…" Wie denkt ze wel niet dat ze is? Wat vind jij van d'r?'

'Ze is wel oké,' zei Ben.

Hij moest zien weg te komen. Die klootzak liet hem nooit met rust. Hij had geen antwoord moeten geven.

'Luister je naar d'r?' vroeg gelkop.

'Nee,' zei Ben.

Hij luisterde wel, iedere dag, en hij vond Marian Finucane fantastisch maar hij moest zien weg te komen. Hij zou de hele avond met die grappenmaker blijven zitten als hij niet opstond. Het was misschien nog wel een nicht ook; hij was veel te oud voor die gel. Ben had niets tegen nichten maar alles tegen zeurende nichten. Hij zette het restant van zijn pils neer.

'Weet je wat ik vind?' zei gelkop.

Ben wilde weg.

'Ik heb een afspraak,' zei Ben.

'Ze moet haar neus niet zo in andermans zaken steken,' zei gelkop.

Ben stond op. Maar gelkop hield de kruk van achter vast. Ben duwde. Gelkop liet los en de kruk viel achter hem op de grond.

'Jezus!'

Een vrouw wipte eroverheen, tussen de poten door, met drie volle glazen in haar handen. Ze lachte en zag kans geen druppel te morsen. Een aantrekkelijke vrouw in een zwarte jurk. Ben had met haar kunnen praten in plaats van met die lul. Ze zou zich naast Ben naar voren hebben gedrukt om de aandacht van de barman te trekken als die klotegelkop zich daar niet eerder ingedrongen had. Daar was ze weer, midden in het feest. Een van de andere vrouwen kwam overeind op het moment dat Ben bij de deur was.

'Elektriciteit en openbare verlichting!'

Ze juichten en klonken met hun glazen. Er ging iets aan diggelen.

Hij liep nu buiten. De frisse lucht deed goed. Het pak voelde buiten niet krap aan. Hij deed het jasje open om de lucht binnen te laten om hem heen. De das hing over zijn schouder. Zo koud was het niet. Als hij maar in beweging bleef.

'Ik vind Marian Finucane fantastisch. Ze is mooi, intelligent en ik wil geen woord van haar missen. Had je daar wat op te zeggen?'

Hij liet het hoofd van gelkop bungelen boven de spoelbak achter de bar waar hij hem zojuist overheen gesmeten had. De kantoorvrouwen stonden achter hem.

'Koppie-onder! Koppie-onder! Duw 'm koppie-onder!'

Die in de zwarte jurk strekte haar duim en wees ermee naar beneden. Ze grinnikte en knipoogde naar Ben. Ze zag er in die jurk ontzettend sexy uit. Ze maakte met haar tong haar lippen nat.

Ben bleef staan. Hij was voorbij Heuston Station gelopen. Hij liep in de richting van Lucan en de snelweg naar het westen. Er was daar verder niets. Hij liep de verkeerde kant op, de stad uit.

'In godsnaam, Ben.'

Het was verdomde koud.

De deur ging niet open; hij kreeg de knop niet omgedraaid. Het was dezelfde sleutel, aan dezelfde grote sleutelring. Dat wist hij zeker. Aideen had hem beneden zonet aan hem gegeven. 'Ik moet even een paar mensen bellen,' had hij tegen haar gezegd. Het was absoluut de goeie sleutel.

Daar zat hij nou net op te wachten, buitengesloten worden uit zijn eigen kamer. Verderop stond een potige kerel, bij de deur van kamer 107; het leek een onderhoudsmonteur of zo. Hij wou het hem niet vragen, niet bekennen dat hij geen raad wist met de deur, maar het was beter dan naar beneden gaan en het daar opbiechten.

Hij gleed in zijn hand. De knop. En klikte. De deur was open. Hij was binnen.

Thuis.

Zo voelde het aan, na al dat gedoe. Hij zou hier even blijven en het daarna opnieuw proberen. Gelkop zou wel weg zijn. Het feest zou dan nog aan de gang zijn. De nachtclub in het souterrain zou dan inmiddels open zijn. Hij trok zijn jasje uit en hing het over de radiator. De avond was nog jong. Hij probeerde het jasje op zijn plaats over de radiator te houden maar het lukte niet. Zo nat was het nou ook weer niet. Hij trok zijn schoenen uit, deed daarna beide deuren van de klerenkast open. Hij deed ze zo ver mogelijk open. Daarna trok hij zijn hoofd weg uit het schijnsel van de plafondlamp achter hem en keek in de klerenkast. Hij begon in de hoek linksonder, daarna naar rechts, naar boven, overlangs en terug naar de hoek. Geen minibar. Hij was leeg, op de hangers na. Hij pakte zijn jasje van het bed en hing het op. Niet de tv aandoen. Niet de tv aandoen. Hij ging op het bed zitten. Was het nog te vroeg om naar de nachtclub af te dalen? Zou gelkop weg zijn nu? De afstandsbediening lag er nog steeds, tegen het kussen. Nee nee nee. Hij legde het kussen op de afstandsbediening.

'Laat haar toch president worden, verdomme.'

Hij drukte het kussen stevig op het bed.

Hij ging de roomservice proberen. Kijken wat er gebeurde. Een dienblad op wieltjes, met een bloem in een smalle, witte vaas en een zilveren emmer vol ijs. Hij nam de telefoon op. Op een kaart op het nachtkastje stond dat hij 505 moest draaien.

'Hallo?'

Hij zag de afstandsbediening onder het kussen vandaan kruipen.

'Eh. Hallo,' zei Ben. 'Is dit de roomservice?'

'Dat kan het zijn, als u dat wilt.'

'Wat?'

'Wat wilt u hebben, meneer?'

'Iets te eten.'

'Uitstekend. Wat?'

'Eh. Een paar sandwiches.'

'Heel goed. En thee?'
'Ja.'
'Ik zal u een flinke pot boven laten brengen. Prima. Komt er zo aan.'
'Dank u...'
Hij legde de telefoon neer.
Lul.
Hij wou geen sandwiches. Hij wou geen thee. Hij wou helemaal niet zoiets als sandwiches en thee. Hij wist niet eens wat voor soort ze zouden brengen. Hij had een hekel aan kaas. Hij was niet dol op ham. De kleur van kip maakte hem misselijk als die niet wit was. Hij bleef hier niet. Hij zou gauw naar buiten gaan, voordat ze kwamen.

Hij deed zijn schoenen weer aan.

Hij had in ieder geval niet de televisie aangedaan. Dat was iets.

Jezus, wat was het donker. Hij was in geen jaren meer in een nachtclub geweest. Hij kon zich niet herinneren dat ze zo donker waren. Hij had Fran leren kennen in een nachtclub en hij had haar toen heel goed kunnen zien. Maar hier zag hij niets. Hij ging nog een paar stappen verder naar binnen, liet de ingang achter zich. Het was alsof je een bioscoop inkwam nadat de film was begonnen. Erger. Hij zou moeten wachten tot zijn ogen gewend waren. Het was niet zozeer de duisternis. Het was hoe het geluid en de lichten op hem afkwamen, hem omgaven; hij kon ze voelen op zijn huid. Het leek of je door soep liep of zoiets. Hij kreeg geen lucht. Hij legde zijn hand op de muur. Was er iemand achter die lichten daar, die naar hem keek? Iemand met een snorkel en een duikbril? Gelkop? Hij bracht zijn hand naar beneden. Hij voelde de bassen trekken aan zijn knieën toen hij naar het midden werd gezogen van wat er dan ook voor hem was. Hij moest zich ontspannen. Het moment was gekomen om de das los te maken, helemaal af te doen misschien. Hij was nu tussen de lichten. Onderdeel van het gebeuren. Hij kon dingen zien. Daar was de bar. Hij zou erheen gaan. Kon je Guinness drinken in een nachtclub? Wat moest hij doen als hem ecstasy werd aangeboden? Hij voelde zich nu prima; er kwam ergens koele lucht vandaan. Er was geen barman te bekennen. Hij leunde met zijn rug tegen de bar en keek om zich heen. Hij was er nu aan gewend. Hij begon het leuk te vinden. De muziek beviel hem.

Maar hij was de enige daar. Hij kon het nu zien. De zaak was leeg. Op Ben en de lichten na.

Hij holde naar de uitgang, terug naar het hotel daarboven. Een groep van een man of zes kwam de trap af. Hij zou even rondlopen en het zo meteen opnieuw proberen.

Weer terug naar de gastenbar. De potten waren nergens te zien maar de yanks hadden de zaak nu in beslag genomen. De helft sliep. Hij ging terug naar de bar. Het ruziënde stel tolde rond in de draaideur bij de receptie, lachend en verliefd, verlangend om door de wereld gezien te worden. Het was vast iets wat ze kenden van een film. Hij bleef bij de ingang van de bar staan en keek of gelkop in de mensenmassa stond. Er was geen spoor of geur van hem te bekennen. Hij ging naar binnen.

'Reiniging, waterleiding, riolering!'

Het kantoorfeest liep op Ben voor. Er waren heel wat zatte mensen in die hoek daar. Eén knaap vooral zag spierwit om zijn neus. Die kreeg heel binnenkort zijn lunch te zien, als Ben het goed had. Hij zocht de vrouw in het zwart.

Ze was bij de bar.

Prima.

Hij schuifelde tussen twee groepen door van jonge mensen die allemaal een T-shirt droegen met de opdruk DAVE'S VRIJGEZELLENAVOND en kwam uit bij de bar. Maar ze was weg; ze was terug bij het feest. Ben zag dat ze ging zitten. Ze liet zich gewoon achterovervallen, tussen twee mannen in, die snel plaats voor haar maakten. Ben voelde haar been haast tegen het zijne toen hij haar neer zag komen tussen die twee. Ze boog zich voorover en greep haar glas. Ze was ook lam, Ben zag het aan de slingerende, trage weg die het glas aflegde naar haar mond. Hij tuurde naar het glas, probeerde het naar haar lippen te helpen zonder morsen.

Een van de vrijgezellenfeestgangers botste tegen hem op.

'Sorry, makker.'

Hij was Engels.

'Maakt niet uit,' zei Ben.

Hij wilde wat drinken. Hij was de hele avond op stap geweest en had maar één biertje gehad, en dat had hij nog niet eens helemaal opgedronken. Hij drong zachtjes naar voren om in de buurt van een barman te komen – hij vond het onprettig om mensen die hij niet kende aan te raken, hij wilde niet graag lomp zijn – maar plotseling hield hij in. Er was hier nergens plaats voor hem. Geen lege kruk of bar om tegenaan te leunen. Hij zou moeten blijven staan, met zijn glas tegen zijn borst gedrukt als hij er niet van dronk. Helemaal alleen. Een eenzame vogel en niet eens onderdeel van een vrijgezellenfeest. Het werd zo langzamerhand de ergste avond van zijn leven.

Terug naar de nachtclub.

Hij vond het gemakkelijker dit keer. Het ging prima. Zijn ogen hadden minder tijd nodig om te wennen; hij zag meteen andere mensen. Een paar mensen dansten, anderen keken naar het dansen of stonden eromheen te schreeuwen boven de muziek uit, geen van allen stond stil – de muziek zat in hun benen en schouders. Dit beviel hem. Hij ging naar de bar. Het ene nummer ging in het andere over; er zat geen pauze tussen. Vroegen mannen de vrouwen tegenwoordig nog ten dans? Hoe? In Bens tijd had je vlugge nummers en langzame nummers, tegen het eind van de avond meer langzame dan vlugge en flink wat tijd tussen elk nummer zodat je voor een jonge meid kon gaan staan om haar te vragen. Hoe ging dat nu? Hij zou eerst wat drinken. Dan was dat tenminste gebeurd. Hij snakte naar een pils; hij nam er meestal vier op donderdag. Maar alweer, kon je wel een Guinness nemen? Zou hij niet uitgelachen worden? En waar moest hij zijn glas laten als hij ging dansen?

Hij liep tegen een vrouw op.

Ineens stond ze voor hem, opgedoken uit het niets. En daarna botste hij tegen haar op en zag haar wegschieten voordat hij begreep wat er gebeurd was.

Ze zat op de grond.

'Gaat het?'

'Je hoeft niet zo te schreeuwen.'

'Sorry,' zei Ben. 'Komt door de herrie.'

Herrie. Hij was net zijn vader. Nee, hij was zichzelf. De laatste persoon die hij vanavond wilde zijn.

'Gaat het?' probeerde hij nog een keer.

'Komt door die rotschoenen,' zei ze.

'Ze zijn heel leuk,' zei Ben.

'Je breekt je nek, verdomme,' zei ze. 'Help me overeind.'

Ze was in de twintig, dacht Ben. Dik in de twintig. Misschien dertig zelfs. Ze was aan de lange kant, magertjes en mooi. En ze was weg. Ze hield zich aan zijn hand en mouw vast tot ze overeind was, maar toen hij zijn jasje weer om zijn schouders had, was ze er niet meer. Hij moest het misschien maar opgeven en teruggaan naar de yanks in de gastenbar. Het had een stel aardige mensen geleken, en hij had nog nooit seks met een pensioengerechtigde gehad. Hij zou zich meer op zijn gemak voelen daarboven.

Maar nee. Hij was nog niet dood. Hij had alleen maar een biertje nodig en tijd om weer rustig te worden. Hij dacht aan vroeger. Naar een jonge meid gaan, aan de rand van een groepje jonge meiden. Op haar afstormen voordat het volgende nummer was begonnen. Erin duiken voordat hij zichzelf een halt kon toeroepen en terug kon glippen in de massa. 'Heb je zin om te dansen?' 'Nee.' Het aantal keren dat hij midden op de dansvloer was gestrand, met allemaal gelukkige stellen om hem heen, iedereen in het gebouw behalve Ben, die dansten in nauwe trage cirkels en de vullingen uit elkanders tanden zogen, verschrikkelijk, eenzelvig verliefd. Terwijl Ben daar stond te wachten tot John Lennon ophield met z'n *imagine* of Sylvia's moeder die kleretelefoon had opgehangen, zodat hij zonder duwen weg kon komen van de dansvloer, zijn jas kon pakken van een stoel en naar huis gaan.

Voordat Fran hem redde.

Hij wilde dat hij thuis was.

Maar dat was hij niet. En hij ging niet naar huis. Niet voordat het ochtend was. En hij ging niet terug naar de yanks of naar boven naar zijn kamer. Hij was hier, dus – hij was hier. Hij zou een biertje nemen. Hij zou kijken of er een vrouw van zijn eigen leeftijd was, of – het idee kwam zo snel bij hem op dat hij niet kon geloven dat hij het zelf had bedacht – een vrouw die lelijk genoeg was om hem te willen. God, dat was briljant. Het leven was ineens eenvoudiger. Gewoon zomaar. Hij tuurde in de brij. Hij was heel tevreden. Er was nog hoop voor hem. Als hij meer van dat soort ideeën kon bedenken, als hij zichzelf toestond ze te hebben en misschien zelfs uit te voeren en zich niet door schuld liet remmen, was er enige hoop dat hij hier doorheen kwam. En daarna zou hij naar huis gaan. Hij was nu dertig seconden de eigenaar van het idee en hij vond het nog steeds geweldig. Er was hoop.

Maar dat was het probleem met nachtclubs: ze maakten dat iedereen er schitterend uitzag. Hijzelf zag er waarschijnlijk ook fantastisch uit. Hij moest dichter bij de vrouwen komen. Hij zou eerst rondkijken, dan wat te drinken nemen. Er stond een stel meisjes verderop. Ze zagen er prachtig en verrukkelijk uit, ze keken allemaal om zich heen en hielden hun hoofd naar achter als ze lachten. Haren als een gekrabbelde stralenkrans. Zij zagen er geweldig uit. Maar ze konden niet allemaal mooi zijn, niet allemaal – dat kwam niet voor. Ben kwam iets dichterbij. Er was een kleine dikke achter de anderen; geen stralenkrans – jezus, was ze kaal? Net uit het ziekenhuis na chemotherapie? Nee, ze was in orde. Er stond nog een dikke naast haar. Goed, goed. Maar waarom zat hij ineens achter dikke vrouwen aan? Kom op, kom op. Hij moest heel snel iets doen, handelen, een van hen ten dans vragen – kom op, kom op. Hij begon zich een stalker te voelen of zoiets…

Christus.

Eentje kende hem misschien. Of hij kende een van hen. Goeiedag, meneer Winters. Jezus. Een ex-vriendinnetje van zijn zoon. De dochter van een vriend. Een van de jonge meiden uit de buurtwinkels. De zuster van Fran. Een van de kantoormeisjes op het werk. Wat zei u? Wou u met me dansen? Hé, meiden, horen jullie wat-ie zegt?'

Lul.

Stomkop.

Lul.

Hij ging door de voordeur naar buiten, langs de uitsmijters.

'Lekker slapen,' zei een van hen. Ben keek hem aan. Hij was zwart. Hij had een Limericks accent of ergens daarvandaan.

'Goedenavond,' zei Ben. 'Bedankt.'

'Geen dank,' zei de andere uitsmijter, de blanke.

Er was iets naars aan de hand op de stoep voor de nachtclub. Een man schreeuwde tegen een vrouw. Recht in haar gezicht.

'Stap in!'

Bij een open taxideur. Pal voor de uitsmijters. Ben keek

op ze neer maar ze hadden geen interesse. Ze keken doelbewust een andere kant op.

'Stap in!'

'Nee!'

Ben kende ze. Het was het stel dat hij eerder had zien rondgaan in de draaideur.

'Kom op.'

De man greep de arm van de vrouw. Ze verzette zich. Hij trok haar verder.

'Laat me los!'

Ben was razend. Hoe kon die klootzak dat doen? Hun avond kapotmaken, de rest van hun leven kapotmaken. Haar zo behandelen. Omdat ze niet precies deed wat hij wilde. Jezus, Ben kende heel wat van zulke etterbakken.

'Laat haar los.'

Hij was eropaf gelopen en greep de arm van de jonge man. De taxichauffeur bleef recht voor zich uit kijken. Er was heel even niets, minder dan een seconde, terwijl Ben wachtte tot de man iets zou zeggen, naar hem zou kijken, en toen werd hij door iets geraakt in zijn gezicht, precies op zijn neus, en de grond verdween en hij viel achterover. Haar elleboog – hij zag dat ze hem terugtrok toen hij op de stoeptreden voor de nachtclub terechtkwam. Ze had hem een enorme dreun verkocht. En zijn rug, christus, hij was er keihard mee op een tree terechtgekomen.

Ben hoorde de deur van de taxi dichtslaan, zag dat de chauffeur zich weer op zijn stoel wurmde en wegreed, de vuile klootzak, met de achterbank van de taxi nog altijd leeg. Ben nam zijn hand weg van zijn gezicht. Er zat bloed aan. Zijn neus bloedde; hij voelde dat het over zijn mond liep, proefde het. En hij zag de man en de vrouw door de tranen die zijn ogen en wangen al overspoeld hadden. Hij hoestte. En hij kon ze niet meer zien. Geen woord van een van beiden. Ze waren weg.

Hij kon staan.

Er kwam een andere taxi en een ander stel klom eruit en huppelde om Ben heen, naar beneden de nachtclub in, langs de uitsmijters die hen doorlieten zonder naar Ben te kijken. Zijn rug deed verschrikkelijk pijn maar hij kon staan. Hij was weer overeind. Het bloeden was erg. Het kwam op zijn overhemd en zijn jasje. Hij zocht in zijn broekzakken maar vond geen papieren zakdoekje. Het bloed golfde uit hem weg; hij voelde het pompen. Hij zat helemaal onder. Hij doorzocht de zakken van zijn jasje. Zijn grootste moment. Hij had geprobeerd een vrouw te redden en kreeg een gebroken neus voor de moeite. Van de vrouw. Ook geen zakdoekjes in zijn jasje. Maar hij vond de toast. Hij was vergeten dat hij hem daar gestopt had. Jaren geleden, leek het wel.

Zijn bloed kwam op de grond terecht. Hij keek ernaar. Hij moest iets doen, zichzelf weer oplappen. Hij drukte de toast tegen zijn neus. Het zoog goed boter op; misschien werkte het ook bij bloed en dan, hij had niets anders en niemand keek. En het kon hem niet schelen. Hij drukte de toast tegen zijn neus – hij dacht nu niet meer dat hij gebroken was – en snoot. Hij durfde niet naar het resultaat te kijken. En de uitsmijters keken nu naar hem.

Hij kwam, alles bij elkaar, heel aardig door de draaideur heen. Hij voelde het tapijt van de foyer onder zijn voeten voordat hij iets zag en sprong weg van de deur. Hij voelde hem voorbijzwiepen, een paar centimeter van zijn kont maar. Hij was veilig. Hij bleef staan. Zijn ogen traanden nog, hij kon niet ophouden met knipperen. Hij hield zijn hoofd omhoog om het bloeden te remmen. Een bloedneus had hij voor het laatst als jongetje gehad. Maar de toast leek zijn werk te doen. Hij probeerde zich te herinneren waar precies de lift was en waar de lage, glazen tafels stonden. Daar rechts, voorbij de bar. Hij keek. God, zijn hoofd tolde. Die meid moest aan de steroïden zijn geweest. Een zwemster of zo. Hij had vast blauwe ogen. Hoe moest hij die verklaren als hij morgen thuiskwam? Hij voelde de pijn trekken, het vlees verwringen rond zijn neus en binnenin. Maar hij kon de lift zien. Het was niet zo ver. Er stonden geen stoelen of Amerikanen in de weg.

'Godallemachtig, wie heeft u dat aangedaan?'

Het was Aideen, van achter de balie van de receptie.

'Het is niks,' zei Ben.

Hij moest bij de lift zien te komen.

'Het is helemaal niet niks,' zei Aideen. 'Kom bij me. Simon! Haal wat water voor me.'

Ze pakte Bens arm en nam hem mee. Hij bood geen weerstand, protesteerde ook niet. Hij was al één keer door een vrouw in elkaar geslagen. Ze voerde hem een paar passen mee en duwde hem zachtjes in een lage stoel.

'Nou, laat eens kijken,' zei ze. 'Nou, laat me alleen...'

Ze had de toast gevonden.

Ben hield zijn ogen stijf dicht. Er was een verschrikkelijke, korte eeuwigheid waarin zij niets zei en hij geen beweging kon horen, helemaal niets, behalve dat zijn oren zogen. Was ze flauwgevallen? Of weggehold? God, hij was een idioot. Toen voelde hij warm water en een doek die zijn neus kuste en doorging over zijn hele gezicht. De doek was weg, en terug, warmer weer. Over zijn gezicht. Hij voelde dat hij de jaren van hem afnam. Hij voelde de zenuwen onder zijn huid zich rekken om hem aan te raken. Hij had zich nog nooit zo goed gevoeld.

'Het begint toch hopeloos te worden,' zei ze. 'Als je niet eens meer even een ommetje kan maken.'

Tranen verdrongen zich, drukten achter zijn oogleden. Hij liet ze gaan. Hij voelde dat de doek ze wegnam. Nu was de doek boven zijn ogen. Hij deed ze open. Een blauw-wit dweiltje, heerlijk koel nu. En zo vertroostend. Hij wilde het vastpakken. Het mee naar bed nemen. De doek ging weg voor zijn ogen en Ben zag dat Aideen op hem neer-

35

keek. Aideen en een stuk of twintig andere mensen.

Hij deed zijn ogen weer dicht. Hij kreunde.

'Arme ziel.'

Hij hoorde dat ze de doek uitspoelde. En voelde hem weer, sneller dit keer, dwars over zijn gezicht, draaiend, cirkelend. Hij vond het heerlijk, vergat dat er mensen naar hem keken. Volledig. Ze konden doodvallen. Als dit maar altijd zo door had kunnen gaan. Hij wist: dichter bij seks dan dit kwam hij vanavond niet. Hij vond het vreselijk dat hij zo dacht, vervloekte zichzelf maar hij vond het heerlijk, genoot ervan tot de allerlaatste seconde. Hij drukte zijn gezicht in de doek. Zijn ogen waren schoon en helder; zijn neus was niet meer verstopt. Hij kon weer ruiken. De doek bedekte zijn gezicht. Hij drukte zijn gezicht ertegenaan. Hij rook Jif.

Aideen nam de doek weg van zijn gezicht toen zijn gehoest verwoed begon te worden.

'Het gaat weer prima,' zei ze.

'Ze dachten zeker dat u een toerist was,' zei een Amerikaanse stem achter haar.

De portier maakte Bens deur voor hem open. Ben had gezegd dat hij geen moeite hoefde te doen, hij redde zich wel, maar de portier had aangedrongen. Simon. Aideen beneden had hem zo genoemd. Een oud, gerimpeld mormel. Hij had geen woord gezegd de hele weg naar boven in de lift. En nu was hij Bens kamer ingegaan. Vóór Ben. Hij verwachtte een fooi natuurlijk maar van Ben kreeg hij niks.

Simon wees naar iets op het bed. Het was een dienblad met sandwiches en een theepot. Er waren twee kleine blauwe prikkers diep in de zijkant van de sandwiches gestoken waardoor ze in een puntvormige rij recht op het bord bleven liggen.

'Hebt u dat eten besteld?' vroeg Simon.

'Nee,' zei Ben.

'Nou, iemand heeft het toch gedaan.'

'Nou, ik ben het niet geweest.'

Simon nam het dienblad van het bed. Ben verging van de honger.

'Je kan het wel hier laten, als je wilt,' zei Ben.

'Ik dacht dat u zei dat u ze niet besteld had,' zei Simon.

'Heb ik ook niet,' zei Ben.

'Nou,' zei Simon. 'Iemand anders zit er dan misschien op te wachten.'

Hij liep naar de deur.

'Wat zit er eigenlijk tussen?' vroeg Ben.

'Kip,' zei Simon.

En hij verdween. Ben ging op het bed zitten. God, hij was leeg, uitgehold; hij had in geen jaren gegeten. En zijn gezicht deed weer pijn, vreselijk pijn. En de huid rond zijn neus stak; natuurlijk de Jif die zijn gezicht wegvrat. Hij deed zijn hand omhoog om aan zijn neus te voelen.

Hij hield nog steeds de toast vast. Een onderdeel van een seconde, voordat hij hem tegen de muur gooide en overeind kwam, stond Ben op het punt hem op te eten.

Hij stond op.

Hij zou hier niet blijven, in één kamer met de tv en de toast. Geen denken aan. Hij ging naar buiten. Hij zou niet eens zichzelf in de spiegel bekijken. Hij knoopte zijn jasje dicht. De vlekken daar vielen minder op dan op zijn overhemd.

Naar buiten.

Hij zou eerst zijn handen wassen.

Nee, zelfs dat niet. Hij wist dat hij toch weer naar geluiden van de vrouwen naast hem zou gaan luisteren als hij de badkamer inging. Hij zou dan toch weer in het bad gaan staan, met zijn oor tegen de muur. De vloer opnemen, zoeken naar de minibar.

Naar buiten.

Hij was nog niet dood.

'Het begint met een B,' zei ze. 'Dat weet ik haast wel zeker.'

De vrouw in de zwarte jurk probeerde zich haar naam te herinneren.

Toen hij beneden in de bar kwam, was het feest in de hoek volledig ingezakt, er lagen alleen nog wat slapende of ladderzatte lijven in het rond. Met inbegrip van de vrouw in het zwart die eerder over de vallende kruk gewipt was.

'Deirdre,' zei ze.

'Dat begint met een D,' zei Ben.

'Vast en zeker Deirdre,' zei ze. 'Denk ik.'

Het was een personeelsfeestje – geweest – van de openbare diensten aan de kaden. Hij had dat te horen gekregen van een bediende in de gastenbar die er eerder nog niet was. Een van de mensen was gepensioneerd of met ontslag. Of dood misschien, als het om de kerel ging die daar onder zijn stoel lag.

Ben had iets gedaan waarvan hij nooit gedacht had dat hij het zou kunnen. Hij was op de vrouw in het zwart afgestapt en naast haar gaan zitten. Gewoon zomaar. Hij had niet eens de moeite genomen eerst nog een glas te halen. Hij had het niet nodig gehad. Hij was er gewoon recht op afgegaan. Misschien kwam het door de bijna-doodervaring die hij buiten had gehad; het had hem moed gegeven die hij nooit eerder had gehad of had gekend, of hij had daardoor een andere kijk op het bestaan gekregen; hij wist het niet. Iets in ieder geval. Hij ging gewoon naast haar zitten en zei hallo.

Ze was kachel. Hij zag het aan de manier waarop haar hoofd knikte; haar oogleden vielen een paar minuten eerder dan de rest van haar in slaap. Zijn goede engel zei dat hij misbruik van haar maakte, maar Ben zei dat hij op kon rotten. En dat deed hij. Zomaar.

De nieuwe Ben.

Hij zou haar zijn naam noemen – geen geknoei ook, hij zou haar zijn echte naam noemen – maar zij sprak eerst.

'Luister,' zei ze.

Zij leunde naar hem over en viel bijna tegen zijn schouder aan. Hij voelde zijn schouder janken, in afwachting van haar.

'Jij gaat daarheen,' zei ze en ze wees vaag naar de rest van de wereld. 'Ga daarheen en wacht een paar minuten. Zeg vijf. Dan roep je Deirdre en als ik opkijk weten we zeker dat dat mijn naam is.'

'Oké,' zei Ben.

Hij was al van zijn stoel toen zijn versiertoer hem weer terugtrok.

'En wat als je niet opkijkt?' vroeg hij.

'Dan blijf je daar gewoon,' zei ze.

De oude Ben.

'Oké,' zei hij. 'Even goeie vrienden.'

'Ja,' zei ze. 'Het is alleen maar dat ik liever een man heb met zijn bloed vanbinnen.'

Toen hij de bar uitliep kwamen twee agenten naar binnen, en een derde stond bij de draaideur. Een van de twee, een jonge jongen met zijn nek en kin vol puistjes, keek naar Bens hemd, jasje, en daarna naar zijn gezicht. Hij keek naar de ander, de brigadier, om te zien of hij Ben had opgemerkt. Maar de brigadier was al doorgelopen naar de bar, achter een man in een kostuum aan die bezorgd genoeg keek om de manager te kunnen zijn. De manager hief zijn handen op en liet ze neerkomen alsof hij naar iets greep. Hij beduidde de barman dat hij de bar moest sluiten; Ben kende dat signaal. De puisterige agent ging achter zijn brigadier aan en Ben ontkwam. Hij liep naar de gastenbar. Hij keek op zijn horloge. Een cadeau van Fran voor zijn laatste verjaardag. ('Met echte wijzers, kijk. Niet van die digitale rommel voor mijn man.') Het was ver over twaalven. Het was zo weer tijd voor het ontbijt.

Eindelijk.

Hij had een pils voor zich, het schuim zakte. Een mooie pils. Hij zou hem langzaam opdrinken, dan naar boven gaan en proberen te slapen. De avond was een ramp geweest. Dit hier, het bier, luisteren naar de yanks die in de gastenbar zaten te kletsen, was het hoogtepunt. Een totale ramp. Van begin tot eind.

Een van de Amerikanen zei iets tegen hem.

'Met z'n hoevelen hebben ze je overvallen, jongen?'

'Ik weet niet precies,' zei Ben. 'Een stuk of drie, vier.'

'Nou, nou. Wat een helden.'

'En ze hebben ook je jasje nog gescheurd. Ze moeten zich schamen.'

Ben had het nog niet gemerkt; hij had geen zin om te kijken. Hij nam een slok van het bier. Heerlijk. Hij voelde het al inwerken op de pijn achter zijn ogen. Hij zat heel lekker. Voor het eerst in dagen, maanden, was hij niet ongedurig, had hij geen naar gevoel, popelde hij niet om op te staan. Hij zou morgen naar huis gaan. Tegen die tijd zou hij voor Fran een verklaring voor zijn neus en blauwe ogen hebben. Hij zou zijn broer bellen en hem een ander verhaal vertellen, een andere versie, die zou passen bij wat hij dan ook voor Fran verzinnen zou.

Eén totale godverdommese ramp. Maar hij was de enige die ervan wist. Hij wist: hij kwam er wel overheen. Hij keek al uit naar aanstaande donderdag, een paar pilsjes met de jongens, de gein. En dat van vanavond zou hij kunnen vergeten.

Hij was verbaasd over de yanks. Nog overeind en maar kletsen, een paar flink aan de drank. Ze hadden het over het weer, de regen, spraken op gedempte toon; ze wilden de Ieren zeker niet in hun gevoelens kwetsen.

'En de druppels. Zo groot als muizen.'

'Nou.'

Ben luisterde. Hij wilde iets goeds horen, iets echt grappigs. Iets waarmee hij thuis aan zou kunnen komen, om aan Fran te vertellen. En aan de jongens komende donderdag.

Het was een aardig, vriendelijk stel mensen. En ze genoten duidelijk van de vakantie, zelfs van de regen. Ben kon zich trouwens niet herinneren dat het de afgelopen dagen zo geregend had. Hij luisterde naar de groep aan de tafel daarnaast.

'Ik geloof dat ik daar familie heb zitten.'

'Maar Cork is wel een van de grotere. Op de kaart.'

'Ja. Dat zei die dame in de bibliotheek. En Barry is een van de meest voorkomende namen. Dat zei ze ook.'

Een vrouw aaide over de hand van de spreker.

'Arme Bill,' zei ze.

Arme Bill. Een lange, magere man met meer rimpels in zijn gezicht dan Ben ooit had gezien. Behalve bij de vrouw naast hem die net zijn hand geaaid had. Arme Bill. Ben had met hem te doen. Een man van die leeftijd, op zoek naar zijn wortels.

Hij kon er een paar van Ben krijgen. Hij kon ze allemaal krijgen, de hele klereboom. En Ben kon ervandoor gaan. Vrij.

Maar nee. Hij kon niet tegen vrijheid. Hij wist het. Hij kon er niets mee. Het had hem niets opgeleverd, niets anders dan een bloedneus en hoofdpijn die nu begon te zakken, uit hem wegtrok. Plus het verhaal van een rampzalige avond in de stad waar hij niets mee kon beginnen, dat hij nooit aan iemand kon vertellen.

'Het zou gemakkelijker zijn geweest als er een lapje grond in de familie was,' zei Bill tegen de anderen, 'zei die mevrouw. Dan waren er aktes. Kaarten.'

'Dat moet uitgerekend jou als boer gebeuren, zeg.'

'Tja.'

'Pardon.'

Het was Ben.

'Neem me niet kwalijk dat ik jullie in de rede val.'

'Nee. Alsjeblieft,' zei de vrouw die aardig was geweest voor Bill. Zijn vrouw waarschijnlijk.

'Ik hoorde toevallig waar jullie het over hadden,' zei Ben. Hij luisterde naar zichzelf, onthield het, vertelde het al na. 'Over je wortels en zo.'

'Of het ontbreken ervan,' zei Bill.

'Ja,' zei Ben. 'Precies. Maar ik van mijn kant wou jullie om raad vragen.'

Ben zag ze allemaal rechtop gaan zitten, stuk voor stuk, drie volle tafels. Allemaal popelend om hem te helpen. Hij had geen idee hoe hij op het idee was gekomen, was het zich niet eens helemaal bewust toen hij ze onderbrak.

'Kijk,' zei hij. 'Ik was van plan om bij jullie mijn wortels te gaan zoeken.'

Hij hoorde zichzelf lachen, morgenochtend, als hij het aan Fran vertelde.

'Kijk. Mijn voorouders zijn hiernaartoe geëmigreerd,' zei Ben. 'Vanuit Amerika.'

Eén stem sprak voor allemaal.

'Allemachtig.'

'Ja,' zei Ben. 'Het is echt fantastisch. Ze zijn in 1847 gekomen.'

'Nee!'

'Ja. Ik zweer het. 'Midden in de Hongersnood.'

'Mensen, hoor je dat?'

'We horen het. Ze hadden wel een beter moment kunnen kiezen, hè.'

Ben keek naar hun ogen, van het ene vriendelijke, belangstellende gezicht naar het andere. Er was er niet één die hem niet geloofde. Hij vond het geweldig. En het deed geen vlieg kwaad. Hij bezorgde hun een leuke avond, zichzelf trouwens ook. En je zal nooit geloven wat we in Dublin hebben meegemaakt. Ben hoorde ze al.

'Nou, ze hadden geen probleem bij het vinden van een

onderdak,' zei hij. 'Mijn grootmoeder vertelde me dat. Op haar knie. De helft van de huizen in het westen stond al leeg.'

'Hé. Dat is interessant.'

'Zo heb ik het nog nooit bekeken. De een z'n dood.'

'Is de ander z'n brood.'

'Fascinerend.'

'Hoe heet u, meneer?'

'Ben Winters,' zei Ben.

'Winters.'

Ze gaven de naam aan elkaar door, als een baby, van schoot op schoot.

'Chicago,' zei Ben. 'Mijn grootmoeder wist zich te herinneren dat de ouwetjes het over Chicago hadden.'

'Hé, Al komt uit Chicago.'

'Hij ligt in bed.'

'Nou, laten we hem naar beneden halen. Dit mag hij niet missen.'

'Ik wil jullie geen last bezorgen,' zei Ben.

Hij nam zijn bier op terwijl de Amerikanen een afvaardiging kozen om Al boven uit zijn nest te halen. Ze vonden het prachtig. En Ben ook. Tevredenheid kronkelde door hem heen. Hij popelde om het aan Fran te vertellen. En aan zijn vader. Hij zag zijn vader al lachen, brullen, en het was onschuldig. Hij voelde zich prima. Hij kon niet meer wachten. Hij had een verhaal nu, een dijenkletser met hem als middelpunt, de man die het allemaal bedacht had. Hij popelde om naar huis te gaan.

Kamer 102

Leugentjes om bestwil

Rose bleef even voor de deur van Finbar's Hotel staan kijken naar de wegrijdende taxi.

Vuile oplichter...

Maar ze was gewaarschuwd.

'Neem geen taxi vanaf het vliegveld als je waarde hecht aan je geld.'

Dat had Ivy gezegd. Ivy had altijd gelijk.

Dus zoals gewoonlijk kon ze alleen zichzelf de schuld maar geven.

Ik zeg het niet tegen Ivy, dacht ze.

Ik ben met de bus naar het busstation gegaan. Daar heb ik een taxi genomen. Als het moet, zeg ik dat.

Leugentjes om bestwil hebben nooit iemand kwaad gedaan. Dat zei haar moeder tenminste altijd tegen haar. Het probleem was uit te vinden wat het verschil was tussen een leugentje om bestwil en een echte leugen. Rose nam aan dat ze tot dusver haar leven had weten door te komen met een serie halfslachtige manipulaties van de waarheid.

Dezelfde bekende geur steeg op uit de rivier, klam en vertrouwd onder de straatverlichting.

Niet haar favoriete deel van de stad.

Vreselijke herinneringen aan Kingsbridge Station, zoals haar moeder het hardnekkig was blijven noemen; eind van de vakantie, schooluniform, een dapper gezicht, grote leren koffer in de bagagewagen.

In Galway verwisselde er dan wat geld van eigenaar. 'Hou een oogje op het kind.' Een knik, een knipoog, een geruststellende glimlach en iemand kreeg een muntstuk in de hand gedrukt.

Zo vernederend.

Een halve crown!

Daar had ze haar moeder altijd over willen onderhouden.

'Ben ik maar een halve crown waard?' had ze willen vragen, maar ze durfde nooit.

Haar moeder kwam in dat soort gesprekken altijd als overwinnaar uit de bus.

Net als Ivy.

Rose zuchtte en duwde tegen de draaideur.

De deur zuchtte toen hij haar van de kou de warmte van de receptie in loodste.

God, wat heb ik een hekel aan dit soort hotels. Een ontmoetingsplaats voor politieke ritselaars, die elkaar de beste baantjes toespelen.

Fel licht en plastic bloemen. Smaakvol geschikte plastic bloemen. Bijna nog erger dan pronkerige vulgariteit.

Waarom had Ivy in jezusnaam deze dump uitgekozen?

Om me op mijn nummer te zetten.

Dat was het.

Geldgebrek kan het niet zijn. Ivy en Joe zitten er warmpjes bij.

Wa-ha-ha-rmpjes!

Hartstikke grote fabrieken in de buurt van Tuam.

Beste vangst van het jaar, zei iedereen.

Moet een erg slecht jaar zijn geweest!

Destijds werden gemengde huwelijken nog met een scheef oog bekeken. En voor de dochter van een anglicaanse geestelijke was de keuze strikt beperkt.

Misschien, dacht ze, is mij een lot bespaard gebleven dat erger is dan... erger dan wat?

'Kan ik u ergens mee van dienst zijn?'

De jonge vrouw achter de balie had een wat vermoeide trek om haar ogen.

Een hele dag zwoegen en sloven achter de computer...

of misschien alleen maar lachen tegen de mensen.

'Dank u. Ja. Er is een tweepersoonskamer gereserveerd. Op naam van FitzGibbon of Gately.'

De vrouw drukte op een paar computertoetsen en staarde naar het scherm. Woorden weerspiegelden flikkerend in haar ogen.

'Kamer 102, eerste verdieping. Mevrouw Gately is er al. Ze is de sleutel een minuut of twintig geleden komen halen.'

'Dank u.'

'Mevrouw Gately zei dat u met een creditcard zou betalen… dus…'

Die verrekte Ivy, dacht Rose, terwijl ze haar tas op de balie zette en erin ging rommelen.

'… als u zo vriendelijk wilt zijn…'

Rose haalde een leren portefeuille barstensvol plastic kaarten tevoorschijn. Ze zocht er een uit en legde die op de balie.

En dat met al die hartstikke grote fabrieken in de buurt van Tuam. Misschien houdt Joe haar krap. Dat viel zeker binnen de grenzen van het mogelijke.

'… Dank u wel, mevrouw. Eén nacht, klopt dat?'

Nou en of.

'Ja. U hebt het kennelijk druk.'

De vrouw glimlachte tegen haar.

'Amerikanen.' Ze sprak het woord bijna geluidloos uit en rolde met haar ogen. 'Wilt u ontbijt op uw kamer, mevrouw… eh…'

'FitzGibbon. Hoofdletter G, twee b's. Nee, dank u. We komen waarschijnlijk beneden. Mijn zuster moet met de trein. Ik denk dat ontbijt beneden het handigst is.'

De vrouw gaf Rose haar creditcard terug.

'U kunt altijd de receptie bellen als u van gedachte verandert. Ik hoop dat alles naar wens is. De lift kunt u vinden aan de andere kant van de lobby. Eerste verdieping, linksaf als u uit de lift komt.'

De telefoon op de balie rinkelde en de vrouw nam op.

'Receptie. Kan ik u helpen?'

Ze stak een hand op naar Rose.

'Kamer 102,' prevelde ze.

Een boeket varens in een koperen emmer staarde Rose aan toen ze uit de lift stapte.

Ze liep ernaartoe en voelde aan een van de bladeren.

Ze waren echt.

'Wat zeg je me daarvan?' Ze mompelde de woorden hardop terwijl ze linksaf de gang inliep.

Ze bleef voor kamer 102 staan.

Ik zou nu naar huis kunnen gaan. Een taxi nemen naar het vliegveld. Laatste vlucht naar Londen.

Ik zou naar het Shelbourne kunnen gaan, lekker eten, een paar drankjes en dan morgenvroeg terug met het vliegtuig.

Ze zal nooit weten dat ik hier een besluit sta te nemen.

Geen besluit sta te nemen.

Ach, verdomme nog aan toe. O, Ivy! Wat voer ik hier verdomme uit?

Opeens ging de deur open en stond Ivy haar aan te kijken.

'Ik hoorde de lift,' was alles wat ze zei. Ze deed een stap opzij om Rose binnen te laten.

'O, Ivy... o, jee... hallo.' Rose stapte langs haar zuster en liet haar tas op de vloer vallen. 'Je liet me echt schrikken.'

Ze gaf haar zuster een zoen.

Ivy bleef staan waar ze stond, met haar rug naar de deur, en nam Rose van top tot teen op. Daarna liep ze langzaam op haar af en drukte haar zachte wang tegen Rose' zachte wang.

Ze rook naar lavendelwater.

'Wat leuk om je te zien, schat. Je ziet er moe uit.'

'Ik vind het ook leuk om jou te zien. En ik bén moe. Ik snak naar een drankje.'

Ivy schudde haar hoofd. Op de tv schudde een vrouw met een flinke bos haar ook haar hoofd. Ze las zwijgend het nieuws voor.

'Geen minibar,' zei Ivy. 'Ik heb alle hoeken van de kamer afgezocht.'

'Badkamer?' vroeg Rose.

'Doe niet zo onnozel.'

'Wat een dump. Dan moeten we maar naar de bar beneden. Ik hou het niet veel langer uit als ik niks te drinken krijg.'

'Niet naar de bar,' zei Ivy. 'Er is een of ander feestje gaande in de bar.'

'We kunnen hier ook vertrekken en ergens heen gaan waar het een beetje beschaafd is. Dan nemen we een taxi en gaan ergens anders naartoe, kilometers verderop.'

'Er is niets mis met dit hotel. Het is warm, behaaglijk, schoon. Wat wil je nog meer?'

Rose trok haar jas uit en gooide die op het bed.

'Iets te drinken, en het liefst met een beetje stijl. Maar jij bent de baas.' Ze nam de hoorn van de haak. 'Wat drink jij?'

'Wat neem jij?'

'Cognac met ginger ale. Een dubbele.'

Ivy dacht even na, terwijl ze de huid onder haar rechteroog aanraakte alsof ze via haar vingers een gecodeerde boodschap wilde ontcijferen.

Ze knikte.

'Goed idee,' zei ze.

Rose belde de roomservice.

'Hoe is het met Joe?'

'Prima. Werken en nog eens werken. Je kent hem.'

Rose schudde even met haar hoofd en fronste naar de telefoon.

'En met de kinderen?'

'Prima. Allemaal prima, goddank.'

'Alles is prima,' zei Rose met haar beste Grace Kelly-stem tegen de telefoon. 'Behalve de roomservice.'

'Wees toch niet zo ongeduldig.'

'Misschien zijn ze bij de roomservice wel allemaal dood. Stapels lijken op de vloer.'

Ze schakelde de rinkeltoon met een vinger uit en belde de receptie.

'Gun ze even tijd,' zei Ivy, te laat.

Er piepte een stem.

'Ja,' zei Rose. 'Sorry dat ik u lastigval. Ik kon de room-service niet te pakken krijgen... Ja. Oké. Dat is oké. Kunt u...? O, bedankt... Twee cognac met ginger ale... Dubbele, graag. En ijs. Ja, twee dubbele. Kamer 102. FitzGibbon. Hoofdletter G. Sorry voor de overlast.'

Ze legde de hoorn op de haak.

'God!'

Voor ze nog iets kon zeggen, deed Ivy haar mond open. 'Het is niet chic genoeg voor jou. Ontken het maar niet, Rose. Het staat met grote letters op je gezicht geschreven. Nou, het is meer dan goed genoeg voor mij.' Ze mompel-de nog iets dat Rose niet helemaal verstond, maar het klonk als 'paradijs'.

Rose schopte haar schoenen uit en liep de kamer door naar haar zuster. Ze raakte eventjes haar schouder aan.

'Sorry. Van vliegen word ik altijd humeurig. Ik ben altijd doodsbenauwd in zo'n ding en dan krijg ik een rothumeur als we weer op de grond zijn. Ga in vredesnaam zitten, lief-je, en ontspan je. Je ziet eruit alsof je van plan bent om op de loop te gaan.'

Inwendig lachte ze even; tenslotte was zij degene geweest die erover had gedacht om ertussenuit te knijpen.

Ze trok het gordijn opzij en staarde naar de saffraan-kleurige duisternis buiten. Auto's bewogen langzaam op de brug en daaronder, ver in de diepte tussen de kademu-ren, bewoog de rivier ook langzaam.

Dat heeft niets verheffends, dacht ze.

'Zei je paradijs?'

Ze trok de gordijnen weer dicht en streek met haar vingers de glanzende stof glad.

'Grootmoeder, wat heb je toch een grote oren.'

'Dat klinkt meer als Ivy.'

Ivy zat rechtop in een stoel met een hoge rug. Ze glimlachte een beetje om Rose' woorden.

Ze ziet er niet goed uit voor haar leeftijd, dacht Rose. Helemaal niet. In mei wordt ze eenenveertig en ze ziet eruit… tja… ze ziet eruit als een ouwe vrijster. Het type dat je in verhalen tegenkomt… Echt zo'n kwezel… Hoe dan ook, het is gemeen van me, ze lijkt op iemand die geen dromen meer heeft. Een toestand die tot elke prijs vermeden moet worden.

Ivy zei iets tegen haar.

'… Het is gewoon heel fijn om er even tussenuit te kunnen. Niet dat… gewoon een paar uur voor jezelf…'

'Ik adviseer om de volgende keer het Shelbourne te nemen. Vooral als ik betaal.'

Ivy bloosde.

'Rose… Ik…'

'Laat maar. Dat had ik niet moeten zeggen. Dom grapje.'

'We zijn zuinig grootgebracht…'

Rose lachte.

'Dat is een van de dingen waarvan ik met genoegen afscheid heb genomen toen ik het huis uitging, net als kuisheid en het geloof. Het probleem met zuinigheid is dat je het ook gierigheid kunt noemen.'

Er werd op de deur geklopt.

'Ja. Binnen,' riep Rose.

De deur ging open en een oude man met een dienblad kwam binnen.

'Sorry dat u de roomservice niet kon bereiken.'

Hij liep de kamer door en zette het blad op een tafel bij het raam.

'Het is vanavond een volslagen chaos.' Hij piepte een beetje terwijl hij dat zei. 'Er is een groot feest beneden. Misschien heeft u het wel gezien toen u binnenkwam. Het kan nog wel een hele tijd doorgaan, en vanochtend kwam er een buslading yanks aanzetten.'

'Dank u,' zei Rose. 'Sorry voor het ongerief.'

'Geen moeite, dames. Het hoort er allemaal bij.' Op zijn weg terug naar de deur bleef hij even staan en bekeek Rose van top tot teen. Zijn broosheid verontrustte haar. Ze hoopte dat hij kans zou zien de kamer te verlaten voor hij op de grond viel. Als hij viel, dacht ze, zou dat geen geluid maken.

'Het restaurant is open voor het diner en anders kunnen we u sandwiches komen brengen als u wilt. Als er iets is, vraag het dan gerust. Bel gewoon vijf-nul-vijf.' Hij herhaalde de cijfers terwijl hij verder liep naar de deur. 'Vijf-nul-vijf. Vraag maar naar Simon.'

Hij boog hoffelijk en liet hen achter met hun drankjes. Rose gaf Ivy een glas en draaide de dop van het flesje ginger ale.

'Zeg maar als het genoeg is.'

Ze hield de fles boven Ivy's glas.

'Tot de rand.'

Ivy's hand trilde terwijl ze het glas naar voren hield.

Rose liet een paar ijsblokjes in haar eigen glas vallen en goot er toen snel een scheut ginger ale in.

'Je moet het niet te veel aanlengen.'

Ze ging tegenover haar zuster zitten en hield haar glas omhoog.

'Proost.'

Ivy knikte.

De beide vrouwen dronken zwijgend; Rose hield het vocht even in haar mond en plaagde zichzelf door het genoegen nog wat uit te stellen.

Ivy dronk als een kind, twee gretige slokken met dicht-geknepen ogen.

'Ivy.'

Ivy deed haar ogen open en keek haar zuster aan.

Ze leek een beetje verrast haar te zien, dacht Rose.

'Wat is er? Wat heeft dit allemaal te betekenen? Waarom zitten we cognac te drinken in deze dump?'

'Ik dacht gewoon dat het leuk zou zijn…'

'Er is geen reden om zuinig te zijn met de waarheid. Gaat het om moeder? Is er iets met moeder aan de hand?'

Rose was verbaasd over de ongerustheid in haar stem. Ongerustheid over haar moeder was wel het laatste wat ze had gedacht ooit te zullen voelen. Toch zat er een splinter-tje ongerustheid ergens in de zijkant van haar hersenen.

Ivy schudde haar hoofd. Het was alsof de twee slokken cognac haar nekspieren hadden losgemaakt.

'Met moeder gaat het best.' Ze zweeg even. 'Ja. Ik bedoel, op dit ogenblik gaat het best. Maar te zijner tijd… zullen we… enfin, een besluit moeten nemen. Je weet wel wat ik bedoel.'

Ze nam nog een slok uit haar glas.

Ik had een fles moeten bestellen, dacht Rose.

'Ik vind het een vreselijk idee dat ze daar helemaal alleen in dat huis woont. Er gebeuren immers van die afschuwe-lijke dingen. Van die afschuwelijke, gewelddadige dingen. Alleenwonende oude mensen zijn heel kwetsbaar. Ik vond gewoon dat ik je moest waarschuwen voor…'

'Maakt ze zich ongerust?'

Ivy schudde haar hoofd.

'In de verste verte niet. Je kent haar.'

'Ze is voor de duivel niet bang.'

'Dat is nog wel wat anders dan een stel jongelui die je met alle geweld willen beroven op de vlucht jagen.'

'Je overdrijft.'

'Heb je me ooit horen overdrijven?'

55

Rose giechelde.

'Nooit, liefje. Als moeder er geen probleem van maakt, moet jij dat ook maar niet doen, vind ik. Laat haar toch gewoon betijen.'

'Ga je met me mee als ik haar opzoek? Zodat je de situatie zelf kunt beoordelen? Je hebt zelfs nog nooit het huis gezien dat ze heeft gekocht nadat... Het ligt zo geïsoleerd... nadat vader...'

'Ik ga niet, Ivy. Laat dat nu eens tot je doordringen.'

'Toe, Rose, in 's hemelsnaam. Het is je moeder. Je hebt haar al jaren niet meer gezien.'

Rose lachte.

'Ze zou je heus niet dankbaar zijn als ik de deur binnenkwam. Ze zou nog liever verrast worden door een dolgedraaide tiener met een hamer.'

Ivy dronk haar laatste restje cognac op en staarde in het lege glas.

'Dat is erg onredelijk van je.'

'Onredelijk of niet, het antwoord is nee. Dat heb je ook vlot achterovergeslagen.'

Ivy zette het glas op de tafel.

'Je bent niet alleen onredelijk tegenover moeder, je bent ook onredelijk tegenover mij. Waarom moet ik verantwoordelijk zijn voor wat er met haar gebeurt? Ik heb genoeg...' Haar stem stierf weg. 'Sorry,' zei ze na een lange stilte.

Ze pakte haar tas van de vloer en begon erin te grabbelen. Ze veranderde van gedachten en klikte de tas dicht. Ze stond op.

'Even...' Ze gebaarde naar de badkamer. 'Even... je weet wel... toilet.'

Ivy liep de kamer door met haar tas stevig onder haar arm geklemd. Ze trok de badkamerdeur dicht en Rose hoorde dat ze hem op slot deed.

Ze hoorde het geluid van muziek uit de aangrenzende kamer.

Ze dacht aan haar moeder, die in haar eentje thuis zat en de deuren op slot deed tegen indringers... een onaangenaam, maar onwaarschijnlijk idee.

De laatste keer dat ze haar had gezien was tijdens de begrafenis van haar vader geweest.

'Ik ben de opstanding en het leven,' had de bisschop gezegd, terwijl hij zijn handen uitstrekte naar de gemeente, 'wie in Mij gelooft zal leven, ook al is hij gestorven.'

Rose had gehuild.

Ze had gehuild omdat ze die woorden niet geloofde.

Ze had om haar vader gehuild, die ze wel had geloofd en die nu, hoe je het ook wendde of keerde, dood was.

Ze had om haar moeder gehuild, die haar gezicht had afgewend toen Rose zich vooroverboog om haar te kussen nadat ze uit de taxi uit Galway was gestapt.

Haar gezicht had afgewend.

Rose vroeg zich af of haar vader dat gebaar had gezien, vanuit de plaats waar hij nu vertoefde, waar dat ook mocht zijn.

Ze hoopte van niet.

Ze nam nog een slok en liet het vocht rondstromen in haar mond alsof ze haar tanden spoelde; daarna liet ze het langzaam door haar keel glijden.

Moeder was uiterlijk beheerst gebleven tijdens de dienst en zelfs bij het graf.

Een mens wordt geboren uit een vrouw, kort is zijn leven, vervuld van onrust... Als een bloem ontluikt hij en verwelkt weer...

Moeder had tussen de rouwenden rondgelopen, met droge ogen, terwijl er woorden uit haar mond kwamen. Goed getraind.

Rose had bij het graf gestaan, met een groot boeket bloemen van iemand anders in haar armen. Ze brak de bloemen af en liet ze een voor een in het open graf vallen, terwijl de mannen met de spades aan de kant gingen staan, naar haar keken en waarschijnlijk aan overuren dachten.

Dit is rozemarijn, om de herinnering levendig te houden, en dat is duizendschoon...

Ivy was gekomen, had een arm om haar schouders geslagen en haar meegetroond.

Ik had je viooltjes willen geven, maar die verwelkten allemaal toen mijn vader stierf.

Ivy was zo slecht nog niet.

Ze had haar goede momenten.

Niet veel, maar toch een paar.

De badkamerdeur klikte open en Ivy kwam de kamer weer in.

Ze had haar haar gekamd en iets met haar gezicht gedaan.

Ze zag er kalmer uit.

Ze gooide haar tas op het bed.

'Heb je je shot gehad?' De woorden kwamen ongewild uit Rose' mond.

Ivy keek haar geschokt aan.

'Rose...'

'Het spijt me. Een rottige...'

'Ik ben de laatste tijd nogal nerveus. De dokter... gewoon lichte tranquillizers. Dat is alles. Niets... je weet wel... niets.'

'Gooi ze weg,' zei Rose.

'Ik heb je raad niet nodig. Ik heb een hele goeie dokter.'

'Quatsch.'

'En wat mag dat wel betekenen?'

'Dat weet je best. Ik dacht dat je meer verstand had, Ivy. Ik dacht dat ik degene in de familie was die je niet kunt vertrouwen. Arme Rose, fluister haar naam, niet te vertrouwen. Vergif. Laat je niet voor de gek houden door goeie, normale, verantwoordelijke dokters. Die vergiftigen je ook. Gooi de pillen en drankjes weg. De pijn verdient de voorkeur.'

'Bedankt, dokter.'

'Graag gedaan.'

Rose keek naar haar zuster en herinnerde zich hoe jaloers ze was geweest op de dag dat ze met Joe was getrouwd.

De kathedraal van Tuam was gevuld geweest met de klank van het orgel en het koor.

Lof zij de allerheiligste in den hoge en lof zij Hem in de diepten.

Het had een beetje gewaaid en de vrouwen hadden hun met bloemen overladen hoeden stevig vastgehouden. Rokken zwaaiden en zwierden heen en weer terwijl ze voor de fotografen buiten glimlachten, en de mensen op straat hadden door de hekken naar binnen gegluurd om een glimp op te vangen van de mooie bruid en de beste partij in het graafschap Galway.

Stralende dag.

Misschien, had ze toen gedacht, zijn al die verhalen wel waar.

Misschien is dit de deur naar het geluk waar we allemaal doorheen moeten gaan.

Ze glimlachte.

'Wat zit je te grinniken?'

'Ik moest weer denken aan die afschuwelijke jurken die wij als bruidmeisjes op jouw bruiloft moesten dragen.'

Ivy dacht even terug.

'Zo erg waren ze niet.'

'Helse jurken,' zei Rose. 'Paarsbruin.'

'Ze waren niet paarsbruin.'

'Nou, we dachten allemaal dat ze paarsbruin waren. In ernstige mate onflatteus.'

Ivy lachte.

'Het moest mijn dag worden. Jullie waren maar figuranten.'

'Dat legde niemand ons toen uit.'

Rose stond op en liep naar haar zuster toe. Ze pakte Ivy's hand en drukte die even tegen haar wang.

'Daar zitten we dan,' zei ze.

Ze keken elkaar aan.

Na een ogenblik knipperde Ivy met haar ogen en keek de andere kant op.

'We moesten nog maar iets drinken.'

'Goed idee,' zei Rose. 'Laten we naar de bar beneden gaan en een paar sandwiches en een fles wijn halen om die mee naar boven te nemen. Dat bespaart die arme ouwe stumper weer een klim.'

'Ik...'

'Ik moet weten dat er leven buiten deze kamer is,' onderbrak Rose haar zuster. 'We kunnen wel in een capsule zitten op weg naar Mars.'

'Je zegt zulke rare dingen.'

'Altijd al gedaan. Kom mee. Een sprintje de trap af. Laten we gevaarlijk leven.'

Rose vloog de kamer door en hield de deur met een weids gebaar open.

Ze boog.

'Na u, Cecil,' riep ze naar haar zuster.

Ivy lachte.

'Dat heeft jarenlang niemand tegen me gezegd. Nee, na u, Claud.'

Ze liepen de gang in en lieten de deur achter zich dichtvallen.

Tussen hen en de lift was een man bezig overeind te krabbelen.

Het leek alsof hij net over een dienblad was gestruikeld.

Of hij had... een vreselijke lachbui welde op in Rose' keel.

De man tikte met zijn voet op de vloer.

'Goed uitkijken,' mompelde hij toen ze dichterbij kwamen.

Rose sloeg haar hand voor haar mond en haastte zich langs hem heen.

Achter zich hoorde ze Ivy iets tegen de man zeggen.

Ze drukte met haar vinger op de knop van de lift toen de schaterlach uit haar losbarstte.

Ivy kwam achter haar staan.

'Wat...'

Rose schudde hulpeloos haar hoofd.

'Die arme sukkel...'

'O, ssst, Rose, hij hoort je nog.'

De lift zoemde.

'B-besef je wel wat hij aan het doen was?'

De liftdeuren gingen kreunend open.

De beide vrouwen stapten in en de deuren kreunden opnieuw.

Die maakt het niet lang meer, dacht Rose en begon weer te lachen.

'Hij was gestruikeld,' zei Ivy.

'Hij jatte jam van dat dienblad. Op heterdaad betrapt door Claud en Cecil. Een verrekte jamdief. Dat zou in het Shelbourne nou nooit gebeuren.'

Een lichte schok en de deuren kreunden.

Een geroezemoes van stemmen en gelach kwam hun vanuit de bar tegemoet en ergens in de verte klonk het gedreun van muziek.

'Heb je ooit eerder in deze dump gelogeerd?'

Ivy schudde haar hoofd.

'Joe logeert hier soms, als hij in Dublin moet overnachten. Het is zo handig. Het is vreselijk druk in de bar. Ik...'

Rose liep naar de balie.

De receptioniste had de telefoonhoorn onder haar kin geklemd.

Ze trok haar wenkbrauwen op tegen Rose en glimlachte.

'Waar is de gastenbar?'

De vrouw knikte en wees naar de gang achter hen.

'Bedankt.'

De vrouw knikte weer. Ze maakte een volstrekt ongeïnteresseerde indruk, maar waarom ook niet? Waar zou ze in geïnteresseerd moeten zijn?

Het was donker in de gastenbar en er hing een vage geur van sigarettenrook en bier; de lucht, dacht ze, was waarschijnlijk al dertig jaar niet meer ververst. Of nog waarschijnlijker, vele, vele jaren langer.

Een lange man achter de bar tapte een glas Guinness vol. Hij knikte naar haar.

'Dames?'

'Twee dubbele cognac met ginger ale, graag.'

Hij wuifde met een hand naar een tafel in de hoek.

'Ik kom het u zo brengen.'

Vanuit een lamp met een rode kap viel een plas licht op het houten oppervlak. Ze gingen naast elkaar zitten op een laag bankje.

Hun knieën stootten tegen het tafelblad. Hun gezichten bleven in het duister.

Aan de andere kant van de gastenbar werden andere tafels gemarkeerd door kleine plassen goudkleurig licht.

Een stuk of zes mensen zaten verspreid in de ruimte en het geroezemoes van gesprekken klonk zacht.

'Ik heb tegen moeder gezegd dat je morgen met me mee zou komen,' zei Ivy.

'Dat was nogal dom van je.'

'Toen ik wegging, was ze de logeerkamer aan het luchten.'

De woede welde op in Rose' keel en ze kneep haar mond stijf dicht om te voorkomen dat de woorden eruit kwamen stromen. Ze stelde zich voor hoe die woorden zich over de tafel verspreidden en daar in de plas licht belandden, zich door de boenwas en de tafel heen brandden en op de vloer terechtkwamen, waar ze in betreurde hoopjes om hun voeten heen bleven liggen. Zoveel woorden in de wereld die nooit uitgesproken mogen worden.

'Alstublieft, dames, twee dubbele cognac met twee ginger ale. Tekent u de bon?'

'Nee, ik...' Ivy grabbelde al pratende in haar tas.

'Laat maar zitten, Ivy. Het is mijn feestje.'

Ivy protesteerde niet.

'Ik teken wel.'

'Zoals u wilt.'

Hij legde het bonnetje op de tafel naast haar.

Ivy draaide de dop van het flesje ginger ale en schonk haar glas weer tot de rand vol.

'En mogen we een fles wijn en een paar sandwiches om mee te nemen naar de kamer?'

'Ik laat die wel naar boven brengen.'

'Ik dacht... nu ja... omdat u het zo druk heeft, kunnen we misschien...'

'Geen moeite, mevrouw. Ik zorg er zelf wel voor. Wat voor sandwiches wilt u? We hebben kaas, ham, ei, rundvlees, tomaat, salade en heel lekkere eigengemaakte soep, als u zin heeft in een kop soep? Champignon, kip... o ja, sandwiches met kip hebben we ook...'

'Nee, dank u, geen soep voor...'

'Ik wil graag soep,' zei Ivy. 'Champignonsoep als het kan.'

'Eén champignon...' Hij schreef de woorden op in zijn hoofd.

'Alleen sandwiches voor mij,' zei Rose. 'Kunnen we wat verschillende krijgen? Dan hoeven we geen beslissing te nemen.'

Hij glimlachte flauwtjes.

'En wijn? Wilt u de wijnkaart?'

'Laat maar. Een fles rode huiswijn is prima.'

'Rode huiswijn. Verschillende soorten sandwiches en een kop champignonsoep.'

'Fantastisch. Dank u.'

'Tot uw dienst, mevrouw.'

Hij boog en liep weg, koers zettend naar een tafel aan de andere kant van de gastenbar, waar een man naar hem zat te wuiven.

'Wedden dat hij het vergeet?' vroeg Rose. 'Hij maakte niet de indruk dat hij zich concentreerde.'

'Doe niet zo onnozel.'

'Waarom gooi je zoveel van die troep in je cognac?'

'Ik heb de pest aan de smaak.' Ivy nam een slok. 'Maar het zorgt dat ik me beter voel.'

'Zeg, Ivy, wat moeder betreft...'

'Je gaat toch wel mee, hè? Ik weet zeker dat ze het heerlijk zal vinden om je te zien. Ik weet dat ze je vergeven heeft... al die rottige dingen die je tegen haar gezegd hebt. Ze laat het verleden rusten.'

'Heeft ze dat tegen jou gezegd? Over het verleden laten rusten?' Rose had een ongelovige klank in haar stem.

Ivy schudde haar hoofd. 'Ze is al oud. Als zij kan vergeven, dan kun jij het ook.'

'Wat moet ze me volgens jou eigenlijk vergeven?'

Er viel een lange stilte.

Ivy bestudeerde het glas in haar hand alsof het een zeldzaam object was.

'Ik ken niet alle details van de hele kwestie.'

'Bemoei je er dan niet mee. Zoek geen problemen.'

'Er zullen besluiten genomen moeten worden. Ik wil zelf echt liever niet de volle verantwoordelijkheid op me nemen. Gezien de omstandigheden denk ik dat je mee zou moeten gaan om de situatie zelf in ogenschouw te nemen. Met haar te praten.'

'Laat haar met rust. Dat is de raad die ik je geef. Als ze vindt dat ze je hulp nodig heeft, laat ze je dat gauw genoeg weten. Ze is niet gek.'

'Ze wil je zien.'

'Heeft ze dat gezegd?'

'Nou, niet met zoveel woorden... maar...'

'Ze was de logeerkamer aan het luchten.'

Rose keek haar zuster even zwijgend aan.

'De kans is groter dat ze tarantula's tussen de pas gestreken lakens stopte.'

Er verschenen tranen in Ivy's ogen.

Rose leunde over de tafel en raakte haar hand aan.

'Vroeger huilde je nooit. Dat bewonderde ik altijd zo.'

Ivy schudde haar hoofd en sloeg het laatste restje cognac achterover.

Slik, slik, slik. Rose keek hoe haar hals telkens even uitpuilde terwijl het vocht door haar keel gleed.

'Zelfs als moeder en ik je naar het station brachten als je weer terug moest naar school, huilde je nooit.'

'Ik vond het leuk op school. Ik miste mijn vriendinnen altijd tijdens de vakantie. Ik bedoel niet dat ik thuis niet gelukkig was, maar ik… nou ja… ik voelde me altijd heel gelukkig als ik weer naar school moest.'

Ze keek met een vage glimlach terug in het verleden.

'Ik vond de regels prettig en ik vond het heerlijk om gewoon tussen al die mensen te zijn. Ik hield van sport. Ik vond het fijn dat er iemand was met wie je in het donker kon liggen fluisteren nadat het licht was uitgegaan. Al die mensen. Ik had altijd wel iemand om me heen. Wij waren eigenlijk net twee enige kinderen, niet? Geen gezamenlijke gedachten, geen spelletjes die we samen deden. Zeven jaar is zo'n grote kloof als je kind bent. Nu betekent het niets meer. Maar toen… het was een heel leven. Vond je ook niet?'

Rose knikte.

'Om op moeder terug te komen…'

'Ik dacht dat we haar misschien in een verzorgingstehuis zouden kunnen onderbrengen. Er is een goed tehuis in Galway… Ze kan een hoop van haar eigen spullen meenemen. Haar eigen appartementje inrichten. Dan hoeven we ons geen zorgen meer te maken over haar veiligheid en kunnen we haar net zo vaak bezoeken als we maar willen. Zoals het er nu voor staat, ziet ze de kinderen bijna nooit en ik bezoek haar maar ongeveer één keer per…' Ivy zweeg en overwoog welke woorden ze zou kiezen. 'Vroeger gingen we 's zondags altijd bij haar lunchen. Dat werd een soort traditie, maar het afgelopen jaar moest hij 's zondags golfen en toen kwam er niets meer van. En ze is sowieso te oud om voor ons allemaal eten klaar te maken.'

Rose stak haar hand op als een politieman.

'Wacht even.'

Ivy viel stil.

Even keek ze Rose aan alsof ze niet meer wist wie ze was.

'Wachten? Waar moet ik op wachten? Ik probeer je uit te leggen hoe de vork in de steel zit. Zo heet dat toch? De vork in de steel. Steek de vork in de steel, zus.'

Jezus Christus, dacht Rose, ze is zat.

Op dat moment was ze blij dat ze niet in het Shelbourne waren.

Ivy tastte naar haar glas, maar zag dat het leeg was.

Rose stond op en stak een hand uit naar haar zuster.

'Kom mee. Ik heb zin in mijn sandwiches. Laten we teruggaan naar de kamer. Het is hier veel te somber voor een gesprek.'

Ivy pakte haar hand en hield die vast.

'Ik ga mijn stem niet verheffen,' zei ze.

'Dat weet ik wel, liefje.'

'Joe vindt het nooit prettig als ik mijn stem verhef.'

'Boven kunnen we onze schoenen uittrekken, languit op bed gaan liggen. Ontspannen. Onze sandwiches opeten. Kom mee.'

'Je hebt je glas nog niet leeg.'

'Ik neem het wel mee.'

Ze trok Ivy van de bank en gaf haar een zetje in de richting van de deur.

Ze pakte haar glas op, draaide zich om en zwaaide naar

de man die inmiddels weer achter de bar stond. Hij knikte haar toe en wees met zijn vinger omhoog.

Zwijgend liepen ze de gang door. Ivy's voeten droegen haar moeiteloos voorwaarts.

Misschien is ze helemaal niet zat, alleen een tikkeltje hysterisch, of in de overgang, of niet lekker. Lijsten met beschrijvende termen dansten door Rose' hoofd. *Eenzaam. Misschien is ze eenzaam. Het lijkt me een zware opgave om nooit je stem te mogen verheffen.*

'Nemen we de trap of gaan we met de lift?'

Ivy hield stil bij de lift en drukte op het knopje.

In de bar leek de stemming er steeds beter in te komen.

Ze zag de jamdief bij de ingang staan, met zijn handen in zijn zakken, blijkbaar niet goed wetend of hij zich al dan niet in het feestgewoel zou storten.

Ze kwam in de verleiding om naar hem te roepen. *Bespaar je de moeite*, kon ze bijvoorbeeld roepen. *Je kunt beter naar de bioscoop gaan.*

Jezus, ik trouwens ook. Hé. Misschien zouden we wel samen kunnen gaan. Ze lachte om die bizarre gedachte en vroeg zich af van wat voor films hij hield.

'Rose.'

Ze hoorde Ivy's stem.

'O... eh... ja. Sorry.'

De lift stond er en ze stapten in.

'Droom jij weleens dat je vast blijft zitten in de lift?'

'Doe toch niet zo mal.' Ivy's stem klonk weer nuchter en normaal.

'Ik heb de indruk dat het opvallend vaak gebeurt.'

Bonk. Tik. Ping. De deuren schoven open.

'Deze keer niet,' zei Ivy, terwijl ze uitstapte.

'Nee. Deze keer niet.'

Rose nam een slokje uit haar glas en volgde haar zuster door de gang.

De man had al een dienblad neergezet op de ronde tafel

bij het raam. De sandwiches lagen op witte borden en een glanzende terrine met deksel stond netjes naast een wit soepbord. De witte servetten waren gevouwen en de wijnglazen blonken.

In de aangrenzende kamer dreunde muziek.

Rose wurmde haar voeten uit haar schoenen en liet ze met de neuzen naar elkaar bij de deur staan.

Ze begon zich uit te kleden: eerst haar crèmekleurige zijden blouse, die ze op een stoel gooide, daarna haar uiterst korte zwarte rok.

'Oef, oef,' mompelde ze bij elk kledingstuk.

Ze trok haar panty omlaag.

Ivy schonk zich een glas wijn in en pakte een sandwich, zonder zich om de soep te bekommeren.

'Wat doe je toch allemaal?' vroeg ze aan haar zuster.

'Ik maak het me gemakkelijk. Dat doe ik altijd. Geen belemmeringen of beperkingen. Dat is een van de grote voordelen van alleen wonen.'

'Ik zou het niet weten. Ik heb het nooit geprobeerd.'

Rose rolde haar ondergoed op en gooide het naar de andere kant van de kamer. Ze rommelde in haar weekendtas en haalde er een zijden kimono uit. Ze trok de kimono aan en ging op bed zitten.

'Het is heerlijk. Je wordt er helemaal ontspannen van. Wees eens lief en schenk me een glas wijn in, dan neem ik een paar boterhammen.'

Ze zette haar kussens rechtop tegen de muur en leunde achterover.

'God allemachtig, ik hoop dat onze buren dat ding niet de hele nacht aan laten staan. Dank je.'

Ze nam de wijn aan van Ivy en proefde.

'Dat is echt gore troep.' Ze hief het glas op naar Ivy. 'Desondanks, op ons.'

Ivy glimlachte.

'Op ons.'

'Waarom kleed jij je ook niet uit?'

'Ik voel me best.'

'Je ziet er anders beroerd uit.'

Ivy ging zitten en nam nog een sandwich.

In de kamer ernaast zwol de muziek aan.

'Heavy metal.'

'Wat is dat?' vroeg Ivy.

Rose rolde met haar ogen.

'O, hou toch op, Ivy. Iedereen weet wat heavy metal is.'

Ze hief haar hand boven haar hoofd en klopte op de muur.

Er gebeurde niets.

'Eet je je soep niet op?'

'Ik heb er geen zin meer in.'

'Hoor eens liefje, heb je problemen? Niet alleen zorgen om moeder, maar echte problemen?'

Uit de sandwich droop een klodder mayonaise, die bleef hangen onder Ivy's onderlip.

'Hoe kom je erbij dat ik problemen heb? Waarom zou ik problemen hebben?'

'De meeste mensen krijgen op een bepaald moment in hun leven problemen. Het is heel normaal om problemen te hebben, bedoel ik.'

Ik pak dit niet erg handig aan, dacht ze.

De lange stilte werd gevuld met heavy metal. Het leek wel of de bewoner van kamer 103 het volume stukje bij beetje opvoerde.

De een of andere zielige mafkees, dacht Rose, die alles overspoelt met krankzinnige herrie.

Ze klopte nog eens op de muur.

Er gebeurde niets.

Ik bega een moord als dit nog veel langer duurt, dacht ze.

'Met pillen slikken los je geen problemen op,' zei ze ten slotte.

Ze stak haar hand uit en pakte de telefoon.

Ze draaide het nummer van de receptie.

'Dat ligt aan de problemen, wijsneus,' zei Ivy.

'Receptie. Waarmee kan ik u van dienst zijn?'

'Zou het mogelijk zijn om de persoon in kamer 103 te vragen of het geluid wat zachter kan?'

'Pardon?'

Ze hield de hoorn even tegen de muur en zette het gesprek daarna voort.

'Hoort u dat? Dat is heavy metal uit kamer 103. Ik heb niet betaald voor heavy metal. Of u vraagt die persoon om ermee op te houden, of u geeft ons een andere kamer. Dit is niet om te harden.'

'Ik zal mijn best doen, mevrouw.'

Rose legde de hoorn op de haak.

'Zie je, zij weet wel wat heavy metal is. Dit zou in het Shelbourne niet gebeuren, dat kan ik je wel vertellen.'

Rose lachte en nam een slok.

Ivy zakte onderuit op haar stoel, met mayonaise op haar kin.

De wijn smaakte ook naar heavy metal. Het was een smaak die Rose zich herinnerde uit haar vroegste jeugd; de flessen Algerijns bocht waar je blind of lam van kon worden, en waar je de volgende dag altijd een gruwelijke kater aan overhield die nooit meer weg dreigde te gaan. Bij haar had het een jaar of drie geduurd.

Ze zette het glas neer en besloot geen slok meer te nemen.

Gedurende een kort, onbehaaglijk moment dacht ze aan Joe en de paarsbruine jurk en zijn handen die naar haar graaiden buiten in de tuin, terwijl de stralende bruid in haar lange witte jurk rondwervelde op de muziek van het plaatselijke dansorkest, met een glimlach van geluk voor alle vrienden en verwanten die ter ere van deze vreugdevolle dag bijeen waren gekomen.

De beste vangst van het jaar. Jezus!

Ze schraapte haar keel.

'Heeft het met Joe te maken?' vroeg ze, de koe bij de horens vattend.

Ivy schudde haar hoofd.

'Hoe bedoel je, met Joe? Er is niets aan de hand met Joe. Joe maakt het prima. Ik ook. Maar ik wil dat je naar huis komt, Rose, daar gaat het om. Ik wil dat jij en moeder... dat jullie... We zijn ook plichtsgetrouw grootgebracht, en ik vind niet dat jij je plichten als dochter nakomt...'

'Hou toch op met dat gelul. Ik heb je vaak genoeg gezegd dat ik niet ga. Moeder heeft me zeventien jaar geleden het huis uit gegooid en ik ga niet terug. Ik zal naar haar begrafenis gaan, als ik je daar een plezier mee doe.'

Ik zal dansen op haar graf. Een pavane, droevig en ingetogen. Daar zouden ze allemaal van opkijken, de familie, de kerk, en de inwoners van Tuam.

En Joe.

Ze boog zich naar haar zuster en raakte haar knie even aan.

'Waarom zouden we ruziemaken? Dat is nergens voor nodig.'

De muziek hield plotseling op en ze waren allebei verbaasd over de stilte.

'Halleluja,' zei Rose. 'Dat woord hoef ik je zeker niet uit te leggen, neem ik aan.'

Ivy lachte vreugdeloos en pakte nog een sandwich van het bord.

'Alles goed met de kinderen? Hoe gaat het op school?'

Een veilig gespreksonderwerp leek haar het beste.

'Peter gaat volgend jaar studeren.'

'Is hij al zo oud? Wat vliegt...'

Ze hield zich op het nippertje in.

'En Geraldine?'

'Met haar zou je het goed kunnen vinden. Ze is net als jij op die leeftijd.'

71

Dat hoop ik niet. Dat hoop ik echt niet. Dat zou ik niemand toewensen.

'Een beetje een keetschopper,' vervolgde Ivy.

'Was ik dat?'

'Zo noemen ze dat tegenwoordig, geloof ik. Ze houdt niet erg van gezag.'

'Ach, ja. Je moet hen eens naar Londen sturen, ik zou het leuk vinden als ze een keer kwamen logeren. We zullen ons best vermaken.'

'Ik had vorig jaar willen vragen of jij ze veertien dagen kon hebben, maar Joe... enfin, we zaten een beetje krap bij kas.'

'Krap bij kas? Maak het nou. Joe verdient toch zeker geld als water?'

'Zuurverdiend geld moet je niet over de balk smijten. Ik kan goed rondkomen. Daar zegt hij af en toe iets over.'

'Dat is aardig van hem.'

'Het is nergens voor nodig om zo sarcastisch te zijn.'

Ivy schonk nog wat wijn in haar glas.

Rose sloeg haar gade.

'Dat spul is niet te drinken. Ik zou er geen slok meer van nemen als ik jou was.'

'En een halve fles laten staan?' Ivy trok een ongelovig gezicht.

'Ik betaal. Ik kan doen waar ik zin in heb. Trouwens, jij laat je soep staan. Je hebt mayonaise op je kin.'

Ivy wreef met een vinger over haar kin.

Haar handen zagen er mooi uit. Mooie ringen aan de juiste vinger, mooie, glanzende nagels. Een gouden armbandhorloge sloot keurig rond haar pols.

'Volgens mij is er niets mis mee,' zei ze. 'Als jij niet meedoet, drink ik hem wel alleen op.'

'Ga ja gang. Maar je mag wel oppassen als je medicijnen slikt.'

'Het zijn alleen maar pillen tegen de zenuwen. Het zal

de overgang wel zijn, denk ik. De leeftijd. Dat soort dingen. Heel normaal.'

Er viel een lange stilte tussen hen.

Ivy nam af en toe een slokje.

'Ik wilde je gewoon graag zien,' zei ze uiteindelijk. 'Soms mis ik je.'

'Dat is aardig. Dank je wel.'

'Toch is het vreemd, hè? We hebben nooit de tijd gehad om vriendinnen te worden. Ik dacht dat je na vaders begrafenis wel weer eens terug zou komen.'

Rose schudde haar hoofd.

'Hij kwam naar mij toe, weet je. Ongeveer eens per jaar bracht hij me een bliksembezoek.'

Ivy keek stomverbaasd.

'Ging vader naar Londen om jou op te zoeken? Wist moeder dat?'

'Dat heeft hij nooit gezegd, maar ik denk het niet. Een leugentje om bestwil. Zij vond leugentjes om bestwil nooit erg. Weet je dat niet meer? Hij kwam natuurlijk niet speciaal voor mij. Ik werd gewoon af en toe ingepast in zijn besognes voor de anglicaanse kerk. Het was erg leuk. Hij kwam bij me eten in de flat. We dronken wijn en praatten over van alles en nog wat. Nooit over thuis. Over thuis repten we met geen woord. Daarom ben ik naar zijn begrafenis gegaan. Ik denk dat ik dat anders niet gedaan had. Hij was een schat. Ik was dol op hem. Ik moest altijd vreselijk huilen als hij weer weg was.'

Ze keek naar het gezicht van haar zuster, om te zien hoe zij deze informatie verwerkte.

'Je moet het maar liever niet aan moeder vertellen,' zei Rose na een lange stilte. 'Gesteld dat je dat van plan was.'

'Ik pieker er niet over om het aan moeder te vertellen. Ik wil haar geen verdriet doen.'

'Nee zeg, stel je voor. Hij was een schat. Hij had ook niets tegen leugentjes om bestwil.'

'Ik wil dat je me vertelt waarom je bent weggegaan, waarom je ineens verdwenen was. Je hebt ze zo'n verdriet gedaan. We waren allemaal zo ongerust. Het was echt harteloos van je om zoiets te doen. Heb je nooit aan vader en moeder gedacht? Hoe zij zich voelden? Hoe vreselijk zij in angst zaten?'

'Zei moeder dat ze vreselijk in angst zat?'

'Natuurlijk.'

Rose leunde met haar hoofd tegen de muur en lachte.

'Ik denk dat het leven aangenamer is als we niet alles van elkaar weten. Ik vind dat iedereen recht heeft op zijn eigen geheimen.'

'Nou, toch wil ik het weten.' Ivy kwam moeizaam overeind. 'Ik vind echt dat je me nu eens moet vertellen wat er tussen jou en moeder is voorgevallen.' Ze liep de kamer door en maakte haar koffer open. 'Het kan van belang zijn voor de beslissingen die ik moet nemen met betrekking tot haar verdere leven.' Uit de koffer haalde ze haar toilettas en een roze satijnen nachthemd. 'Beslissingen waar jij part noch deel aan wilt hebben. Ik begrijp je niet, Rose, echt niet.' Ze liep naar de badkamer. 'Ik ga mijn tanden vast poetsen.'

Ze klonk net als miss Morphy. Ik ga nu de kamer uit, Rose, en als ik terugkom wil ik dat je de toekomende tijd van het werkwoord 'denken' voor me vervoegt. *Cogitare*. Denken.

Ivy ging de badkamer in en deed de deur dicht.

Rose trok de kussens achter haar nek in een aangenamere positie en dacht na over leugentjes om bestwil.

Een zachte luchtstroom trok omhoog langs haar lichaam. Hij begon ergens bij haar blote enkels, bracht haar zijden kimono in beweging en streek over haar gezicht, als een koel briesje.

Dus Peter gaat binnenkort studeren, dacht ze.

Destijds had ze de zomerse bries over haar rug voelen

strijken, door het open raam van haar slaapkamer. Dat moest een paar dagen na de geboorte van Peter zijn geweest. Onder de dakrand murmelden de houtduiven... eigenlijk waren het gewone stadsduiven, maar zij dacht altijd graag dat het houtduiven waren als ze in bed lag en het gekoer en geklok hoorde. De nevel die opsteeg van de weilanden leek als een sluier in haar kamer te hangen. Niets glansde. De kamer lag op het westen, zodat ze nooit meemaakte dat de ochtendzon het interieur overgoot met kleur.

Waarschijnlijk moet ik dit allemaal opnieuw bedenken, dacht ze.

Moeder had gelijk, feiten raken vergeten, alleen de herinnering aan de haat blijft bestaan.

Waarschijnlijk moet ik de waarheid onthouden als ik leugentjes om bestwil wil blijven vertellen. Maar misschien was de tijd voor leugens nu voorbij? Dat was de grote vraag.

Haar slaapkamer was helemaal boven geweest, aan de achterkant, een zolderkamer met donkere hoeken en een hoog plafond. Haar kleren, herinnerde ze zich, hingen als wandtapijten aan de muren, en de spijkerbroek en het bloesje van die dag gooide ze altijd over de rug van haar gevlekte hobbelpaard.

Drie verdiepingen lager had ze het geknerp gehoord van een auto die het erf opreed en, in de ochtendstilte, het schrapen van de achterdeur.

Joe.

Wat had hij uitgespookt?

Ze had aangenomen dat het Joe was.

Hij was in elk geval niet op ziekenbezoek geweest, op dit uur van de dag.

Een avondje stappen met de jongens? Om de geboorte van zijn zoon te vieren?

Misschien.

Misschien ook niet.

Als de kat van huis is om te jongen, dansen de muizen.

'Wij zorgen wel voor Joe zolang jij in het ziekenhuis ligt, hè Rosie?'

Discussie gesloten.

Haar moeder was erg op Joe gesteld geweest.

Waarschijnlijk was ze dat nog. Nee. Wees eerlijk. Een zekere afkeer voor hem moest haar gevoelens toch zijn binnengeslopen en deze voorgoed hebben gekleurd.

Ze hoorde in gedachten weer het kraken van de kale houten achtertrap die naar haar kamer leidde en naar de kamer ernaast, die tijdelijk aan Joe was afgestaan.

Ik vraag me af wat er met het hobbelpaard gebeurd is, dacht ze. Dat kraakte ook altijd als het op de geboende houten vloer galoppeerde.

Ivy zal het wel hebben meegenomen voor de kinderen toen die klein waren.

Ze had een geluidje gehoord en haar hoofd afgewend van het raam.

Joe had in de deuropening gestaan.

'Lig je op me te wachten?' Hij sprak met dubbele tong.

Ze greep naar de dekens en trok ze helemaal om zich heen.

'Mooi Roosje.' Hij liep met voorzichtige passen over de vloer, om geen lawaai te maken. 'Lief Roosje, ligt nog op me te wachten.'

'Ga naar bed, Joe. Het is al bijna ochtend.'

'Alles op z'n tijd,' zei hij.

Hij rukte de dekens uit haar handen en bleef even naar haar staan kijken.

Met haar kleine handen probeerde ze haar lichaam te bedekken.

'Mooi Roosje,' was het enige wat hij zei, en daarna wierp hij zich op haar.

Ze sloeg naar zijn gezicht. Ze sloeg naar zijn hete adem.

Ze probeerde zich door de bodem van het bed te wringen. Ze probeerde te gillen, maar de gil die in haar keel zat wilde niet naar buiten komen. Als een brok graniet bleef hij steken, en het deed pijn wanneer ze hem naar buiten probeerde te duwen.

Het was in een ommezien gebeurd.

De kamer was nog gehuld in blauwe nevel.

De duiven koerden nog toen hij zich opduwde van het bed. Hij keek naar haar en lachte.

'Zo, zusje. Dat was het dan. Ik weet dat alle tienermeisjes vreselijk nieuwsgierig zijn. Nu weet je het. Hou in godsnaam op met dat kinderachtige gejank. Je zou me dankbaar moeten zijn. Ja, dat zou je zeker.'

Wankelend liep hij naar de deur. Op de drempel draaide hij zich nog even om en drukte een vinger tegen zijn lippen.

'We moeten pappie en mammie niet wakker maken. We mogen ze geen verdriet doen. Denk maar aan pappie en mammie. Denk maar aan Ivy en het lieve kleine kindje.'

Toen was hij weg.

Ze had hem in de aangrenzende kamer horen rondlopen, het bed horen kraken onder zijn niet geringe gewicht, zijn schoenen op de houten vloer horen vallen.

Ivy's stem kwam uit de badkamer.

'Rose, ik hoor een kat.'

'Doe niet zo raar.'

De deur ging open en Ivy kwam in haar kamerjas naar buiten, tandenborstel in de hand.

'Ik zweer het je. Er miauwde een kat.'

Ze deed de klerenkast open en tuurde naar binnen.

'Dat krijg je van al die wijn,' zei Rose.

'Ik weet zeker… ssst. Luister.' Ze stak de tandenborstel omhoog. 'Daar is het weer. Ik zei het toch. Een kat.'

'Hij zal wel op de gang zitten.'

'Het klonk alsof hij bij mij in de badkamer zat.'

'Wat is er toch met het hobbelpaard gebeurd?'

Ivy ging de badkamer weer in en Rose hoorde hoe ze haar mond spoelde.

'Vind je dat ik de receptie moet bellen?' riep Ivy.

Schoongeboend en glimmend kwam ze de badkamer uit.

'Waarom in vredesnaam?'

'Voor die kat. Misschien zit hij ergens opgesloten. Zo klonk het een beetje.'

'Ik zou me maar geen zorgen maken. Het is waarschijnlijk de hotelkat, dat beest hoort hier.'

Ivy sloeg de dekens terug en stapte in bed.

'Het oude hobbelpaard. Daar heb ik in geen jaren aan gedacht. De kinderen vonden het prachtig toen ze nog klein waren. We hebben het een paar jaar geleden verkocht.'

'Verkocht! Het was mijn hobbelpaard.'

'Moeder had het aan de kinderen gegeven. Dat moet geweest zijn nadat vader tot deken was benoemd en ze van de pastorie naar zijn nieuwe ambtswoning waren verhuisd. Ja. Vlak na de geboorte van Geraldine. Wat hadden zij aan een hobbelpaard?'

'Het was van mij.'

'Het was van ons, niet alleen van jou. Jij had er altijd een handje van om te zeggen dat dingen van jou waren. Dat weet ik nog goed. We hebben het verkocht… aan een kennis van Joe die in de meubelhandel zit. Ik geloof dat we er nog een heleboel geld voor gekregen hebben. Ze zijn nauwelijks meer te vinden tegenwoordig, en erg gewild. Vooral die oude. Trouwens, wat moet jij met een hobbelpaard?'

'Ik moest er gewoon aan denken. Ik hing mijn kleren er altijd op.'

'Malle.'

Ze ging er gemakkelijk bij liggen, steunend op haar ene

elleboog, met haar gezicht naar Rose, zoals ze ook weleens had gedaan in vroeger dagen, toen alles nog niet zo ingewikkeld was.

In het naargeestige schijnsel van de hotelverlichting zag Rose de donkere kringen onder haar ogen en de vermoeide huid die over haar jukbeenderen spande.

Joe had een hoop op zijn geweten.

Ivy stak plotseling haar hand uit over de kloof tussen de bedden.

'Vertel nou,' zei ze.

'Wat?'

'Waarom je van huis bent weggegaan.'

Haar vingers voelden koud aan op Rose' pols.

Verdomme, dacht Rose. O, verdomme.

's Ochtends was Rose op haar kamer blijven wachten tot het stil was in huis. Vader was naar een bijeenkomst van het diocees in Tuam gegaan; Joe was uit bed gesprongen, de trap af gedenderd en ten slotte naar zijn werk gereden, en had vanuit de auto uitbundig schreeuwend afscheid genomen van haar moeder.

Toen was ze in beweging gekomen. Ze had haar bed afgehaald, de lakens netjes opgevouwen en ze in de wasmand op de overloop gedaan.

Ze had een bad genomen.

Ze had gehuild.

Ten slotte had ze haar tranen weggespoeld en was ze langs de achtertrap naar de keuken gegaan.

Moeder was biscuitdeeg aan het maken geweest.

Kommen, gardes en de linnen meelzak waren op de keukentafel uitgestald.

Als je eenmaal begint met het maken van biscuitdeeg, mag je niet stoppen. Dat is algemeen bekend.

Ze had met een uitdrukkingsloos gezicht geluisterd naar wat Rose te zeggen had.

Ze was doorgegaan met het kloppen van de eiwitten. Als

glanzende minaretten stonden ze rechtop in de kom.

Toen Rose klaar was met haar verhaal, keek ze zwijgend toe terwijl haar moeder het stijfgeklopte eiwit door de dooiers en de bloem schepte. Ze haalde twee cakeblikken uit de bergkast en vulde die met het deegmengsel. Daarna liep ze naar de andere kant van de keuken en zette de blikken in de oven van het oude zwarte fornuis. Ze stond even naar de grond te kijken en veegde toen haar handen af aan haar schort. Ze liep langzaam terug naar de tafel, alsof ze er eigenlijk geen zin in had. Dat bedacht Rose terwijl ze naar haar keek.

'Is het waar?' had ze uiteindelijk gevraagd.

Er begonnen weer tranen op te wellen in de ogen van Rose.

'Natuurlijk is het waar.'

Haar moeder zuchtte en ging zitten.

'Ik vraag het alleen omdat kinderen zulke verhalen soms verzinnen om god weet wat voor redenen.'

'Ik heb niets verzonnen en ik ben geen kind. Ik ben zeventien. Die man heeft…'

Haar moeder had over de tafel heen de hand van Rose gepakt.

'Het is de man van je zuster. Ik probeer de zaken op een rijtje te zetten. Geloof dat alsjeblieft. We moeten heel voorzichtig te werk gaan.'

'Dat deed hij ook niet. Waarom ik dan wel, verdomme?'

'Niet zo vloeken,' zei haar moeder.

Rose legde haar hoofd op de keukentafel en begon te huilen.

Haar moeder streek haar even over het haar.

'Je moet flink zijn, schat. Je vader mag dit niet te horen krijgen… en Ivy evenmin. Ze heeft tenslotte net een baby gehad. We mogen haar geen verdriet doen. Ik denk… Het is en blijft toch haar man.' Ze keek omlaag naar de lange geschrobde tafel terwijl ze nadacht.

'Weet u hoe ik me voel? Kan het u niet schelen hoe ik me voel?'

Rose had het heel zachtjes gezegd en ze wist niet of haar moeder het had gehoord of niet. Ze liet in elk geval niet blijken dat ze het had gehoord.

'Ik denk dat het een geheim moet blijven, iets tussen jou en mij en...'

'Die rotzak.'

'Niet zo vloeken.'

Het kwam er automatisch uit.

'We moeten het wegstoppen in ons achterhoofd. Liefst helemaal vergeten, als dat mogelijk is. Ja, ja, natuurlijk is dat mogelijk. We moeten aan je vader denken. Hij hoopt eerdaags deken te worden. Ik denk niet dat dit...' Ze achtte het niet nodig haar zin af te maken.

Ze schoof haar stoel naar achteren en stond op.

'Ik ga tante Molly in Londen bellen. Ik wil echt niet dat je vader dit te weten komt. Ik ben wel gedwongen om... om... Een leugentje om bestwil. Soms, Rose, is een leugentje om bestwil de enige oplossing. Je moet ogenblikkelijk je koffers gaan pakken. Hoe eerder je hier weg bent, hoe beter.'

'Wilt u zeggen dat u me het huis uit gooit? Ik heb niets misdaan, moeder. Ik heb niets misdaan,' had Rose over de gebleekte tafel heen tegen haar moeder geschreeuwd. 'U kunt me niet naar Londen sturen. Ik ga niet.'

'Je gaat wel. Je kunt hier niet blijven bij...'

'Die rotzak. Waarom gooit u hem er niet uit? Waarom stuurt u hem niet weg? Waarom...?'

'Ga je koffers pakken. We moeten de vroege middagtrein zien te halen.'

'Moeder...'

'Je mag tante Molly toch graag? Ik zal het haar moeten vertellen en dan zullen zij en ik alles regelen. Het komt allemaal goed. Op den duur zul je wel inzien dat dit het beste is. Dat geef ik je op een briefje. Op den duur.'

'Ik kom nooit meer terug. Als u me dit aandoet, kom ik nooit meer terug. Dat geef ik u op een briefje.'

Haar moeder was de keuken uit gelopen.

'Ik kom nooit meer terug,' had ze geschreeuwd, al die jaren geleden, toen Peter nog maar net geboren was.

'Ik ga nooit meer terug,' zei ze nu op zakelijke toon tegen Ivy.

Al pratende nam ze Ivy's koude vingers in haar warme hand.

'Je hebt me niet verteld waarom. Waarom niet?'

'Moeder en ik hadden gewoon ruzie over... nou ja, over een jongen die ik leuk vond. Zij was ertegen. Dus...'

'Dat kan voor jou nooit een reden zijn geweest om al die tijd weg te blijven.'

'Ze zei een heleboel gemene dingen.'

'Dat geloof ik niet, Rose. Zo is ze niet. Ze zei waarschijnlijk niet meer dan je verdiende. Een familieruzie is altijd maar een storm in een glas water.'

'We zullen het niet eens worden, vrees ik.'

'We zijn het nooit eens geweest. Nee toch?'

'Waarschijnlijk niet. We hebben eigenlijk maar weinig gemeen. Je had gelijk toen je dat zei.' Rose moest opeens lachen. 'Ik weet één ding dat we wel gemeen hebben.'

'Wat dan?'

Rose richtte zich op tot ze met haar rug plat tegen de muur zat. Ze wierp haar hoofd achterover en begon te zingen.

'"Juicht de Heer, gij ganse aarde, dient de Heer met vreugde, komt voor Zijn aangezicht met gejubel.

Erkent dat de Heer God is, Hij heeft ons gemaakt, en Hem behoren wij toe, Zijn volk, de schapen die Hij weidt."'

Haar stem klonk lieflijk.

Ze had in geen jaren meer aan die woorden gedacht en nu vulden ze haar hoofd.

In de aangrenzende kamer had iemand de muziek weer aangezet. Rose voelde de vibraties door haar hele rug trekken.

Ze lachte tegen Ivy.

'Weet je nog?'

'Natuurlijk weet ik dat nog. Ik zing nog steeds in het koor. Geraldine ook. Ze heeft een mooie stem. Net als jij. Jij zong altijd beter dan ik. Dat weet ik ook nog. Het zat me behoorlijk dwars. Ik wed dat je dat niet wist. Hoe erg het me dwarszat. Ik denk daar nog weleens aan als ik Geraldine hoor zingen.'

'Beloof me dat je goed op haar zult passen.'

'Ja, natuurlijk. Wat een vreemde opmerking.'

Rose hield de hand van haar zuster stevig vast.

In de kamer ernaast dreunde de muziek nog harder.

'Ik kom niet terug, Ivy. Dat kan ik niet. Moeder begrijpt het wel, ook al denk jij van niet. Maar ik zal haar schrijven. Ik zal haar een lange brief schrijven. Een gezellige, belangstellende brief. Ik zal vragen hoe het met haar gaat. Ik zal plichtsgetrouw blijk geven van mijn belangstelling voor haar. Als dat je gelukkig maakt. Maakt dat je gelukkig?'

Voor Ivy antwoord kon geven, trok Rose haar zuster bij zich op bed.

'Kom, we gaan zingen. Fortissimo. We zullen meneer Heavy Metal eens wat laten zien.'

Ze wierp haar hoofd achterover.

'"Gaat met een danklied Zijn poorten binnen, en Zijn voorhoven met lofgezang."'

Tot haar verbazing viel Ivy in, fortissimo, zoals gevraagd.

Hun beide stemmen waren krachtig en helder.

'"Looft Hem, prijst Zijn heilige Naam."'

Ivy wurmde zich omhoog op het bed en ze zaten nu naast elkaar, met hun ruggen tegen de muur, terwijl de heavy metal door hun botten dreunde.

Vader had altijd gezegd: hard zingen, zodat je stem

gehoord wordt, en ze had hem altijd uitgelachen. Hard zingen nu. Begrijpen kunnen we niet, maar hard zingen wel.

'"Want de Heer is goed, Zijn goedertierenheid is tot in eeuwigheid, en Zijn trouw tot in verre geslachten.

Ere zij de Vader en de Zoon en de Heilige Geest, zoals het was in den beginne, nu en altijd, tot in alle eeuwigheid. Amen."'

Kamer 103

Huisdieren verboden

Ken Brogan stond voor de receptiebalie met zijn koffer en gettoblaster naast zich, en keek naar het bordje: HUISDIE-REN VERBODEN. Hij glimlachte ernaar, en keerde zijn rug naar de receptioniste, die nog met een andere gast bezig was. Een vrouw kreeg een kamer met kingsize tweeper-soonsbed aangeboden. Brogan knipperde met zijn ogen. Het idee van een tweepersoonsbed klonk zeer uitnodi-gend, de eerste keer in tijden dat hij alleen al dat woord hoorde.

Hij nam de vrouw van top tot teen op. Ze was al wat ouder, waarschijnlijk in de veertig, maar nog prima in model, zag hij, terwijl zij naar de lift liep.

Brogan was relaxed en geduldig, maar ook een beetje gespannen om zijn kamer te betrekken. Toen de receptio-niste eindelijk zijn creditcard door de machine haalde en hem zijn kamersleutel gaf, klonk het onmiskenbare geluid van een kat. De receptioniste keek over de balie naar zijn bagage. 'Sorry, maar huisdieren zijn niet toegestaan,' stond duidelijk in haar ogen te lezen, maar ze aarzelde om hem direct te beschuldigen. Hij zag er niet uit als het soort man met een kat. En om verdere verdenking voor te zijn pakte hij zijn gettoblaster op, als om aan te tonen dat een draagbare cd-speler het enige type huisdier was waar hij het mee uithield.

Hij was net op tijd om samen met de oudere vrouw de lift in te gaan. Op het laatste moment stak hij zijn voet tussen de deuren. 'Zo gemakkelijk kom jij niet van me af, dame,' leek hij te zeggen, en de vrouw strekte instinctief haar arm alsof ze op een noodknop drukte, om de deuren open te houden, of juist dicht, wie weet. Alsof ze de lift liever voor zichzelf wilde houden. Het was een moment van hoogspanning, eerst leek ze keurig de pleiterik te maken, om op het laatste moment te worden teruggepakt. Brogans Adidas-sportschoen zat in de spleet geklemd. De deuren worstelden met het obstakel, één moment van elektromagnetische besluiteloosheid, tot ze zich weer lieten openwrikken en de man met de gettoblaster grijnzend tegenover haar stond.

'Was ik toch bijna een been kwijt,' zei hij bij het binnenstappen. Ze glimlachte nerveus maar zei niets.

Hij zette de koffer en de gettoblaster op de liftvloer en pakte zijn spanningzoeker. Alleen maar om de vrouw gerust te stellen tikte hij ermee tegen het knoppenpaneel, en luisterde ernaar alsof het een stemvork was. Brogan had door de jaren heen een aantal dingen ontdekt, zoals het volgende: het stelde mensen gerust wanneer ze doorhadden dat hij elektricien was. Een betrouwbare vent. De getapte jongen. Mensen hielden van de oprechtheid van eenvoudige dingen zoals een potloodstompje achter het oor van een timmerman; een meetlint in een broekzak; turfmolm op de handen van een tuinman. En Brogan toonde graag de bescheiden iconen van zijn eigen vak. Die natuurlijke, ervaren houding van een echte kerel, die neuriënd met zijn schroevendraaier op de liftdeur tikt.

De vrouw keerde hem de rug toe en bekeek zichzelf in de spiegel. Zie je wel, dacht Brogan bij zichzelf. Het was duidelijk dat ze op hem viel. Op een ingehouden manier, dat wel. Ze leek behoorlijk in zichzelf gekeerd, of ze net naar een begrafenis geweest was, zoiets. Wat ook niet hielp was dat uitgerekend op dat moment het vage gemiauw van de kat weer opklonk. Alsof Brogan zo'n bouwvakker was die geile kattengeluidjes in vrouwenoren miauwde.

De deur van de lift ging open, hij pakte zijn spullen,

schoot naar buiten en liep fluitend door de gang, op zoek naar zijn kamer. Terwijl hij zijn deur opende keek hij nog één keer om, om ongeveer te weten in welke kamer de vrouw van de lift zat.

Brogan deed de deur op slot, installeerde zijn gettoblaster en zocht een zender op. Toen opende hij zijn koffer en liet de poes eruit. En als de vrouw in de lift haar gehoord had, nou én? Het diertje was nu *in situ*, zoals dat heet. Ze sprong in één keer op de vensterbank en nam een plek in, starend naar de rivier en het constante verkeer over de kades.

'Jij bent dood, moppie,' grauwde Brogan tegen de poes. Hij liet zijn blik door de armoedige kamer gaan. Een ring van grijze vingerafdrukken rond de lichtknoppen. Een prototypisch horecaschilderijtje boven het bed, van vee aan een meer. Limoengroene schemerlampen bij het bed. Het totaalbeeld leek op een kruising van oude theatrale grandeur met de moderne James Bond-stijl van de jaren zestig.

Brogan nam een douche. Zong mee met de radio. Hij zong nooit een compleet nummer, alleen hier en daar een refreinregel, die hij van tevoren zag aankomen, maar zelden goed timede. Altijd te vroeg, of te laat. '*I'm gonna hold you till I die, till we both break down and cry.*' Als elektricien bracht hij het grootste deel van de dag zo door, brullend. Zodra een nummer daarom vroeg maakte hij van een kabelverpakking een geïmproviseerde Stratocaster. Het maakte niet uit dat hij geen noot kende. Terwijl hij zich aankleedde en met gel zijn haar boetseerde tot een bevroren golf boven op zijn voorhoofd deed hij zelfs een dansje voor de spiegel. Vanaf de vensterbank staarde de poes hem met aangeboren minachting aan. Brogans dansen was niet veel beter dan zijn zingen.

In zijn Temple Bar-T-shirt en zijn leren geluksjas, kraag omhoog, was Brogan een man met een doel. De onvermij-

delijke spanningzoeker in zijn binnenzak gaf zijn persoonlijkheid net dat beetje extra, zonder zou hij nooit compleet
zijn of volledig klaar voor actie. Elke stoppenkast van elke
vrouw kon hij nu aan, zogezegd. En ook zijn eigen bedrading was helemaal volgens het boekje.

Maar eerst moest hij aan de slag met de poes. Dus ging
hij naar beneden en liep glimlachend alsof hem net een
gore mop te binnen schoot de lobby weer in, los in de heupen en zelfverzekerd fluitend. De portier, een oudere man
met een loopje als een strijkplank en een rug die van ouderdom krom begon te trekken, verliet de bar met een blad
met whiskey en koffie.

'Ik breng dat wel even, Simon,' zei de hotelmanager, het
dienblad overnemend. De portier bleef achter in de lobby,
enigszins overdonderd.

'Zeg het maar.'

Brogan sprak met de receptioniste. Zij belde de keuken
en daar bleek men moeilijk te doen over zijn gastronomische wensen. Hij wilde een eenvoudige visschotel op zijn
kamer. Niet dat gedoe met hollandaise saus. Ze zei dat op
het menu geen vis stond. Dus pakte Brogan een vijfje en
wendde zich discreet tot de portier, die zei dat hij misschien wel iets kon regelen. Spanning en sensatie. Grote
geheime operatie in de keuken terwijl Brogan een telefoontje ging plegen. Hij stond bij de munttelefoon, zijn
benen gekruist in een ontspannen x, elleboog tegen de
muur, recht tegenover de draaideuren van het hotel. Een
vrouw nam de hoorn op en hij liet een korte stilte vallen
voor hij sprak.

'Moggi, Moggi, Moggi,' zei hij. De vrouw aan de andere kant van de lijn werd volkomen hysterisch. Ze
schreeuwde en loeide, terwijl Brogan innig tevreden glimlachte naar de passerende gasten. Toen legde hij neer.

De portier kwam terug en fluisterde iets, trots op het
goede nieuws. Hij had de chef zover kunnen krijgen.

Waarom dan eerst al dat gezeik? vroeg Brogan zich af. Waar ging het nou helemaal over? Maar Brogan had begrip voor de verziekte verhoudingen binnen de Ierse keuken en vroeg hem voorzichtig of hij ook een kannetje melk boven kon brengen, en een kommetje. Weer die achterdochtige blik, alsof de portier een standaardmededeling over huisdieren af zou gaan draaien. Maar Brogan had hem blijkbaar genoeg fooi gegeven, want er werd verder niets gezegd. Het maal zou over een minuut of twintig komen.

Tijd genoeg voor een drankje tussendoor. Brogan stapte recht op de bar af. Naast hem stond een man zijn bierglas te bestuderen. Hij bestelde een tequila en glimlachte naar de man naast hem. Brogan was niet het type dat over het weer begon of stapje voor stapje naar een conversatie toewerkte. Hij ging ervan uit dat deze man in was voor een babbeltje, en stak zijn hand uit.

'Ik heet Ken,' zei hij. 'Ken Brogan.'

'Ben,' zei de ander aarzelend, een hand gevend. Hij leek een tikje introvert. Op zoek naar gezelschap, misschien. Of misschien was het zo'n eenling die je uit zichzelf tevoorschijn moest trekken.

'Ken en Ben! Da's een goeie,' zei Brogan, en forceerde een ongemakkelijke camaraderie. Hij deed méér dan gezellig. Tenslotte was Brogan een communicatief type. Ken en Ben. Die konden samen aardig wat lol hebben, toch?

'Zeg, Ben. Vind jij dat er in Ierland te veel gepraat wordt?' vroeg Brogan. Een serieuze vraag, hij wilde de mening van de man weten. Brogan deed vriendelijk, zeg maar.

'Zou best kunnen,' bevestigde de man beleefd. Hij klonk of hij woordvoerder was namens zichzelf. Goed zo, Ben. Je kan praten. Jezus, ga nog even zo door en ze denken dat je nooit meer stopt.

Brogan zette door en legde uit dat hij de hele dag naar de radio luisterde. Hij was elektricien. Trok om het te bewijzen zijn spanningzoeker. Tikte Ben op de schouder en zei dat hij helemaal gek was van radio. Tv-kijken, nooit. Nooit van zijn leven een krant gelezen. Alleen radio.

'Luister je weleens naar *Liveline*?' vroeg hij. 'Marian Finucane?'

'Wat?'

De andere man schoof rond op zijn barkruk. Brogan wist zeker dat Ben er hetzelfde over dacht. Hij zag er niet uit als iemand die zijn tijd verdeed met luisteren naar het domme gekwek over niks van Marian Finucane.

'Dat ís me een programma,' vervolgde Brogan. 'Ik kan heel wat troep verdragen, maar *Liveline* niet. Ik bedoel, ik luister er haast elke dag naar. Maar ik word gek van d'r. Al dat "Oooh" en "Aaah" en "O jee" en "Ja, maar..." Wie denkt ze wel niet dat ze is?' Hij keek Ben nadrukkelijk aan. 'Wat vind jij van d'r?'

'Ze is wel oké,' sputterde Ben.

Brogan had even niets terug. Ging Ben een discussie met hem aan? Wat hem betreft was de zaak zonneklaar.

'Luister je naar d'r?' vroeg hij.

'Nee,' antwoordde Ben.

'Weet je wat ik vind?'

'Ik heb een afspraak,' zei Ben, die steeds onrustiger werd. Maar Brogan negeerde die laatste opmerking en ging door met het zo direct en bondig mogelijk overbrengen van zijn boodschap; zoals een man dat graag heeft.

'Ze moet haar neus niet zo in andermans zaken steken,' zei hij. Het was belangrijk om over dat soort zaken eerlijk te zijn. Recht voor zijn raap. Als Ben en Ken samen een paar pinten zouden gaan pakken, moest eerst dat gedoe met Marian Finucane van tafel.

Ben had intussen een verwarde uitdrukking gekregen. Hij gedroeg zich opeens alsof er een psychopaat naast hem zat. Hij zocht de blik van het barpersoneel en kuchte om hulp. Je zou denken dat Brogan de meest verschrikkelijke dingen had gezegd. Terwijl hij alleen maar iemand liet meeprofiteren van zijn eerlijke mening. Het was nergens voor nodig om zo angstig te kijken. Had hij zich in de man vergist? Van een drinkende broederschap tussen Ken en Ben zou het wel niet meer komen. Want na hem eerst te hebben aangemoedigd, vertelde Ben hem nu in wezen om op te rotten, zo voorzichtig mogelijk dan. Toevallig val ik als een blok voor die Marian Finucane, zei hij daarmee, voor mij is ze zo hip als een doos KVI-marshmellows. Sodemieter toch op, elektrieke eikel. Heeft iemand soms om jouw mening gevraagd?

Brogan leunde tegen Bens barkruk. Maar dat teken van kameraadschap viel inmiddels ernstig verkeerd en was een inbreuk op de privacy geworden.

Ben viel bijna van zijn zitting. Hij zat of hij zojuist in zijn rug geschoten was, met een been dat in de kramp schoot en een kont die aan de andere kant uitstulpte. En dan die verbijsterde uitdrukking op zijn gezicht. Zijn mond was waar de kogel hem verlaten had, in zijn ogen de ongelovige blik van een slachtoffer, dat zichzelf vertelt dat hij onsterfelijk is en onmogelijk kan doodgaan.

Hij duwde zijn barkruk naar achteren. Brogan liet los en de kruk viel om, in slowmotion, en sloeg tegen de vloer met een dreun die mensen deed opkijken naar twee mannen die in een woordeloze strijd om een zitplaats gewikkeld leken. Beiden keken even naar beneden, alsof het een zeer speciale kruk was, waarover zij op leven en dood zouden willen vechten. Bens barkruk, goeie titel voor een spektakelfilm. Toen liep Ben weg.

'Jezus,' zei een vrouw terwijl ze eroverheen wipte. Ze droeg een rondje drankjes en lachte alsof ze het laatste hek van de steeple-chase bedwongen had.

Oké, duidelijk. Brogan weet wanneer hij niet gewenst is.

Hij dronk zijn tequila met jus d'orange op en vertrok naar boven. Hij ging geen tijd meer verdoen met drinken met een stiekeme *Liveline*-fan met een brein van piepschuim.

Onderweg pleegde Brogan nog een telefoontje. 'Moggi, Moggi, Moggi.' Opnieuw luisterde hij naar de hysterische vrouw aan de andere kant, en weer straalde in de lobby de uitgestreken glimlach van een mafkees.

Terug op zijn kamer, met de poes veilig in de klerenkast, opende Brogan de deur en liet de portier zijn dienblad op tafel zetten. Hij sloot de deur achter hem en liet de kat er weer uit voor een galgenmaal van vis, aardappelpuree en erwtjes. Eten volgens de hogere hotelschool. Met spuug-kleurige custardpudding, gestold in een glazen bakje. Mogs scheen er blij mee te zijn.

Brogan zette de gettoblaster harder en ging weer dansen. Terwijl de kat genoot van de uitgedroogde schol, pakte hij een hamer uit de koffer en huppelde rond, de hamer omhoog houdend als een dansende krijger. Hij knielde neer en hield hem bij de kop van de poes, om even te voelen hoe simpel je de schedel van zo'n dier klieft. Splet! Dat hele beest naar de klote met één ram, terwijl hij aan de custard zat te ruiken. Hoe executeer ik een kat, door Ken Brogan. Hamerhorror. Maar Moggi, die mooie hoer, sprong weg. Alsof ze wist dat er iets vreemds was aan een hamer in een hotelkamer. Mij hou je niet voor de gek, doe-het-zelf-sjamaan met je huppeldansje. Je dacht toch niet dat je me kon lijmen met een leren lap vol graten en me dan besluipen met een wapen uit de ijzertijd?

Achterdochtig kutje. Dit ging niet werken. Het zou uit-lopen op een eindeloze achtervolging om het bed. Na het hamerincident had de poes haar trek verloren en weigerde te eten, tenzij Brogan op minstens drie meter aan de ande-re kant van de kamer stond. Dus ook het idee om haar van achteren te besluipen met een zwarte vuilniszak zou niet gaan werken. Er zijn veel manieren om een kat te vermoorden, overwoog Brogan. Maar hij had geen zin in al die troep. Aan de andere kant, die poes verdiende niet beter, en het zou niet onplezierig zijn om Moggi in vierhonderdtweeënvijftig stukken te snijden met zijn spanningzoeker. En dan alle stukjes in het rond plakken, met wat erwten en aardappelpuree erbij om de compositie te vervolmaken. De naam 'Moggi' op de muur gesmeerd in custard. Een huiveringwekkende whodunit. In de stijl van Hannibal Lecter, kattenbloed rond zijn mond gesmeerd zodat het leek of dat hij het met zijn eigen tanden had gedaan. Vitale organen van de kat die zoek bleven. En niet door de wc gespoeld, als je dat soms dacht.

Wat vreselijk! On-voor-stel-baar! En nou jij weer, Marian. Zou dat niet een aardig telefoontje voor *Liveline* opleveren? Luisteraar op lijn een. Brogan, de poezenmoordenaar. Dan had je nog eens iets om over te praten en van te walgen. Feestelijker kan je je eeuwige morele gelijk toch niet vieren, met alle kattenliefhebbers van het land jankend en miauwend aan de radio.

Celine Dion schudde op de gettoblaster haar amandelen uit zoals een ander een stofdoek. Alsof ze van de dokter 'Aaaahh' moest zeggen. Het klonk als een hele forse keelontsteking, dacht Brogan, uitkijkend over de stad, de rivier en het station. Koplampen van auto's flitsten in zijn gezicht als ze de brug opkwamen. Het water kon hij niet zien, maar hij wist dat de rivier stil voorbijstroomde. De grote kransslagader van de stad.

Maar natuurlijk! Waarom niet? De rivier was Brogans bondgenoot. De voor de hand liggende oplossing. Waarom had hij daar niet eerder aan gedacht? Hij deed de hamer terug in de koffer. Keek om zich heen naar een ander zwaar voorwerp en vond op een salontafel een massief marmeren asbak, bijna formaat wc-bril. Dat gewicht! Hij stopte het ding in de koffer en stapte grijnzend achteruit. Perfect. Het kon allemaal helemaal zonder knoeien.

Er werd op de deur geklopt. Het duurde even voor Brogan de poes op haar gemak kon stellen; hij aaide haar een keer of wat en stopte haar toen weer in de klerenkast. Hij deed open en trof daar de portier, die hem meedeelde dat er klachten waren over de muziek. Sommige gasten waren gevoelig voor hoge frequenties. Celine Dion gaf ze hoogteziekte.

'Oké chef, geen punt,' zei Brogan en knikte instemmend. Hij keek om en wuifde naar de gettoblaster alsof hij die vroeg om stil te zijn. Hij was meer dan bereid rekening te houden met de andere gasten. Hij was één en al goede wil en zette het superieure strottenhoofd een stukje lager.

'Zal ik het dienblad meenemen?' vroeg de portier.

'Prima. Ga je gang.'

'Heeft het gesmaakt?'

'Toppertje. Bedankt, chef. Ik ben dol op vis. Mijn complimenten en zo voor de kok.'

Toch had het iets vreemds dat het bestek nog steeds strak in de servetten zat gerold. Noch de puree, noch de erwten waren aangeraakt. Sterker nog, op de puree had zich een beschermende huid gevormd, een schelpachtige omhulling. De erwten oogden hard en verschrompeld als galstenen. En het siliconenvlies van custard was slechts gedeeltelijk van de cakebodem verdwenen. De portier nam zonder een woord te zeggen het dienblad weg. Niemand werd hier gedwongen om erwten te eten. Zijn zaak was het niet als mensen barbaren waren. Als een gast met blote handen vis wou eten en custard likken onder begeleiding van Celine Dion of Mary Black die op de radio een aanval kreeg, dan moest hij dat zelf weten. Zolang het maar niet te hard werd en andere gasten gek maakte.

De portier had zich al afgewend, en Brogan stond op het punt de deur te sluiten, toen uit de kast opnieuw een kreet om hulp klonk. De portier keek om. Het had voor de poes op weg naar haar noodlot een beslissende afslag kunnen zijn. Een klein humanitair gebaar van de kant van de portier zou een snel einde hebben gemaakt aan dit delicate gijzelingsdrama. Maar hij negeerde de wanhopige smeekbede en liep weg, de poes aan haar lot overlatend. Hoewel hij geen alcohol rook, kreeg Brogan sowieso de indruk dat de portier gedronken had.

Brogan liet de poes er weer uit, zette haar op schoot en aaide haar, een verdoemde intimiteit opbouwend met een dier in de dodencel. Toen pleegde hij nog een telefoontje en weer nam de hysterische vrouw op.

'Luister,' snauwde Brogan in de hoorn. De vrouw viel stil. Hij hield de hoorn bij de kat en liet het spinnende geluid door de telefoonlijn gaan. Dit keer was het de vrouw aan de andere kant die 'Moggi Moggi Moggi' zei, op een hoge janktoon, tot er opeens een mannenstem tussen kwam en begon te schreeuwen. De poes keek Brogan aan met een diep wantrouwende blik, alsof Brogan iets heel verdachts van plan was met de telefoondraad. Bijvoorbeeld om dat spiralende snoer om dat kleine klerenekkie te draaien. Maar daar was Brogan niet opgekomen en hij stopte de kat terug in de kast. Hij luisterde een tijdje naar de mannenstem die door de telefoon blafte, soms afgewisseld door de hysterische vrouwenstem, en naar de kat die vanuit de kast klaaglijk antwoordde, tot hij uiteindelijk neerlegde en weer naar beneden ging.

De portier drentelde rond bij de receptie. De bar leek wat voller, maar Brogan had geen zin in nog een eenrichtingsgesprek over *Liveline*. Ook zag hij geen vrouwen met vrije contactdozen. Hij besloot een praatje te gaan maken met de portier.

'Hallo daar, hoe laat gaat de nachtclub open?' De portier keek op zijn horloge en zei dat dat nu ieder moment kon gebeuren.

'Lijkt me wel aardig,' zei Brogan. 'Ik heb toch niks anders te doen, dus waarom niet.'

Dat vleugje gelatenheid leek bij de portier de juiste snaar te treffen. Die leek het ook niet al te druk te hebben, zo met zijn handen op zijn rug had hij een houding van 'praat tegen me'. Hij zag er wat bedrukt uit, of iemand hem een kunstje had geflikt. Alsof hij de hele wereld sceptisch bekeek, maar nog wel openstond voor het concept geluk. In het leven van de portier zou, in dit stadium, niets meer dramatisch veranderen. Misschien had hij ergens de verkeerde route gekozen, hij leek klaar om zich totaal terug te trekken uit dit leven, om zijn kleine hokje achter de receptie weer in te floepen, als de mogelijkheid er niet was geweest tot een gesprek dat zijn eigen levensloop naar de achtergrond drong en hem geruststelde dat ook andere mensen er weinig van gebakken hadden. Als jij onlangs bent belazerd mag ik graag met jou praten, leek hij te zeggen. Zolang het maar niet over voetbal of snooker gaat. In de groeven van zijn voorhoofd stond GEEN SPORT gestempeld.

'Zie ik eruit als iemand die over voetballen zeikt?' wilde Brogan zeggen. 'Zie je mij aan voor zo'n oetlul waar alleen kroegpraat uitkomt over Alan Shearer die ze het doel niet meer inkrijgt omdat hij vergeten is zijn condoom af te doen?' Nee, met Brogan zat je in een hele andere categorie spelletjes. Hij was het sensitieve type: bewust; in contact met de vrouwelijke kant van zijn karakter. Bereid om direct tot de kern te komen, en het te hebben over gevoelens, relaties, slijmvliezen en meervoudige orgasmes.

'Ik zit tussen twee woningen in,' opende Brogan. 'Misschien moet ik nog een paar nachten blijven, tot ik iets geregeld heb. Ik ben er uitgezet, zogezegd.'

'Dat is niet zo mooi,' beaamde de portier.

'Ja. Ze heeft me eruit gegooid,' zei Brogan en lachte, terwijl hij zijn handen smekend voor zich hield. 'Nieuwe vent genomen en mij eruit gegooid. Wat doe je eraan?'

Dit was Brogans manier om contact te leggen. Lachen

om jezelf. Mensen het beroerdste nieuws over jezelf vertellen, als teken van onderwerping en nederige vriendschap. De verliezersbenadering. Is veel voor te zeggen in een klein land als Ierland: als je iemand daar verteld dat het jou goed gaat, dat je gelukkig bent en in balans en op de weg omhoog, dan kan je de kolere krijgen. Succes is een enorme domper. Brogans tactiek was een deemoedige glimlach dragen en verkondigen dat je een blije verliezer bent. Geen janker, let wel, maar drager van kostbare intieme geschenken, die daarmee laat zien dat hij voor niemand een bedreiging is. De tactiek van wie-ben-ik-nou-helemaal.

Uiteraard was Brogan klaar voor vertrek, ingeval de portier er verder niet van wilde horen. Maar de portier kon zo'n oprecht noodsignaal van een collega-man niet negeren.

'Liefde en oorlog zijn altijd oneerlijk,' antwoordde hij trouwhartig. De portier van de Eeuwigdurende Bijstand.

Het was een mooie neutrale manier om het te verwoorden. Het bewees dat de portier meeleefde, maar zonder partij te kiezen. Altijd lastig, om als buitenstaander betrokken te raken bij allerlei huiselijke twisten. En heel onverstandig om de woeste wereld van het echtelijk gekrakeel te betreden zonder eerst de ontsnappingsroutes te markeren. Voor Brogan was het precies het goede antwoord. Liefde en oorlog zijn altijd oneerlijk.

'Verdomd als het niet waar is,' beaamde Brogan, de portier aankijkend of hij een profeet was.

'Zeg, hoe drink jij je alcohol?' vroeg hij. 'Ik moet toch naar de bar voor een drankje. Wat wil je hebben?'

De portier keek even spiedend om zich heen.

'Een wodkaatje. Zonder ijs, graag,' fluisterde hij en wenkte naar zijn hokje. 'Ik heb daar nog zat tonic staan.'

Brogan liep naar de bar en bestelde een dubbele wodka en nog een dubbele tequila-jus voor zichzelf. De bar was inmiddels aardig volgelopen. Ben, die praatzieke gek van daarnet, liep nog steeds verloren rond, misschien wachtte hij tot de disco openging. Terug in de lobby gaf Brogan de portier zijn drankje en stelde zich voor. De portier heette Simon. En binnen de kortste keren hadden ze het over hun levens, emotie, relaties, de hele klerezooi.

'Zeg, wat vind jij van katten?' vroeg Brogan.

De vraag kwam onverwacht. En het was een moeilijke. Hoe kom je met een antwoord dat terzake is maar tegelijkertijd zowel kattenvrienden als kattenhaters tevredenstelt? Want de wereld kent maar twee soorten mensen: kattenvrienden en kattenhaters. En als portier moest je weten wie wie was, of anders een mistige middenkoers varen. Ierland was niet voor niks altijd neutraal gebleven. En de portier wist dat het meest neutrale antwoord een nieuwe vraag was.

'Wat ik van katten vind?'

'Kouwe beesten.' Brogan schoot hem te hulp. 'Ze geven je niks. Je geeft ze karrenvrachten liefde. Puik eten. Alle aandacht van de wereld. En wat krijg je in ruil? Niks.'

De portier wist nog steeds niet zeker of het hier niet een ontgoochelde kattenliefhebber betrof. Hij koos de veilige kant en zei dat een kat nou eenmaal eigen baas is.

'Sorry dat ik het zeg,' ging Brogan vol gas door, 'maar een kat geeft geen ene zak om je. Een kat gebruikt je, draait zich om en loopt weg. Een hond, dat is anders. Een hond geeft zijn leven voor je. Terwijl een kat, die komt alleen maar bij je halen en voor de rest kan je de boom in. Noem je dat trouw?'

Het was een trieste zaak. Geen kat was te vertrouwen. Brogan en de portier bereikten wat dat betreft het toppunt van overeenstemming. En omdat Brogan zo gul zijn persoonlijke en diepgevoelde mening had gegeven, voelde de portier dat hij vroeger of later iets moest teruggeven. Intieme geschenken moeten worden beantwoord. En de portier zou, feitelijk, veel meer doen dan dat. Hij zou Brogan in de vrolijke-ellendewedstrijd met stukken gaan slaan. Onvermijdelijk kwam hij te spreken over zijn baan, die hij ging kwijtraken omdat het hotel zou worden gesloopt. Het was alleen nog maar een kwestie van tijd. Niet dat het er uiteindelijk nog veel toe deed, want Simon bleek nogal wat pech te hebben gehad de laatste tijd. Hij was getroffen door de ziekte K.

'Ik sta zelf ook op de nominatie voor sloop,' zei hij.

'Shit, wat ongelofelijk rot voor je. K. Godskolere, en ik maar denken dat ík problemen had.'

Brogan luisterde naar de portier, die kalm zijn toestand besprak. Hij bleef er rustig onder, bijna nonchalant. Veel hoop was er niet meer. Wat kon je doen behalve een borrel nemen. Het speet de portier dat het gesprek zo loodzwaar was geworden en hij spoorde Brogan aan snel naar de nachtclub te gaan. Zichzelf te amuseren. Er het beste van te maken, zolang hij nog de kans had, enzovoort. Maar Brogan wilde niet. Hij zou een stervende bondgenoot niet zomaar in de steek laten.

'Ben je onder behandeling?'

'Vergeet het maar. Ze zeiden min of meer dat het zinloos zou zijn. Kan je wel zien ook.'

'Dat is belachelijk. Ik zou dat niet nemen, Simon. Zo makkelijk komen ze er niet van af. Pak ze aan.'

'Ze geven me nog zes maanden. Een jaartje misschien, hooguit,' zei de portier.

'Het is verdomme niet eerlijk, Simon.'

Ze kwamen op het delicate onderwerp pijn. Brogan gaf toe dat hij een volslagen lafbek was als het aankwam op maar het geringste versterven van het vlees. Hij was bang voor lijden, eerlijk gezegd. Zelfs een pijntje in zijn reet kon hij niet verdragen.

'Pijn maakt niet uit,' sprak de portier stoïcijns. Pijn zat alleen maar tussen de oren. Zinloos om je daarover zorgen te maken. Zo zag de portier het leven. Hoe lang of kort het ook duurt voor de slopers arriveren, maak het beste van je leven. Een oude man zoals Simon kon in een jaar heel wat meer proppen dan veel van die jonge honden.

'Ik denk dat ik iets ga studeren,' zei hij.

'Tuurlijk Simon, gewoon doen.'

Maar Brogan kon dit niveau van nederigheid en deze zelfgekozen beproeving in het zicht van de dood niet eens vagelijk doorgronden. Sterven als een verlichte geest, wat had dat voor zin? Opgeleid worden voor het graf? Wat Brogan zich op dat punt zou wensen was oncompliceerde lol. Alleen nog crèmedonuts. Weg met alle groenten. Een eigen kamer in een tehuis met eersteklas junkfood en de beste pornofilms. Bier van de tap en een constante stroom prachtige verpleegsters om hem te temperaturen. En, uiteraard, directe aansluiting op een morfine-infuus. Een graad halen in zoiets als Ierse geschiedenis. Jezus Christus, dat was niet meer om te lachen.

'Ga en leef voor de volle honderd procent zolang het kan,' adviseerde de portier.

Alweer probeerde hij Brogan naar de nachtclub te bonjouren. Het klonk zelfs even of hij commissie ontving van de kerker beneden. Zo geroerd was Brogan door het relaas van de portier dat hij niet naar de nachtclub kon gaan zonder nog een rondje te geven. Méér dubbele wodka's en dubbele tequila's. Hij hield stand bij de stervende portier. Bewonderde zijn moed. Bleef zo lang bij de receptie hangen dat hij zelf ook bij het verdoemde personeel van het hotel leek te horen. Ze werden allebei dronken en stonden op het punt in solidair gezang uit te barsten. Als niet af en toe wat oudere hotelgasten waren langsgekomen waren ze losgebrand met 'Boulavogue'.

Brogan vond het een roerende ontmoeting. Toen hij eindelijk verkaste naar de Upstarts beneden was hij in een stralend humeur, bereid om het leven te leven tot hij eenvoudig niet meer kón. De nachtclub was een vrij slome tent, maar verder ging het wel. Hij had even de neiging de klanten te melden hoe stompzinnig hun gedans eruitzag. Zij wisten helemaal niks van de portier boven en zijn persoonlijke lijdensweg. Als ze zichzelf eens konden bekijken.

Sommigen zagen eruit of ze gestoken waren door een bij of gebeten door een spin, waarvan het gif een soort versnelde dementie veroorzaakte. Formule-1-dansen. Ze keken zelfs niemand meer aan, voortgestuwd door een soort exotische brandstof. Brogan vroeg zich af of hier verboden substanties voorhanden waren. Hij zag een paar schimmige gestaltes bij de deur. Eén ervan droeg in het donker een zonnebril; het was een wonder dat hij sowieso nog iets zag, als hij al niet stekeblind was.

Brogan wist zich aan de bar te nestelen, waar hij zijn glas kon neerzetten en de club kon overzien. Zo kon hij het aanwezige talent taxeren. Hij overwoog het kopen van een halve tablet ecstasy. Niet voor hemzelf, maar voor de poes boven. Voor Brogan zelf was alcohol alles wat hij nodig had. Maar zou het geen giller zijn om te zien hoe de poes zou reageren op een designer-drug als ecstacy of Special K. Misschien zou ze door het dolle raken en de hele nacht denkbeeldige muizen achtervolgen door de kamer, als een Tom-en-Jerry-cartoon, tot vijf uur 's ochtends – in elkaar gestampt worden, geplet, geëlektrocuteerd, opgeblazen, verschroeid en verscheurd, en elke keer weer heelhuids opstaan en smeken om meer, terwijl de onzichtbare muis met zijn elleboog tegen de plint stond geleund, en grijnzend zijn vingernagels inspecteerde.

Brogan ontdekte een paar dansers die meer opereerden binnen het personenautoconcept. Drie cabrioletjes die allemaal leken op Michelle Smith, de olympische zwemster. Even dacht hij dat hij overdreven had met de tequila, en alles in drievoud zag. De drie Michelles deden aan een soort synchroonzwemmen op een rave-beat. Ieder in hun eigen baan. Zonder badmuts. Stuk voor stuk hadden ze springerig blond 220-volt-haar, en ze werden vergezeld door een andere jonge vrouw met stijl bronskleurig haar, die totaal misplaatst leek. Brogan ging er zwierig op af, probeerde aansluiting te krijgen, en zag hen direct afdrijven. Wegwezen. Ga jij maar naar het pierebadje. Maar hij liet zich niet ontmoedigen, en voerde voor hun ogen een gedurfde onderwater-shuffle uit. Spatte daarbij volop met bellen en schuim, omdat hij wilde overkomen als iemand die ook weleens een medaille had gewonnen. Ze staarden hem ernstig bezorgd aan. 'Wat ben jij in godsnaam aan het doen?' leken ze hem te vragen. 'Het enige wat dit je ooit zal opleveren is een liesbreuk.'

De drie Michelles wendden zich af. Maar dat inspireerde Brogan des te meer, totdat ze er genoeg van hadden en gewoon van de vloer afliepen. Het zag eruit of ze hun handdoek gingen halen om elkaars haren af te drogen, op hem mopperend vanaf de zitjes aan de bassinrand. 'Brogan, achterlijke zielenpoot,' schenen ze te zeggen. 'Nooit in je leven heb jij iets gewonnen, nog geen gratis ritje door de wasstraat.' Iedereen staarde naar hem, alsof zijn bermuda was afgezakt en uitzicht bood op de harige kloof tussen zijn billen. Brogan hield vol in de hoop dat in ieder geval de brunette bij hem zou blijven. 'Zeg, ik heb de reet van een struisvogel,' zei hij tegen haar. 'Mijn billen zijn van roestvrij staal.' Ze droeg een buitengewoon geslaagd eendelig badpak met luipaardmotief – lange benen en blote rug. Maar ook zij liet hem snel alleen, uitgerekend toen hij het huidige record watertrappen dreigde te gaan breken.

Brogan ging nog eens bijtanken aan de bar. Hoe kon hij nou ooit aanhaken bij de ecstasygeneratie, als hij niet eens indruk maakte op de discolikeurmeisjes? Hij was bereid tot een nieuwe poging. Maar waarvoor al die moeite? Misschien had hij de verkeerde stijl gekozen. Misschien had hij, met zijn jack half over de schouder, alleen maar heen en weer moeten lopen, en voortdurend raadselachtig naar de vloer moeten wijzen alsof hij ze iets belangrijks wilde zeggen. Cool. Minder glimlachen. Meer geneigd om stommetje te spelen en alleen het allerbelangrijkste te willen zeggen. 'He, zie ik jullie nou alweer, maar wie wie is, weet ik niet meer... eh eh... en noem mij nou geen ouwehoer, want jullie dansen op mijn vloer... eh eh...'

Ach, laat toch zitten.

Brogan besloot nog een tequila te nemen. Hij ging zitten en dacht aan de portier boven, die in z'n eentje pure wodka dronk, in zijn hokje achter de receptie. Brogan begon ook met zichzelf medelijden te krijgen, toen een jonge vrouw naderde en naast hem aan de bar ging zitten. Ze leek alleen te zijn. Wellicht had zijn dansen indruk gemaakt, want ze lachte hem breed toe. Al snel kon hij haar trakteren op een Remy Martin. Het joggen op de vloer kon hier achterwege blijven. Tenslotte zocht hij gewoon gezelschap, en geen hijgende hart-en-longromance, geboren uit hitte en zweet.

Ze stelde zich voor als Collette. Over wat ze deed bleef ze vaag. Maar van het begin af aan was ze sympathiek en luisterde bereidwillig naar Brogan, die met zijn schroevendraaier in de tequila roerde en over zichzelf sprak. Dat hij genoeg had van altijd maar stopcontacten aansluiten, maar niet het lef had om weer iets te gaan studeren of zo. En bovendien had zijn meisje hem eruit gegooid en een nieuwe vent in huis genomen. Een of ander pretpakket met stalen borstspieren en keiharde billen.

'Jij bent ook niet de beroerdste,' stelde Collette hem gerust, en hij was haar dankbaar. Zij kon hem zien als een persoon met eigen kwaliteiten. Ze had aangegeven dat ze ook op zijn geest viel, en niet alleen op zijn lijf. De paardenkrachten in zijn achterste telden niet voor haar. En bovendien, ze was het met hem eens. Op een of andere manier zaten ze direct op dezelfde golflengte. Hij had haar mening over *Liveline* gevraagd, en onmiddellijk zei ze dat ze daar nooit naar luisterde. Op dat tijdstip van de dag was ze zelden al wakker. Al die morele verontwaardiging op je nuchtere maag was niks voor haar. Niet te geloven! O wat erg!

Ze waren een volmaakt stel. Zij droeg zelfs een leren jasje, sprekend dat van Brogan. Ze zei dat ze het onderwerp nog graag wat verder wilde uitdiepen, boven, als dat hem schikte. Het feit dat ze nooit naar *Liveline* luisterde maakte dat zeer verleidelijk. Ze had verder geen ballast bij zich.

Het stoorde hem niet toen hij ontdekte dat hij Collette voor haar tijd zou moeten betalen. Hij kon het afschrijven als gift of als eenmalige advieskosten. Hij betaalde desnoods het dubbele, zolang ze maar bereid was het in alles met hem eens te zijn. En niet zeurde en niks van hem in ruil wilde. Niet zuchten of dreigen met opstappen als hij toevallig iets zei dat niet helemaal politiek correct was. Er zat een grote zuiverheid in zo'n transactie. Oké, geld is macht en zo, maar dit was een goddelijke gift van het late kapitalisme. Zonder een spoor van strijd, en zó ingericht dat je vooraf de voorwaarden kon bepalen. Hij ging niet meer voor de gouden plak voor eerlijkheid. Het was een opluchting om eens niet de waarheid te horen, al was het maar voor één nacht.

Brogan liep met Collette langs de receptie en zag hoe de receptioniste het bloed wegveegde van de neus van een man. Wie was het – het was Ben maar, de man met het brein van piepschuim. Eindelijk had iemand geen andere uitweg meer gezien dan die klootzak een goeie ram voor zijn bek te geven.

Nu was hij bezig zijn armzalige DNA door het hotel te verspreiden.

Toen ze boven op de kamer kwamen, plofte Collette op het bed. Ze deed haar schoenen uit, en opende discreet twee knoopjes van haar blouse en onthulde zo de ring door haar navel. Ze droeg een kort zwart rokje en toen ze ging liggen zag Brogan een glimp van haar rode slipje. Hij gaf haar al de kussens en zorgde dat ze lekker lag, klaar om naar hem te luisteren, met haar benen uitgestrekt over het bed en haar borsten in het wiegje van haar armen. Ze droeg een Affinity-beha. Ze zat vol affiniteit, trouwens, en reageerde met haar ronddraaiende rode teennagels op ieder woord dat hij sprak, al ijsberend door de kamer. Het was alsof hij haar een sprookje voorlas.

'Ze heeft de radio gebeld,' onthulde Brogan uiteindelijk. 'En alles over mij verteld.'

'Wie?'

'Mijn partner. Mijn ex-partner. Ik weet zeker dat zij het was. Ik zal op de radio mijn eigen partner toch wel herkennen. Denk je niet? Ik zweer het je. Alles heeft ze verteld.'

'Zoals wat?'

'Ze vertelde dat ik altijd haar poes probeerde dronken te voeren. Als zij maar even niet thuis was, dacht ze dat ik er alles aan deed om van haar kat een alcoholist te maken, met likeurtoetjes en kattenvoer gemarineerd in restjes bier.'

'En deed je dat?'

'Collette, wat denk je nou? Kom ik over als iemand die zoiets zou doen?'

'Absoluut niet! Hoe kon ze zoiets nou toch denken?'

'Ze zei ook dat ik geen gevoel had. Ze had nog nooit zo'n ongevoelige vent ontmoet als ik. Ze zei dat ik een smeerlap was en dat ik op de kat urineerde. Ongelogen. Ze beschuldigde mij dat ik op haar Moggi piste.'

'Dat deugt niet, om altijd het kwaadste te denken,' zei Collette. 'Dat is vooroordeel.'

'Ze zei dat ik geen gevoel had en geen respect. Jezus, Collette, het respect puilt uit mijn achterzakken. Ik bloed leeg van het respect.'

'Respect voor wat?' vroeg ze.

Buiten hoorden ze mensen naar huis gaan. Klanten van de Upstarts, ruziënd en lachend. Taxi's met draaiende motor. Slaande autoportieren. De nacht was voorbij en de stad ging sluiten. De drie Michelles en de brunette gingen huiswaarts. Niemand die vannacht nog een medaille zou winnen. En die hele ecstacygeneratie werkte zich op de achterbanken van taxi's rillend naar de collaps toe, zenuwtrekkend om de bloeddruk omlaag te krijgen.

Collette keek Brogan warm aan. Ze klopte op het dekbed en zei hem naast haar te komen zitten, zodat ze zijn arm kon strelen en hem opbeuren. Met wat voor monsterachtige vrouw had hij zijn leven gedeeld? Hij was beter af zonder haar. Ze deed hem geen goed. Hij had gedaan wat het beste voor hem was, weggaan. En nu was Collette hier om hem te beschermen. Met alle plezier zou ze mevrouw Kattenpis een stiletto in het hoofd planten. Modderworstelen, damesboksen, zeg het maar; zij was klaar Brogans eer op een steile rotspunt met blote handen te verdedigen. En bij de gedachte dat zij voor hem ten strijde zou trekken, voelde Brogan zich op slag opgetogen.

'Wat zei ze nog meer?'

'Ja jezus, zoveel dingen. Allerlei dingen, dat ik na het scheren niet schoonmaakte. Dat er baardhaar in de wasbak zat. Die dingen. Terwijl het haar eigen stoppels waren, ze had benen als een cactus die ze schoor met míjn mesje. Eerlijk waar. En dan ook nog mij de schuld te geven dat de wasbak eruitzag als George Michael, met overal stoppels en een schuimbekkend gootsteenputje.'

'Krijg nou wat!'

'Dat kwam behoorlijk hard aan.'

'Maar waarom moest ze nou per se de radio bellen? Dat snap ik niet. Ik bedoel, had je haar iets aangedaan?'

'Ik zei dat ze er zo sexy uitzag als ze boos werd. Dat is alles. Ik probeerde aardig te zijn. Ze was in de slaapkamer, met de kat op schoot, en ik zei haar dat ze er goed uitzag. Ik zei dat ik haar poesje wel wilde zijn. En zij zei dat ik mijn bek moest houden. Ze was nog steeds woest over die wasbakkwestie en hoe meer ik zei dat ik haar wilde, des te bozer werd ze.'

'En toen?'

'Toen ging ze uit haar dak. Laaiend was ze, niet meer te houden. Daarna was het mokken geblazen en de volgende dag belde ze naar Marian Finucane van *Liveline*.'

'De trut.'

'Wat je zegt. Belachelijk. Wat ze zei interessert me niet eens meer. Ik weet dat ik een loser ben. Ik ben de eerste die dat toegeeft. Maar wat me dwarszit is dat de jongens op het werk het ook allemaal hebben gehoord. Het hele land heeft het gehoord. Hele persoonlijke dingen. Ze had het recht niet dat allemaal op straat te gooien.'

Brogan was juist weer aan het ijsberen, toen opeens de kat in de kast weer van zich liet horen. Hij kon niet anders dan haar bevrijden. Ze sprong op de vensterbank en keek uit over de rivier. Na zo'n langdurige eenzame opsluiting was voor haar het zicht op de brug en het door geel licht beschenen station als een film. Iedereen was inmiddels naar huis. De laatste taxi was vertrokken, en voorlopig geen spoor van de elitetroepen die haar kwamen ontzetten.

'Kom eens hier, poekie,' zei Collette.

'Ze heet Moggi,' zei Brogan.

De kat weifelde eerst even. Maar na enig nadenken waagde ze het erop en koos voor de oversteek, sympathiek spinnend en staart in de lucht als bij een botsautootje. Collette begon haar te aaien, en liet toe dat Moggi haar totaal voor gek zette door met haar kop tegen haar lichaam te drukken. Moggi duwde haar borsten weg en nestelde zich veilig onder de Affinity-beha. Collettes rode slipje flitste en flikkerde, als bij die eeuwige Heilig-Hartbeeldjes op de overloop. Haar tenen krulden zich.

'Je hebt haar kat gekaapt,' zei Collette.

'Dat heb je heel goed gezien.'

'Om haar terug te pakken?'

'Die kat ziet ze niet meer levend terug. Zeker weten.' Brogan keek het dier aan met een meer dan vuile blik, om duidelijk te maken dat de Hannibal Lecter-ontknoping nog steeds tot de mogelijkheden behoorde. Zijn 'respect' was nu voor eventjes op. Die kat kon knuffelen wat ze wilde. Het uur der wrake kwam snel nabij.

Hij keek uit het raam naar de rivier, luisterde een tijdje naar het spinnende geluid, tot Collette de poes wegduwde en naar hem gebaarde. Ze knipoogde en vroeg hem naast haar te komen liggen. Knoopte zijn shirt los en begon zijn lokkende borsthaar te strelen. De kat besloot het uit te zitten voor het raam en keek begerig naar de meeuwen die de rivier opzeilden, terwijl Brogan op het bed lag en zich tegen Collette aanvlijdde met zijn ogen dicht, spinnend.

Beneden was de portier ingedut. Hij was nu alleen in de lobby. Het schorem uit de nachtclub was eindelijk naar huis en dat gaf hem de kans even te ontspannen. Het geruzie en gedoe buiten voor de nachtclub was voorbij. Finbar's Hotel beleefde een volmaakt vredig intermezzo, toen opeens het irritante getik klonk van een munt of een sleutel op de glazen deur. Niets is erger dan het profane geluid van metaal op glas. De portier kneep met zijn ogen en probeerde te zien wie daar was, hopend dat ze zouden afdruipen. Kom maar terug in de ochtend, godsamme. Maar het tikken ging door, en hij was gedwongen poolshoogte te nemen, het zou kunnen gaan over die gevaarlijke klootzak in kamer 107. Maar nee, het was een woedende vrouw met een vriend in een lammycoat. De portier had nauwelijks opengedaan of ze stond al binnen, sleurend aan haar vriend, haar keel schor schreeuwend dat ze de tent in puin zou slaan.

'Jullie hebben hier een meneer Brogan in het hotel, waar of niet?' commandeerde ze.

'Nou even rustig, ja,' zei de portier, nog wazig.

'Niks rustig,' zei ze, en beende naar de receptie. 'Ik wil weten in welke kamer hij zit, want hij heeft mijn poes.'

'Luister mevrouw, huisdieren zijn in dit hotel niet toegestaan.'

Ze keek de portier strak aan, vol walging en afkeer, zoals iemand kijkt die op straat op een gebruikt condoom heeft getrapt. En dat zuigende, glibberige gevoel was nu pas tot haar gezicht doorgedrongen. Alsof ze niet naar beneden durfde te kijken om daar kennis te nemen van wat onder haar schoen lag, het weerzinwekkende bewijs van andermans vunzige seksleven.

'Jij krijgt grote problemen als je me niet vertelt waar hij is,' zei ze. 'Ik wil het nu weten. Nu!'

'Ze meent het,' echode haar vriend in de lammycoat, een adviesje van mannen-onder-elkaar. Hij zag er gekweld uit, alsof hij de portier iets belangrijks moest doorgeven over vrouwelijke vastbeslotenheid. 'Kijk, ik heb verstand van vrouwen,' leek hij te zeggen. 'En dit is geen geintje meer. Dit wordt heftig.'

De portier bestudeerde de twee, en woog zijn kansen. Hij wist dat Brogan boven een kat gegijzeld hield. Nogal duidelijk, na al dat gedoe met die vis. Maar wat hem niet beviel was het idee van een eindeloze schreeuwpartij boven in de gang en dat midden in de nacht. Bovendien, het was ook een kwestie van loyaliteit. Hij en Brogan waren eerder die avond onder het genot van een drankje grote vrienden geworden. Tussen hen was een onbreekbare mannelijke band gesmeed.

Wat maakte het nu nog uit van wie die poes was? En erger nog, die hysterische vrouw had de portier zojuist gewekt uit een plezierige, wodka-doorweekte droom. Ze had hem teruggezet in de werkelijkheid en hem eraan herinnerd dat hij stervende was aan kanker: een onvergeeflijke fout.

Was Brogan er nu maar bij. Hij zou mevrouw Cactusbeentjes gewoon verteld hebben dat ze op moest sodemieteren. En neem die lullige vriend met zijn betonnen billen alsjeblieft weer mee. En pas op dat je niet uitglijdt over dat condoom daarbuiten.

'U zult helaas moeten vertrekken,' zei de portier. 'U hebt hier niets te zoeken.'

Maar ze wilde niet opgeven. Ze probeerde tierend achter de balie te komen en vroeg naar de manager. De man in de lammycoat probeerde haar te kalmeren, en trok haar weg voordat ze schade kon aanrichten, terwijl de portier dreigde de politie te bellen. Toen ze het gastenboek niet kon vinden, dreigde ze het hele hotel wakker te maken, overal aan te kloppen tot ze die klootzak vond die haar poes had.

'Ik bel nu de politie,' zei de portier, en nam de hoorn op.

'Laat ze maar komen,' antwoordde ze giftig. 'Jij verbergt een kattenmoordenaar.'

'Patricia, toe nou.' De man met de paardenreet praatte op haar in. Hij trok haar weg, richting deur, hij sleurde uit alle macht, hij fluisterde tegen haar, probeerde haar over te halen. Er waren nog andere manieren om haar kat te wreken, maar later.

'Ik ga hier *Liveline* over bellen,' schreeuwde ze in de deurpost. 'Ik maak dit hotel kapot. Ik laat ze deze tent sluiten.'

Het gezicht van de portier was vol laconieke duldzaamheid. Alsof hij ergens om moest lachen.

Wat had Brogan dit graag allemaal meegemaakt. 'Ooohhh...' had hij dan gezegd. 'We trillen en beven, we schijten fragmentatiestront. Nee, alsjeblieft, níet de radio!' Luister, Miss Ierland, het is met dit hotel al jaren afgelopen. En Simon kan het weten. Er is niks wat jij of een achterlijk radioprogramma daar nog erger aan zou kunnen maken. Dacht je echt dat Simon ene malle moer geeft om wat Marian Finucane gaat zeggen over Finbar's Hotel?

'Ik blijf buiten wachten, tot ik heb wat ik wil,' waren haar laatste woorden.

De portier wist de glazen deur achter hen dicht te krijgen. Hij staarde hen na door het glas, zag ze naar een geparkeerde auto lopen. Ze stapten in en bleven wachten. Hadden ze de moeite gedaan naar boven te kijken, dan hadden ze in het raam recht boven hen de poes gezien, wanhopig op zoek naar oogcontact. Maar de hysterische vrouw hield haar ogen strak op de hoteldeur gericht, wachtend tot Brogan zou verschijnen.

Een uur of twee later werd Brogan wakker en kleedde zich aan. Hij liet Collette slapen. Liet flink wat geld achter op het nachtkastje en krabbelde een berichtje op briefpapier van Finbar's Hotel. Hij stapte de gang op met zijn gettoblaster en zijn koffer. Bij zijn aankomst in de lobby kwam de portier tevoorschijn om hem te waarschuwen. Simon leek een beetje opgewonden.

'Ze zit buiten in de auto,' verklaarde hij. 'Met haar nieuwe zwaargewicht vriend.'

Maar Brogan leek zich niet meer druk te maken. Hij glimlachte en vroeg naar het vaste café van de portier. Hij vroeg wanneer Simon normaal gesproken vrij was, want hij wilde binnenkort wat met hem gaan drinken. Ze spraken af in de Wind Jammer, komende dinsdagavond. De portier moest ondertussen goed aan zijn gezondheid denken. De beste behandeling regelen. En veel succes met zijn studie.

'Zorg goed voor de kat,' zei de portier, wijzend naar Brogans koffer.

'Is wel de bedoeling,' glimlachte Brogan.

De portier liet hem buiten en Brogan liep richting rivier. Hij volgde Brogans zwierige loopje, recht voor de rode auto langs. De inzittenden moesten in slaap zijn gevallen, want er stapte niemand uit. Er was ook nog een

andere auto, met een man die dit alles in stilte en onbe-
weeglijk gadesloeg. Brogan vond zelfs nog tijd om zich om
te draaien en op te kijken naar de hotelramen. Zee-
meeuwen waren neergedaald in de lege straten, schooie-
rend naar restjes, op zoek naar weggegooide patat, stukjes
hamburgerbrood met ketchupvlekken, naar alles, behalve
dat gebruikte condoom. Brogan keek op naar het raam van
zijn voormalige kamer, en hernam zijn vastbesloten mars
naar de kade.

Pas op dat moment werd mevrouw Cactusbeentjes wakker en zag hem. Ze sprong uit de auto, en toen er weer in,
om haar vriend te wekken. Wat was dat voor surveillance-
operatie, hoe kon hij op het cruciale moment in slaap vallen en Brogan laten ontkomen, de beruchtste kattenmoordenaar aller tijden door het net laten glippen? Daarna
begon ze tegen Brogan te schreeuwen dat hij terug moest
komen. Ze beval haar vriend hem sprintend te achterha-
len, ze renden langs de stille straten, de autoportieren achter hen nog open.

Brogan was intussen al bij de rivier. Hij had er niet aan
gedacht zijn pas te versnellen, zelfs nauwelijks overwogen
om te kijken, tot hij bij de wal van de rivier was en in het
oranjebruine water keek. Aan de overkant steeg stoom op
uit de brouwerij. Een paar vroege vrachtrijders reden over
de kade. Pas toen keek hij om en zag het stel op hem afren-
nen. Hij wachtte een ogenblik en smeet toen de koffer in
de rivier. Hij zag hem even blijven drijven, toen begon hij
te zinken. Boven zijn hoofd cirkelden meeuwen. Een daarvan probeerde te landen op het handvat van de koffer,
vloog toen op en draaide nog een rondje.

Brogan liep verder, richting stadscentrum, slenterend
met de gettoblaster in zijn hand.

Mevrouw Cactusbeentjes stopte op de plek waar de
koffer nog steeds gedeeltelijk boven het water van de rivier
uitstak. Ze schreeuwde wat schunnige taal richting

Brogan. Iets obsceens over zijn spanningzoeker. Maar de aandacht moest uitgaan naar dringender zaken. Ze begon haar forsbebilde vriendje te stompen en beval hem om beneden de kat te gaan redden, hij moest en zou de ijzeren ladder langs de kademuur af, naar het donkere water beneden. Toen hij tot bij het water was probeerde hij het handvat van de koffer te grijpen.

'Kom op, pak hem nou,' gilde ze.

'Het gaat niet,' legde hij uit, want de koffer was net buiten zijn bereik gedreven en zonk snel.

'O, in godsnaam. Ben je nou een kerel of niet?'

'Hé, Patricia, ik probeer het toch.' Maar de koffer was inmiddels vrijwel onder water. Aan de zijkanten ontsnapten zorgwekkende belletjes lucht.

'Je bent ook nergens goed voor.'

Hij keek op en zag haar op hem neerkijken met haar ogen vol koude woede. Vanuit zijn positie was het moeilijk te zeggen wat erger was, haar vuile blik, of de smerige aanblik van de slijmgroene rivier beneden.

'Doorgaan,' schreeuwde ze. 'En waag het niet zonder koffer boven te komen.'

Vanaf de hoteldeur sloeg de portier hen gade. Hij had zijn handen op zijn rug en ademde de frisse ochtendlucht in. Zonsopgang, bijna. De hemel werd langzaam bleker, en hij kreeg zin in een snel kopje thee voor alles weer zou losbarsten. Hij had nog dienst tot elf uur, vanwege het personeelstekort. Hij stapte weer naar binnen en hoorde de liftdeuren opengaan.

Op datzelfde moment stopte voor het hotel een taxi, en kwam Collette de lobby inlopen met op haar arm de poes. Op weg naar buiten sprak ze kort met de portier.

'Slaap lekker, Simon,' zei ze, en stopte om hem haar nieuwe poes te laten zien.

Het spinnen was zo luid dat het klonk door de hele verlaten lobby, als een echo van de zachtronkende dieselmotor van de taxi buiten. Moggi grijnsde intens tevreden terwijl ze met haar gestrekte klauwen in Collettes leren jasje greep, en weer losliet. Collette glimlachte naar de portier, die de deur voor haar openhield. Ze liep naar buiten, ging zitten op de achterbank, sprak tegen de chauffeur en aaide aan één stuk door de poes terwijl de taxi wegreed.

Kamer 104

De nachtmanager

Er was iets mis met de man met de paardenstaart die zich inschreef voor de nacht. Tientallen jaren ervaring, die hij had opgedaan lang voordat hij er ooit van had gedroomd dat hij nog eens manager van Finbar's Hotel zou worden, hadden Johnny Farrell dat geleerd. Deze ervaring had hem verder geleerd op de achtergrond te blijven en toe te kijken hoe Aideen, de receptioniste, de man een kaart overhandigde die hij in moest vullen. Ze reikte achter zich om de sleutel van 104 te pakken en legde deze op de balie naast de in de mouw van een leren jasje gehulde arm van de man. Hij scheen alleen te zijn en had slechts één flink verfomfaaid stuk handbagage bij zich.

Hij boog zich voorover en zei iets, maar Johnny zag aan Aideens glimlach dat elk grapje dat hij tegen haar probeerde te maken, niet in goede aarde viel. Sinds ze in het hotel was komen werken, was Aideen altijd heel erg onafhankelijk en van niemand erg onder de indruk geweest. Hij vroeg zich af of een jonger meisje, dat net van school was gekomen, misschien wel aan de lippen van deze gast had gehangen. Omdat hij, zelfs van deze afstand gezien, een zorgvuldig gecultiveerde charme en een vaag bekende uitstraling leek te hebben die Johnny licht onaangenaam trof, hoewel hij niet precies kon zeggen waarom.

Het had alles in zich om een vreemde avond te worden. Sommige avonden ging het nu eenmaal zo, als je de problemen bijna letterlijk kon ruiken. Johnny wist dat de man die als een stiekeme schooljongen eerder 101 had genomen, geen echte reden had om hier te zijn. Het was mogelijk dat zijn vrouw hem de deur had uitgezet, maar hij had niet die terneergeslagen blik gehad die Johnny zo langzamerhand wel herkende. Evenmin had hij de ontwijkende blik in zijn ogen gehad van iemand die op een heimelijk afspraakje wachtte. Naar alle waarschijnlijkheid was hij ongevaarlijk, maar Johnny nam zich voor hem discreet in de gaten te houden, voor het geval dat. Dikwijls bestond het werk van een hotelmanager hieruit: je als een goede keeper op de juiste positie opstellen zodat het leek alsof het werk je geen enkele moeite kostte.

Mogelijkerwijs zorgwekkender was de gast die Simon duister mompelend als 'de cowboy van 103' had omschreven. Johnny's instinct vertelde hem ook dat er iets loos was met de twee Nederlandse journalisten die kamer 205 hadden genomen. Toch was dit niet meer dan het kleinere drijfhout van onverschillig welke drukke avond in Finbar's, en Johnny zou nu tevreden naar huis zijn gegaan en het aan Simon hebben overgelaten om met zijn cynische blik de zaken in het oog te houden, als daar niet die gezette Dubliner was geweest die zijn lievelingskamer, 107, aan het eind van de gang op de eerste verdieping had genomen. Jaren geleden, als kind, had Johnny, door naar de eerste eigenaar van het hotel, de oude Finbar Fitz-Simons (naar wie het hotel was genoemd), te kijken als deze aan het werk was, geleerd hoe belangrijk het was aanwezig te blijven zolang er een kans op serieuze problemen bestond. Hij was verbaasd dat niemand van het personeel scheen te weten wie de Dubliner was, afgezien van Simon natuurlijk, en de nachtportier en hij begrepen dat ze elkaar iets dergelijks nooit mochten toegeven of erover mochten praten.

Aan de balie had de man met de paardenstaart de sleutel van 104 opgepakt. Johnny merkte op dat hij niet één keer om zich heen keek, hoewel hij wel een tijdje omhoog had staan staren naar het vervaagde portret van de enige zoon van Finbar FitzSimons, Finbar Og, dat nog steeds achter de balie hing. Het was een van die paar pathetische details waarop Finbar Og had gestaan toen het consortium van hogergeplaatste personeelsleden meer dan twintig jaar geleden het hotel van de familie FitzSimons had gekocht: dat zijn portret boven de balie zou blijven hangen en dat het hotel de naam van zijn vader boven de deur zou blijven dragen. Simon dook op in het koffiehoekje naast Aideens balie en wierp een korte blik op de man met de paardenstaart, die zijn tas van de grond pakte. Johnny ving een glimp op van de zijkant van het gezicht van de man, die er veel ouder uitzag dan zijn dunne zwarte paardenstaart suggereerde. Hij moest zijn haar hebben geverfd, want hij was de veertig allang gepasseerd. De man kuierde naar de lift en bleef er even staan terwijl de deuren opengingen en er verschillende Amerikanen naar buiten kwamen die zich bij de rest van een busgezelschap voegden die al in de lobby zat. De gedachte kwam bij Johnny op dat de man misschien voelde dat hij in de gaten werd gehouden. Johnny wendde even zijn blik af, alsof hij bang was betrapt te worden, toen de man de lift in stapte en de deuren dichtgingen. De lift ging naar boven en Johnny bleef achter met niet meer dan een paar vage indrukken: een glimp van een neus, zijn ineengedoken schouders, zijn manier van lopen en een irrationeel, bijna verlammend gevoel van onbehagen.

Simon kwam binnen met koffie en koekjes voor een van de tafeltjes met bejaarde Amerikanen. Hij liep enigszins gebogen door het gewicht van het dienblad, op een manier die een jaar geleden nooit zichtbaar zou zijn geweest. Toch viel er op het gezicht van de oude portier niets te zien waaruit kon blijken hoeveel pijn hij had. Dit was nog een reden waarom Johnny Farrell blij was dat Finbar's Hotel na Kerstmis dichtging, waarbij al het personeel ontslagen zou worden, zodat de nieuwe eigenaren met een schone lei konden beginnen. Anders zou Simon weigeren op te houden met werken, tot zijn kanker zo hevig zou worden dat hij hier ter plekke in elkaar zou zakken, en hoewel Johnny niet bang was harde besluiten te nemen, wist hij dat Simon hier de enige was die hij nooit zou kunnen ontslaan.

Johnny liep naar de houten alkoof die Simons privé-domein was. Ook de andere portiers werkten vanuit dit hok, maar ze wisten welke planken aan de muur van Simon waren en niet aangeraakt mochten worden. Terwijl Johnny omhoogstaarde naar de koffiepotten en goedkope koekjes die daar wachtten tot ze in dure schaaltjes zouden worden gelegd, herinnerde hij zich hoe hij en de dochter van Finbar Og, Roisin FitzSimons, zich hier bij Simon hadden verstopt toen ze allebei nog zes waren geweest. Roisin had Simon 'Albert' gedoopt, naar de trouwe butler in *Batman en Robin*, en Simon was de enige geweest die hen nooit had uitgelachen als Roisin Batman speelde en Johnny Robin was.

Dat was nu meer dan dertig jaar geleden, in een tijd dat alles nog had geblonken in het nieuwe hotel van Finbar Og, de geldverslindende opvolger van het oorspronkelijke gebouw, dat door brand was verwoest. Zelfs de felgekleurde Navan-tapijten droegen het beeldmerk van de Fitz-Simons en de initialen van de eigenaar, FF, die er als leitmotiv in Keltische letters waren ingeweven. Er hadden toen enorme boeketten kunstbloemen op de receptiebalie gestaan, en Johnny herinnerde zich dat zijn vader en grootvader, die er beiden hadden gewerkt, weer glimlachten en blij waren weer bij FitzSimons in dienst te zijn na de achttien maanden die de verzekeringsmaatschappij nodig had gehad om uit te betalen en waarin het nieuwe hotel was opgetrokken.

Nu hij erop terugkeek waren die twee weken voor de heropening de gelukkigste van zijn leven geweest. Roisin FitzSimons had het nieuwe gebouw als haar eigen koninkrijk beschouwd. Er vielen vier verdiepingen vers geschilderde kamers te verkennen, er waren dubbele bedden om op te springen en cartoonschurken als de Joker en Two-Face om de liften in en uit te jagen. Kamermeisjes hadden hen uitgefoeterd en arbeiders hadden gevloekt, maar de oude Finbar FitzSimons was als hun beschermengel opgetreden. Want waar Finbar Og alleen maar tijd had voor zijn zoon, Alfie – Roisins grote broer, die door Finbar Og werd opgeleid om op zekere dag de zaak over te nemen – had de oude Finbar speciaal genoten van zijn kleindochter, Roisin, en niemand durfde de oude Finbar tegen zich in het harnas te jagen, ook al stond de naam van Finbar Og toen al officieel op de akten van het hotel.

Simon keerde met het lege dienblad naar de alkoof terug en kreeg Johnny in de gaten, die er nog rondhing. 'Gierige klootzakken, die yanks,' mompelde hij zuur en liet een muntstuk in zijn fooiendoosje vallen. 'Zo kom ik nooit op college.' Het was al een oud grapje van Simon, dat hij uit Amerikaanse soapseries had opgepikt, dat hij echt Ierse geschiedenis studeerde. Hij nam een slokje uit het glas dat voor hem stond. Johnny was alweer vergeten hoe lang geleden Simon was gaan veinzen dat de heldere vloeistof in het glas dat altijd voor hem stond water was. Aanvankelijk was Simon bij het achteroverdrukken van wodka zo discreet te werk gegaan dat Johnny alleen door zijn instincten was gewaarschuwd wat er aan de hand was. Nu, sinds vorig jaar, deed hij het zo doorzichtig dat zelfs de barmannen over hem klaagden. Maar ja, wodka scheen als pijnstiller uitstekend te werken, dus volhardde Johnny in het bedrog.

Hij vond het moeilijk zich niet schuldig te voelen over Simon, hoewel destijds, in de jaren zeventig, de rest van het personeel hem de kans had gegeven mee te doen aan het uitkopen van Finbar Og FitzSimons. 'Ik wil gewoon loon en geen gelazer aan mijn hoofd,' had Simon tegen Johnny's vader gezegd, die de overname coördineerde.

Het grootste deel van de tijd die sindsdien was verstreken had dit een verstandige keus geleken. Misschien had Finbar's Hotel onder slechts één eigenaar als bloeiende onderneming uit zijn as kunnen herrijzen, maar zelfs het bejaarde consortium had moeten erkennen dat zijn stijl van gezamenlijk leiding geven te onhanteerbaar was om mee te kunnen op de markt. De lonen waren altijd uitbetaald, maar wat ooit een beroemd hotel was geweest hinkte nu voort op weekendarrangementen en de opbrengsten van de Upstarts-nachtclub in het souterrain. Niemand had een explosie in de hotelbusiness in Dublin kunnen voorzien, en niemand had kunnen voorzien dat toen Finbar's op een veiling aan een Nederlandse rockzanger en zijn Ierse vrouw werd verkocht, vier van de oorspronkelijke vijf leden van het consortium, plus Johnny als erfgenaam van het part van zijn vader, zich op grond van hun aandeel in het bezit met bijna een fortuin uit de zaak konden terugtrekken.

Simon zou alleen zijn werkloosheidsuitkering krijgen, hoewel de oude portier hier met geen woord tegen Johnny over sprak. Misschien kon het hem, omdat hij welbeschouwd nog maar een paar maanden te leven had en niemand had om het geld aan na te laten, niet schelen, maar Johnny had allang het vermoeden dat hij diep in zijn hart een rancune koesterde. Niemand wist wat er diep in Simon eigenlijk broeide, maar Johnny wist wel dat Simon in zijn hoofd iedere fooi registreerde en iedere gast dienovereenkomstig beoordeelde. De portier nam nog een weloverwogen slok wodka en staarde Johnny aan alsof hij hem uitdaagde een opmerking te maken.

'Paardenstaarten,' mompelde Johnny, in een poging Simon een reactie te ontlokken. 'Ik heb het er nooit op gehad, zelfs niet bij paarden.'

Simon stond weer op en negeerde Johnny terwijl hij zich vooroverboog om naar een bejaarde Amerikaanse dame te luisteren die met een verzoek de alkoof binnen was gekomen. Johnny glipte achter hem langs naar buiten en bleef even naast de receptiebalie staan. Hij gebaarde naar Aideen dat ze hem de laatste ingevulde kaart moest laten zien: Edward McCann, met een adres in een buitenwijk van Londen. Postcode 0181.

'Een heuse veteraan,' spotte Aideen, die toekeek terwijl Johnny de naam las. 'Zo te zien het oudste feestnummer in de stad.'

'Wat vind je van hem?'

'Later op de avond jaagt-ie vast nog een arme meid de stuipen op het lijf in de Upstarts. Ze zal wel denken dat het zo'n zombie is, als dat gebit opeens licht gaat geven in de stroboscoop. Iets aan de hand? Kent u hem?'

'Nee. Alleen maar nieuwsgierigheid.' Johnny wilde graag van het onderwerp af. 'Weet je, ik heb binnen een referentie voor je klaarliggen, wanneer je maar wilt.'

Aideen glimlachte. 'Tijd genoeg, meneer Farrell. Ik heb een zuster in Londen. Na de kerst ga ik bij haar logeren en dan zie ik wel wat ervan komt.'

'Het is echt geen moeite bij de nieuwe eigenaren een goed woordje voor je te doen,' zei Johnny. 'Het duurt wel een paar maanden voor ze weer opengaan, maar je doet je werk goed.'

'Het is tijd mijn vleugeltjes uit te slaan en een stukje te gaan vliegen,' antwoordde Aideen met een gekunsteld kinderstemmetje. 'Ik bedoel, wie wil er nou zijn hele leven hetzelfde baantje hebben?'

Johnny knikte en gaf haar de kaart terug. Ze had niet eens in de gaten dat ze hem had beledigd, hoewel hij in alle eerlijkheid niet kon zeggen dat hij zijn hele leven dezelfde baan had gehad. Wel in hetzelfde hotel. Niemand had ooit kunnen vermoeden dat hij hier op zekere dag manager zou zijn, hoewel het lot van de families FitzSimons en Farrell verbonden was geweest sinds 1924, toen de oude Finbar zijn hotel had geopend tussen rijtjeshuizen aan Victoria Quay, tegenover wat toen het Kingsbridge Railway Station had geheten.

Er bestonden nog foto's van Finbar en zijn vrouw uit dat eerste jaar, starend naar een stervende stad die vernield was door de burgeroorlog waar Ierland door was verscheurd. Het was een slechte tijd geweest om welke onderneming dan ook te beginnen, en het hotel zou misschien snel ten onder zijn gegaan als het niet zo dicht bij het station had gelegen en niet de reputatie van discretie had gehad die was opgebouwd door de oude Finbar en Johnny's grootvader, James 'de Graaf' Farrell, die er als hoofdportier had gewerkt. Het was al snel uitgegroeid tot een toevluchtsoord voor geestelijken van het platteland die in Dublin hun jaarlijkse drinkgelag kwamen houden. Het publiek kwam zelden in de bar die voor de hotelgasten was gereserveerd, en het oudere mannelijke personeel, dat met zorg was uitgekozen om daar dienst te doen, zei nooit een woord over wat er zich in dat diep in het hotel gelegen heiligdom afspeelde.

Toen hij eenmaal oud was vertelde de Graaf Johnny dikwijls hoe de geestelijken bij aankomst in Dublin discreet hun boord afdeden tijdens de korte wandeling vanaf het station. Even discreet bond Finbar ze dan zelf weer om nadat hij zich ervan had verzekerd dat de rekening betaald was en de geestelijke met behulp van zwarte koffie redelijk was ontnuchterd. De Graaf bleef altijd op het perron staan om ervoor te zorgen dat er geen onvoorzien vleugje schandaal ontstond op het moment dat de gast tot het volgende jaar veilig naar het platteland werd teruggestuurd. Het was de eerste teleurstelling in Johnny's leven geweest toen hij had ontdekt dat de pauselijke adellijke titel van zijn grootvader gewoon een bijnaam was, 'verworven voor verdiensten verleend aan de Moederkerk', zoals de oude man altijd zei, kakelend van het lachen om deze grap, die de jonge Johnny nooit begreep.

Terwijl Johnny door de open deuren naar de bar keek, waar een feestje van een kantoor warm begon te lopen, vroeg hij zich af wat de Graaf nu van Finbar's Hotel zou vinden. Pete Spencer, de jongere barman die er werkte, was verbitterd over het feit dat hij in januari zijn baan kwijt zou zijn. Johnny vermoedde dat Pete zich niet te goed zou voelen om mensen later op de avond op te lichten met wisselgeld als hij ermee kon wegkomen. Gerry, de oudere barman uit Cork, koesterde nog hoop dat hij zijn baan terug zou kunnen krijgen als het hotel eenmaal heropend zou zijn. Hij had het er verschillende malen met Johnny over gehad, maar het was niet het moment geweest om tot hem door te laten dringen dat hij geen kans had. Geen enkele nieuwe eigenaar wilde barpersoneel dat meer van de omzet wist dan hijzelf. De koper mocht dan een rockster zijn, als het op geld aankwam bleef hij Hollander. Aideen zou wel een goede kans maken, als Johnny een goed woordje voor haar deed. Maar Aideens toekomst was niet zijn probleem, dus waarom had hij aangeboden er verantwoordelijkheid voor te aanvaarden?

Hij draaide zich om en zag dat ze zijn blik trachtte te vangen. Er stond niemand aan de balie, en hij liep naar haar toe.

'Dom van me, om dat te zeggen,' zei ze. 'Dat van mensen die op één plek blijven werken. Ik wilde u niet beledigen, u bent duidelijk geknipt voor hotels. Ik wil gewoon weleens iets anders.'

'Je hebt groot gelijk dat je van alles probeert,' zei Johnny. 'Ik heb vaak gewenst dat ik dat ook had gedaan.'

De receptioniste lachte welgemutst, alsof hij een grapje tegen haar maakte.

'Dat meent u niet,' zei ze. 'Dit hotel zit u als gegoten. Ik kan me niet voorstellen dat u ooit iets anders zou doen.' Aideen keek hem aan, op de rechtstreekse manier van een personeelslid dat weet dat je binnenkort de baas niet meer bent. Johnny was verrast een glimp van echte affectie op haar gezicht te zien.

'U zult Finbar's verschrikkelijk missen als het er eenmaal niet meer is.'

'Nee,' antwoordde hij.

'Houdt u me nou niet voor de gek. U zit hier al uw hele leven. U heeft hier vast heel veel herinneringen.'

'Ik herinner me eigenlijk erg weinig, alleen maar gezichten die komen en gaan.'

'Ze zeggen dat alle grote politici hier vroeger kwamen drinken.'

'Die grote politici zijn er nu niet meer.' Johnny bagatelliseerde het verleden. 'Het was een onschuldiger tijd.'

De oude Finbar was het er nooit mee eens geweest dat zijn zoon zijn initialen FF in de vloerbedekking had laten weven, want hij wist dat het een vleierij was die de regerende Fianna Fáil-partij nodig had noch op prijs stelde. Het kwam niet door partijtrouw dat Brian Lenihan, Donagh O'Malley, Charles Haughey en de andere Jonge Turken van Fianna Fáil in de jaren zestig in het achterzaaltje van het oorspronkelijke hotel waren komen borrelen. Het kwam door de discretie waarom de oude Finbar en de Graaf beroemd waren, het soort discretie dat Finbar Og altijd boven de pet was gegaan en die eigenlijk alleen Johnny en Simon nu begrepen.

'Simon zegt altijd dat het hotel toen geen drie sterren maar drie P's had,' zei Aideen, die niet helemaal zeker wist wat het grapje betekende. De Graaf had deze uitdrukking gemunt. Tegen de jaren vijftig was Finbar's populair geworden als plek waar hogere politiemensen kwamen doorzakken en – na de dood van de moeder van de oude Finbar – als toevluchtsoord voor respectabele courtisanes.

'Finbar's heeft nooit een PP gekregen,' legde Johnny haar uit. 'Een PP betekent dat het geschikt is voor parochiepriesters. Wij waren PPP. Priesters, Politie en Prostituees.'

Aideen lachte. Hij zag dat ze niet wist of ze hem moest geloven. Maar destijds, toen de gastenbar een reputatie begon te krijgen vanwege zijn flexibele sluitingstijden, was het niet meer dan vanzelfsprekend dat er aan de drie P's van Finbar's al spoedig een werd toegevoegd: geschikt voor Politici.

'Is dat oude verhaal over Brian Lenihan echt waar?' vroeg Aideen. 'Over die jonge politieman die hier een inval deed vanwege drinken na sluitingstijd en de vraag kreeg of hij ook een glas wilde of liever naar de Aran-eilanden werd overgeplaatst?'

Soms, als de Graaf het verhaal had verteld, was de betrokken minister Lenihan geweest, en op andere momenten Donagh O'Malley. De Graaf had het echter alleen onder vier ogen verteld. Finbar Og had zo vaak en zo luid over het incident gepraat dat de Jonge Turken zich waren gaan ergeren en met een laatste kletsend geluid van hun kleurige bretels definitief waren vertrokken als de oude Finbar niet was opgetreden en zijn zoon niet had gemaand verder zijn mond te houden.

'Dat is maar een legende,' zei Johnny nu tegen haar. 'Ik weet zeker dat er nooit iets dergelijks is gebeurd.'

Er had die avond zo'n massa mensen bij Finbar's gezeten dat nadien niemand meer zeker wist wie de jonge politieman had bedreigd of dat deze gewoon even in het vertrek had rondgekeken en zich uit de voeten had gemaakt. De waarschuwing van Finbar aan zijn zoon had een tijdje geholpen, tot het verzekeringsgeld van de brand (die toevallig had plaatsgevonden in de tijd dat Finbar Og op verzet was gestuit tegen zijn plannen het oorspronkelijke hotel te laten slopen) hem naar het hoofd was gestegen. Gedurende de periode waarin het hotel was herbouwd had de drank Finbar Og echter zodanig in zijn greep gekregen dat het al gauw onmogelijk werd hem het zwijgen op te leggen of de dijkdoorbraak in zijn portefeuille te dempen.

Johnny wierp een blik op het portret van Finbar Og achter de balie. Die schouders hadden iets waarvoor hij altijd bang was geweest. Niet dat Finbar Og hem ooit had bedreigd of ooit echt aandacht had besteed aan zijn aanwezigheid in het hotel toen hij nog een kleine jongen was geweest. Hetzelfde had gegolden voor de zoon van Finbar Og, Alfie, die – hoewel hij maar twee jaar ouder was dan Johnny – hem altijd had behandeld met de minachting van een volwassene voor een kind dat er niet erg toe deed. Aideen draaide zich om en keek ook naar het portret.

'Die griezel bezorgt me 's nachts af en toe de rillingen,' zei ze. 'Was dat niet de zoon van de eigenaar of zoiets?'

Johnny merkte dat het personeel zich een beetje nostalgisch begon te voelen door de komende sluiting. Maar juist vanavond was Finbar Og niet iemand over wie hij wilde praten. Hij wendde zijn blik af van die schouders en dacht weer aan de gast die zich net had ingeschreven: de paardenstaart, die halve glimp van zijn gezicht, de manier waarop hij naar de lift was gelopen. Hij was blij toen er twee Amerikaanse dames Aideens aandacht opeisten omdat ze op zoek waren naar Ray Dempsey, de reisleider. Johnny had hem even daarvoor het restaurant zien binnenglippen, maar zei niets. Als hij niet zijn voor publiek bedoelde glimlach droeg had Dempsey een lijdelijke uitdrukking op zijn gezicht. Hij zou hem in ieder geval zijn maaltijd in alle rust laten gebruiken.

Johnny liep in de richting van de gastenbar. Er was geen spoor te bekennen van de gedrongen Dubliner van 107. Johnny wilde dat hij ongemerkt naar beneden kwam, wat hij dikwijls deed, en stil zijn sleutel op de balie legde. 107 checkte nooit uit. Hij betaalde altijd vooruit, en als hij zijn sleutel op de balie legde wist je simpelweg dat hij niet terug zou komen. Opeens voelde Johnny zich uitgeput. Hij wilde niet gewoon weggaan voor de nacht, hij wilde dat het hele gebouw dichtging, hij wilde dat die stompzinnige vloerbedekking los werd gerukt en dat er overal stof zou hangen, hij wilde dat de vloerplanken en muren als een soort reinigingsritueel door de bouwvakkers aan stukken zouden worden gescheurd. Hij wilde dat er eindelijk eens een einde kwam aan dat verantwoordelijkheidsbesef. Finbar's had hem nooit het gevoel gegeven dat het echt van hem was. Misschien had het hele consortium wel hetzelfde gevoel gehad. Dat was de reden waarom ze, zelfs toen ze Sean Blake, een van de beste fotografen van Dublin, een groepsportret hadden laten maken, het nooit over hun hart hadden kunnen verkrijgen het naast Katherine Proctors schilderij van Finbar Og aan de muur te hangen.

Toch was dit Johnny's hotel, voor minstens nog een paar weken. Hij kon iedereen eruit schoppen die hij eruit wilde schoppen. Hij kon nu, op dit moment, naar 104 gaan en zeggen dat er een vergissing, een dubbele reservering in het spel was. Niets kon hem hiervan weerhouden, het verleden stond hier buiten. Dus waarom was hij zo bang het te doen?

De gastenbar was vrijwel verlaten; nog een paar Amerikanen probeerden zwijgend zo lang mogelijk met hun drankje te doen. Hij knikte tegen Eddie, de barman, dat deze even rust mocht nemen en staarde naar de verzameling cognacflessen. Het was niets voor hem al zo vroeg behoefte aan een borrel te hebben. Hij bood weerstand tegen de aandrang. Je mocht nooit laten zien dat je aan het einde was. Er kwamen twee gasten binnen, vrouwen die eruitzagen alsof ze niets gemeen hadden. De goedgeklede en zelfverzekerde, de jongste, praatte voortdurend, de oudere zag er nerveus en verdwaald uit. Een protestants, West-Iers type, dat te moe was om nog langer de schijn op te houden. Voor hij met Prudence was getrouwd zou hij iets dergelijks nooit hebben opgemerkt. Hij bracht hun twee glazen cognac en nam een bestelling voor de roomservice aan. Hij had deze eigenlijk aan Simon door moeten geven, maar wachtte tot de barman terugkwam en ging toen zelf naar beneden, naar de keuken.

Het was belachelijk, maar hij had het gevoel dat hij een excuus nodig had om naar boven te gaan. Hij wachtte tot het dienblad klaar was, droeg vervolgens de soep, de sandwiches en de wijn naar de deur van kamer 102. Hij liep door, omdat hij zich niet te dicht bij 107 in de buurt wilde wagen. Uit 103 kwam muziek. Voor 104 bleef hij staan. Hij voelde zich onbehaaglijk, alsof de gast hem door het kijkglaasje bekeek. Het was echter wel zoals de man met de paardenstaart zou verwachten Johnny aan te treffen, serviel, met een dienblad, wachtend op toestemming om binnen te komen.

Johnny bleef even staan, verlamd door zijn onvermogen erachter te komen hoeveel Roisin FitzSimons haar broer ooit over hen beiden had verteld, zo ze al iets had verteld, liep toen stil terug naar 102 en gebruikte zijn loper om naar binnen te gaan. Hij zette het blad neer en vouwde de witte servetten netjes op naast de wijnglazen. Zijn handen trilden. Roisin. Het was alsof hij een geest ter sprake bracht. Zo dacht hij aan haar, alsof ze dood was. Nee, dat was niet waar. Hij had zijn geest gewoon zo getraind dat hij nooit aan haar dacht, zoals hij aan zoveel niet dacht. Hij wist dat hij de kamer uit moest zijn voor de twee dames terugkeerden, maar hij ging op een van de bedden zitten, niet in staat te voorkomen dat de herinneringen bovenkwamen.

Hij was die zomer acht jaar oud geweest, toen de oude Finbar Roisin en hemzelf op zijn bonkende fiets naar Aras an Uachtaráin in het Phoenix Park had meegenomen, in de tijd dat De Valera nog president was. Roisin had op de stang op Finbars opgevouwen jasje gezeten en 'My Boy Lollipop' gezongen terwijl Johnny op de bagagedrager zat alsof ze op het laatste moment ook aan hem hadden gedacht. Finbar was toen tachtig geweest, maar zo sterk als een stier. Als Johnny zijn nek durfde te strekken zag hij het rode haar van Roisin opwaaien terwijl de fiets door de Furry Glen bonkte.

In die tijd had de dood van de vrouw van Finbar bij de oude man een belangstelling voor God losgemaakt, hoewel dit hem er niet van weerhield leiding te geven aan beruchte, de hele nacht durende pokersessies met de Taoiseach, Sean Lemass en andere zakenlieden in een suite in het hotel. Om de twee weken fietste hij echter naar de keuken van Aras, waar hij dan zat met De Valera, die niets leuker vond dan machtige kliekjes opwarmen terwijl ze de hele nacht in het Iers zaten te kletsen. Door de omstandigheid dat de vrouw van De Valera Finbar Iers had leren dansen en Finbar en Sean O'Casey ooit beiden om haar hand hadden geconcurreerd, waren de mannen, nu ze oud waren, alleen maar intiemere vrienden.

Johnny herinnerde zich dat hij die rit doodsbang was geweest. Het was alsof hij was meegenomen voor een afspraak met God, terwijl de oude man met zijn kleindochter zat te zingen en ze beiden de aanwezigheid van Johnny op de bagagedrager volledig vergeten waren. Toen ze bij de Aras aankwamen bleek De Valera er niet eens te zijn – 'te druk bezig aarde op de kist van een of andere arme donder te gooien' – en de middag ging heen terwijl Roisin en hij op de oude rammelkast rond het privé-meertje van de president leerden fietsen.

Zo was het leven met de FitzSimons geweest: je kreeg af en toe toegang tot plekken waar het publiek niet van kon dromen. Roisin had zich verveeld tijdens het uitje, terwijl Johnny doodsbang was geweest en alleen maar had zitten wachten tot hij eruit gegooid zou worden. Zijn broer Charles, die vier jaar ouder was dan Alfie FitzSimons, leek nooit last van deze angst te hebben als hij met de FitzSimons omging. Hij mocht dan de zoon van een portier zijn, iedereen wist dat hij een hogere bestemming had. De oude Finbar had al geregeld dat hij een tijd in een groot

Londens hotel zou gaan werken. Het was alsof er boven het hoofd van Charles een ster flonkerde. Zelfs Alfie FitzSimons liep als een hondje achter hem aan. Charles zou zoveel indruk op De Valera hebben gemaakt dat de president nog vier jaar later naar hem had geïnformeerd, terwijl Johnny iedere keer dat er een auto in de poort van Aras was verschenen in de varens bij het meer was weggekropen.

Johnny keek op toen hij een geluid op de gang hoorde. Een vrouw van in de veertig kwam op weg naar de lift langs de openstaande deur. De twee vrouwen zouden dadelijk bovenkomen. Er kwam geen geluid uit kamer 104. Hij kon de verkeerde voor zich hebben. Misschien was hij meer van streek door de sluiting van Finbar's dan hij dacht. Johnny deed zachtjes de deur achter zich dicht en liep weer naar beneden naar de gastenbar terwijl hij de brochure van de makelaar in zijn binnenzak betastte. De koop was al twee maanden geleden beklonken, maar Johnny droeg de brochure nog steeds bij zich zonder ooit iemand bij Finbar's de foto van een Palladiaanse villa te hebben laten zien die in de heuvels bij Enniscorthy tussen de bossen lag.

Prudence en hij zouden acht suites hebben als de verbouwing klaar was, en plaatsen voor achttien fijnproevers in de bibliotheek, die uitkeek op het vijvertje als dat eenmaal zou zijn gegraven. Achttien was het juiste aantal. Eén meer en de illusie van intimiteit was vernietigd. In Ierland was het geen enkel probleem meer klanten voor dinermet-logies-arrangementen te krijgen. Het was gewoon een kwestie van kritische gasten vinden. Europeanen waren eerder bereid te betalen voor de omgeving die een villa op het Ierse platteland bood. Amerikanen waren in het algemeen zo rijk dat ze Amerikaans comfort in het Shelbourne verlangden en anders waren ze net als de weinige treurige leden van het busgezelschap die in de gastenbar eindeloos aan hun koffie zaten terwijl Johnny naar de twee vrouwen uit 102 knikte en omhoog wees om duidelijk te maken dat hun bestelling boven op hen stond te wachten.

De echte barman kwam terug, en Johnny wandelde de lobby in. Europese bezoekers hadden meer verstand van goede wijn en cognac, bedacht hij, zolang je de prijzen maar hoog genoeg hield om de sandalenbrigade af te schrikken. Prudence had verbaasd gekeken toen hij erop had gestaan dat de villa onder haar naam zou werken. 'Laten we het Mount Farrell noemen,' had ze tegengeworpen. 'God weet dat je lang genoeg onder de naam van een ander hebt gezwoegd.' Maar dat was nu juist het punt, Farrell's was in zijn oren een echo van Finbar's. Het moest maar Cuffe's heten, een protestantse naam zonder klasse en zonder bagage. Johnny wilde geen goodwill of contacten naar Enniscorthy meenemen of reclamekreten schrijven in de zin dat de familie Farrell driekwart eeuw ervaring had met het verwelkomen van bezoekers. Hij wilde een punt zetten onder het verleden en helemaal opnieuw beginnen. Hij wilde anonieme gasten, die tot laat in de avond bij de open haard zaten en in een mengelmoes van vreemde talen rustig over zaken praatten terwijl een verlichte fontein buiten kalmerend murmelde. Hij had zijn hele leven te maken gehad met treurige types die contant betaalden. Hij wilde American Express Gold Cards. Hij wilde een toeslag van twaalfenhalf procent zonder een Simon die erop gespitst was een fooi in de wacht te slepen. Hij wilde menukaarten met een gouden versiering, gedrukt op Conqueror-karton met watermerk, en dinergasten die eerst naar de visgerechten en niet naar de prijzen keken.

Johnny's gezicht vertrok bij de herinnering aan de zetfout die hij op het menu van vanavond had aangetroffen. Dergelijke fouten kwetsten zijn trots. Hij moest zich inprenten dat de mensen in de keuken wisten dat hun banen zouden verdwijnen en hij was niet van plan ze tussen nu en Kerstmis te ontslaan. Nog zes weken en het was allemaal achter de rug. Het deed er dus niet toe dat de complete restanten van de familie FitzSimons zich net in kamer 104 hadden ingeschreven. Het belangrijkste dat hij had geleerd was dat hij zich moest concentreren op de klus waarmee hij op dat moment bezig was. Het advies dat de oude Finbar hem dertig jaar geleden had gegeven was hem altijd goed van pas gekomen. Johnny liep naar de deur van het restaurant en keek naar binnen. Het was er stil, en het personeel maakte aanstalten de tafels te dekken voor het ontbijt. Aan een tafel zat een handelsreiziger te praten, luider dan nodig was. Het was altijd riskant een praatje met iemand te maken die zijn eigen grapjes leuker vond dan de anderen. Het zou Johnny zeven of acht minuten kosten om zich weer van hem los te maken als hij uit hoffelijkheid een bezoekje aan die tafel bracht.

In plaats hiervan begaf hij zich naar Dempsey, de gids van de Amerikaanse groep, die gezelschap scheen te hebben gevonden: de vrouw van middelbare leeftijd van wie hij een glimp had opgevangen toen ze langs de deur van 102 was gekomen. Johnny ging naar hen toe, glimlachend en toch op ernstige manier gedienstig.

'Hoe smaakt het?' vroeg hij. 'Wordt er goed voor u gezorgd?'

Ze knikten beiden, leken zich een beetje onbehaaglijk te voelen dat ze samen waren betrapt. Het glas van de vrouw was niet goed afgewassen, maar dat scheen ze niet te merken. Johnny glimlachte en liep verder. Dit was iets wat de gasten in Cuffe's Villa als een automatisme zouden verwachten, dat de gastheer naar hun tafel zou komen en vragen zou beantwoorden over de leeftijd van het huis, de mogelijkheden om in de buurt te golfen en te vissen, om hun te adviseren bij de keus van de wijn en onmiddellijk aan te bieden een gerecht terug te nemen dat tegen bleek te vallen. Het zou iets heel anders zijn dan in de tijd dat Finbar kruiperig met een geweigerde biefstuk van een of andere oude Blauwhemd van de Fine Gael naar de keuken placht terug te keren en de chef de instructie gaf: 'Haal deze maar snel even langs je kloten zodat-ie een beetje meer smaak krijgt en wacht dan vijf minuten voor je hem terugstuurt naar die lul aan tafel zes.'

Johnny en zijn vrouw hadden hun zet nauwkeurig voorbereid en gewacht tot het juiste pand op de markt was gekomen. Zijn vrouw sprak vloeiend Frans en Duits, en Johnny was erin getraind taalproblemen te omzeilen. Pasgeleden had Prudence een bezoek aan de keuken van Finbar's willen brengen om met de kaart te oefenen, maar Johnny had haar gezegd dat ze daar binnen de kortste keren al het goede zou afleren dat ze op de kookcursus voor gevorderden in Ballymaloe House had opgestoken. Hij keek weer op zijn horloge. Zijn dienst zat er allang op. Hij kon zo het hotel uit lopen. Wat deed het ertoe of er later nog iets onaangenaams zou gebeuren? De tent was verkocht. Hij was niemand meer iets verschuldigd. Toch wist Johnny dat het niet in zijn aard lag om weg te gaan. Hij sloot zijn ogen en dacht weer na over de details van de man met de paardenstaart. Zou Edward McCann zijn echte naam zijn? Een uiterlijke overeenkomst kon natuurlijk toeval zijn. Maar de inwendige kilte die hij voelde vertelde Johnny dat zijn instinct juist was geweest.

En toch, als hij al wist wie de man was, dan wist hij nog niet waarom hij daar zat. Wat had het voor zin nu nog terug te komen? Johnny verliet het restaurant, maar merkte dat hij niet stil kon blijven zitten. Simon zat aan de telefoon, vulde een van de lichtblauwe bonnen in waarop bestellingen voor de roomservice werden genoteerd. Johnny liep naar de bar. Een blond meisje dat aan de bar zat had een enorm rondje besteld voor het kantoorfeestje waar ze bij hoorde. Pete Spencer, de jongere barman, had haar bestelling net afgewerkt.

'Altijd uw wisselgeld controleren, juffrouw,' waarschuwde Johnny haar fluisterend terwijl hij vlak achter haar ging staan. 'En controleert u de hele avond regelmatig uw tasje. Helaas trekt ieder hotel in het weekend zakkenrollers aan.'

Het meisje knikte en begon de glazen rond te delen. Pete zette een dienblad voor haar vol en wierp een snelle blik op Johnny. Hij had precies genoeg gezegd om de barman een vermoeden te bezorgen dat hij in de gaten werd gehouden, maar niet zoveel dat zijn woorden als een beschuldiging konden worden opgevat. Johnny wist dat Spencer niet zeker wist of zijn werkgevers ervan op de hoogte waren dat zijn neef vorig jaar bij een roofoverval in Malahide was neergeschoten, half in, half buiten een gestolen auto, terwijl hij niet eens had kunnen rijden. Het was een gewoonte die de Graaf hem jaren geleden had bijgebracht: niet op de grote artikelen letten, die gaan niet over gewone mensen. Altijd de korte berichtjes in de kranten lezen. Leg een verband tussen namen, maar laat nooit iemand weten hoeveel je weet. Johnny had Spencer tot 1 januari nodig, maar hij vermoedde dat het verstandig zou kunnen zijn hem een week voordat ze sloten stilletjes te ontslaan. Hij controleerde de asbakken en liep daarna achter Simon aan, die net met een bestelling voor de roomservice de foyer binnenkwam. De cowboy in het Temple Bar-T-shirt kwam de receptie in toen Johnny Simon inhaalde en een blik op de bon op het dienblad wierp. Koffie en een dubbele whiskey voor kamer 104.

'Ik breng het wel voor je naar boven, Simon.'

De portier keek hem vragend aan, alsof hij zich afvroeg of dit een denigrerende opmerking over zijn gezondheid was.

'Ga je gang,' zei de portier.

Johnny pakte het blad aan en liep door de foyer naar de lift, zich bewust van het feit dat hij door Simon en die

138

Temple Bar-idioot werd nagestaard. Hij had nog geen welomschreven plan hoe hij de situatie zou aanpakken als zijn vermoedens juist zouden blijken. Luide en dronken stemmen klonken achter de deur van 102. Hij liep door, klopte aan bij kamer 104 en wachtte tot de man met de paardenstaart zou opendoen. Nu hij hem recht tegenover zich zag wist Johnny dat zijn instinct hem niet had bedrogen, hoewel de man flink ouder was geworden in de twintig jaar dat hij hem niet meer had gezien. Toch was, zelfs toen hij nog een kind was, zijn haar nooit zo zwart geweest. Johnny vond de wijze waarop hij gekleed was wel aandoenlijk: het was een wanhopige poging er jeugdig en hip uit te blijven zien. Niettemin waren de wallen onder zijn ogen die van een veel oudere man, zijn kleren waren van het soort dat je in liefdadigheidswinkels in tweedehandsspullen zag, waar rijke studenten rondsnuffelden die zich onder hun niveau wilden kleden. Johnny droeg het blad de kamer door naar de tafel bij het raam en hield beleefd de bon op om deze te laten tekenen. Hij had alles in zich opgenomen zonder oogcontact te maken. Laat het verleden toch rusten. Hij besloot dat hij niet wilde weten waarom de man hier terug was. De handtekening was een tamelijk geloofwaardige krabbel. Johnny was al de kamer uitgelopen en stond weer op de gang toen de man hem terugriep, waarbij hij zijn naam gebruikte. Zijn stem was niet veranderd, nog steeds ietwat neerbuigend onder een zogenaamd sociabele toon.

'Je bent toch geen steek veranderd, hè, Johnny Farrell? Je bent als oude man geboren. Ondoorgrondelijk als altijd.'

Johnny draaide zich om en staarde Alfie FitzSimons aan, terwijl hij zich verbaasd afvroeg wat hij had gedaan waardoor FitzSimons had beseft dat Johnny wist wie hij was.

'Alfie FitzSimons? Nee maar, hemel, ik zou je nooit herkend hebben.'

'Jou moet je wel herkennen. Jessis, ik dacht dat we de ouwe Graaf in dat pakje begraven hadden.'

'Mijn grootvader droeg nooit grijs.' Hij vervloekte zichzelf om de onbedoeld verdedigende toon die er in zijn stem was geslopen. De gang was leeg. Johnny wilde weg, naar zijn eigen kamer, naar een plek waar hij de deur op slot kon doen en kon nadenken. Hij wist dat zo gauw hij weer een voet in kamer 104 zette, hij zich in het territorium van de betalende gast bevond. Hij voelde echter dat Alfie zich niet zou laten meelokken naar de bar. Alfie glimlachte.

'Ik maak maar een grapje,' zei hij. 'Kijk niet zo serieus. Ik bedoel, je ziet er heel goed uit, je hebt het een heel eind geschopt. Niet te geloven dat ik je weer zie. Ik heb gisteren de hele avond over je zitten praten.'

Zelfs naar Alfies maatstaven lag deze laatste leugen er wel erg dik op. Jaren geleden, als Alfie verlegen had gezeten om iemand om mee te spelen of iemand nodig had om een boodschap voor hem te doen, zou hij Johnny misschien hebben geroepen. Voor het overige had hij zich door vertrekken bewogen waar Johnny ook had gezeten en gedaan alsof de jongere jongen onzichtbaar was geweest. Johnny vroeg zich af wat hij nu van hem wilde.

'Kom binnen en drink iets met me,' zei Alfie. 'Ik had toch al geen zin in koffie. Neem jij hem maar. Of de whiskey, als je die liever hebt. Het is heel raar je te zien. Wat zie je er goed uit, man.'

Johnny kwam binnen en sloot de deur. In het beddengoed was een afdruk te zien op de plaats waar Alfie had gelegen. De televisie stond aan, MTV-clips zonder geluid. Alfie had zijn tas ongeopend in een hoek gegooid en zijn leren jasje hing over een stoel. Een gratis verblijf in een ander hotel en vijftig pond op de koop toe – nee, honderd – was het maximum dat Johnny bereid was te betalen om hem kwijt te raken.

'Nou, daar zitten we dan, oude maatjes die elkaar weer

hebben gevonden, hè?' Alfie schonk de koffie in en hield hem voor hem op. Johnny pakte hem bij het schoteltje aan en keek hoe Alfie naar de andere kant van de kamer liep. Deze bleef even voor de televisie staan om naar de danseressen te kijken. 'Jezus, wat een kontjes hebben die jonge dingen tegenwoordig,' zei hij. 'Daar krijgen ze je alleen met mes en vork weer uit.' De verleidelijke beelden vervaagden en er begon een clip van Sinead O'Connor. Alfie zette met een minachtend geluid het toestel uit. 'Wat een heks, hè?' Zittend op de rand van het bed nam hij een slokje whiskey en keek om zich heen.

'Je hebt me de kamer van Rosie Lynch gegeven,' zei hij, en Johnny lachte niet van harte even met Alfie mee. Rosie Lynch was in 1968 een beginnende callgirl geweest, en een oudere priester uit Leitrim had een hartaanval gekregen toen hij door haar in kamer 104 was beziggehouden. Alle ervaring van de oude Finbar plus de connecties van de Jonge Turken waren er aan te pas gekomen om ervoor te zorgen dat dit overlijden een gerucht was gebleven, waarom alleen door hen in de hogere kringen van Dublin die van de hoed en de rand wisten werd gelachen. 'Maak me eens bang,' had de priester volgens de verhalen van het jonge meisje geëist nadat ze hem met zijn polsen aan de beddenstijlen had vastgebonden. 'Maak me nu eens nog banger,' zou hij hebben aangedrongen, tot ze met haar borsten vlak boven zijn gezicht was komen hangen en drie woorden had gefluisterd: 'John Charles McQuaid.'

Alfie herhaalde grinnikend de naam van de vroegere autocratische aartsbisschop van Dublin. 'John Charles McQuaid. Dat deed de deur wel voorgoed dicht, niet? Jessis. Toch hebben we ontzettend veel lol gehad in die tent hier.' Hij zweeg en keek Johnny met verontschuldigende blik aan. 'Ik hoop dat je het niet erg vindt dat ik niet mijn echte naam heb gebruikt toen ik incheckte. Ik wilde anoniem zijn – niet dat het personeel me zou herkennen –

maar je weet zelf hoe het hier wemelt van de herinneringen. Ik zag dat je het portret van Pa in de lobby hebt laten hangen.'

'Dat stond in het contract.'

Alfie lachte weer. 'Kom nou, rustig aan. Ik ben hier niet om je te controleren. Ik bedoel, pa is allang dood, d'r is niemand meer die het iets kan schelen, ook al had je dat schilderij jaren geleden al in de fik gestoken.'

'De gasten vinden het leuk,' zei Johnny. 'Ze stellen vaak vragen over hem.'

'En wat vertel je ze dan?'

Er klonk geen boosaardigheid door in de vraag, maar Johnny voelde zich ongemakkelijk, gedroeg zich behoedzaam, zoals je je gedraagt als je in de bar met een dronken man te maken krijgt die voor vol wil worden aangezien. God wist dat Finbar Og daar vaak genoeg op zijn ponteneur had gestaan nadat hij het hotel had moeten verkopen, als een jonge King Lear die geen enkele overeenkomst vertoonde met het portret van Proctor, terwijl zijn vroegere personeel scherp in de gaten had gehouden of hij de klanten niet lastigviel en de klanten hem niet lastigvielen. Johnny's vader had er altijd voor gezorgd dat Finbar Og iedere avond laat op kosten van het hotel in een taxi werd geduwd. Gewezen eigenaren dienden te sterven of anders te verdwijnen, zo ver mogelijk.

'We vertellen de gasten dat het een portret is van de zoon van de oorspronkelijke eigenaar, de man die verantwoordelijk is geweest voor de herbouw van het hotel nadat het in de as was gelegd,' zei Johnny.

'Die klerebrandweerlieden,' zei Alfie. 'Herinner je je die lul uit Drimnagh nog, die daar boven op de ladder de held wilde uithangen? Die zak heeft die klotetent nog bijna gered ook.'

'Je vader had toch wel toestemming gekregen om de zaak te laten slopen,' zei Johnny. 'Er waren alleen een paar

idioten van Trinity College die in de kranten over natio-
naal erfgoed gingen zeuren.'

'Wat zeg je?' vroeg Alfie opeens.

'Ik zei niets.'

'Die brand is per ongeluk ontstaan. Maar gebeurd is
gebeurd. Wat had het voor zin de helft van die troep te redden?'

'Hij heeft het goed herbouwd,' zei Johnny behoedzaam.

'Inderdaad. Op pa.' Alfie hief zijn glas in een zwijgende
heildronk voordat hij nog een slok whiskey nam. 'Hij had
gewoon pech. Het had hier goed kunnen gaan. Dat hadden
jouw vader en anderen wel bewezen.'

Johnny zei niets, omdat hij niet wist of Alfie op ruzie
uit was. Finbar Og had inderdaad pech gehad, in de zin
dat de heropening van het hotel door een bouwvakkers-
staking was vertraagd en de Jonge Turken noodge-
dwongen op zoek waren gegaan naar een andere plek
om te drinken. Finbar Og had kosten noch moeite ge-
spaard, en de labyrintachtige bouw van het hotel was erop gericht geweest de mogelijkheid te bieden voor clan-
destiene onderonsjes of andere politieke activiteiten die
laat op de avond plaatsvonden. Het probleem was echter
geweest dat de Jonge Turken nooit echt waren teruggekomen. Ze waren op nieuwe drenkplaatsen neergestreken en
hadden meer in het oog lopende posities bereikt. Toen was
de boel in het Noorden ontploft en was het Wapenproces
begonnen. De Jonge Turken waren verdeeld en versplin-
terd geraakt. De enige zonde van de nieuwe Taoiseach,
pijproken, was nauwelijks een aanmoediging geweest voor
een cultuur van uitspattingen en de regering van Cosgrave
die hierop was gevolgd, was (in de woorden van Finbar
Og) 'nog te gierig geweest om de damp van zijn pis uit te
geven'.

Het tweede Vaticaans concilie was ook niet echt goed
voor de zaken geweest, met die geestelijken die opeens

gitaar gingen spelen en zich in plaatselijke kroegen gingen vertonen. Finbar Og had ook pech gehad in de zin dat het hotel vlak na de dood van de oude Finbar een paar invallen wegens drinken na sluitingstijd te verduren had gekregen. Toen het voor de derde keer was gebeurd hadden de Jonge Turken niet eens meer de moeite genomen iets te doen, zodat Finbar Og door toedoen van rechter Eamon Redmond bijna zijn drankvergunning was kwijtgeraakt. Op dat moment hadden Johnny's vader en de anderen hun voorstel gedaan, zodat er aan het drinken na sluitingstijd weliswaar niet in het algemeen een einde was gekomen, maar voor Finbar Og zelf wel. Het was het jaar dat Proctor zijn portret had geschilderd, waarbij hij erop had gestaan dat ze het op een foto van tien jaar daarvoor zou baseren. Hij was echter zo snel oud geworden dat het portret geen enkele gelijkenis meer vertoonde, zelfs nog voordat het voltooid was.

Johnny zag nu wel spoortjes van de trekken van Finbar Og in Alfies gezicht, terwijl de man de laatste slok van zijn whiskey nam. De vingers beefden licht, hoewel er geen sprake was van de tekenen die de alcoholist verrieden. Het leven had niet zo moeten lopen. Alfie had hier, als eigenaar van het hotel, in zijn pak moeten zitten en Roisin had in een belangrijke Dublinse familie ingetrouwd moeten zijn. Maar ja, niets in het leven was gegaan zoals het had gemoeten.

'Ik heb over Charles gehoord,' zei Alfie. 'Ik heb altijd tegen hem opgekeken. Ik vond het heel erg.'

Johnny knikte, niet wetend of dit Alfies manier was hem zover te krijgen dat hij op zijn beurt iets over Roisin zou zeggen. Het consortium had altijd gehoopt dat Charles Farrell als redder in de nood terug zou keren. Misschien zou Charles, als hun vader eerder was overleden, zijn teruggekomen om zijn erfdeel op te eisen en de anderen uit te kopen. Johnny zou het nooit weten. Zijn broer was altijd een vreemde voor hem geweest. De kloof van vijf jaar tussen hen was zo breed geweest dat ze hem pas later hadden kunnen overbruggen, maar toen was Charles al naar Canada vertrokken en was alleen zijn schim achtergebleven. Eerst assistent-manager in het Lord Nelson in Halifax in Nova Scotia en later manager van het Hilton in Montreal. Broers schrijven elkaar niet, vooral niet als ze niets gemeen hebben. Johnny had Charles tijdens diens zeldzame bezoeken omzichtig behandeld, zoals je met een toekomstige baas zou doen. Toen hun moeder was overleden had Johnny's vader dagenlang gehuild. Toch had hij zich heel anders gedragen na het telefoontje waarin hem werd gemeld dat Charles dood was: hij had zich teruggetrokken in een angstaanjagend zwijgen, waaruit hij nooit meer helemaal was losgekomen. Johnny had toegekeken in de wetenschap dat zijn eigen dood zijn vader nooit zo zou hebben geraakt. Johnny was getrouwd en had hem kleinkinderen geschonken, maar hij werd nog steeds over het hoofd gezien.

'Met Simon gaat het in ieder geval prima,' zei Alfie, die het zwijgen wilde doorbreken waarin Johnny leek te zijn weggezonken. 'Ik heb hem eerder op de avond even gezien.'

'Ja, die heeft het eeuwige leven,' antwoordde Johnny. 'Een van die armenkinderen die je niet kapot krijgt.'

De mensen die wel doodgaan zijn altijd degenen van wie je het het minst verwacht. Johnny had weinig over Charles nagedacht toen hij nog had geleefd, wetend dat hij in een vergelijking altijd het onderspit zou delven. Toen hij naar Canada was gevlogen om de spullen van zijn broer uit te zoeken, had hij zich naar de flat van een vreemde begeven. Als het vrijgezellenbestaan van Charles al geheimen had bevat dan waren ze voor zijn aankomst zorgvuldig vernietigd, hoewel veel van de boeken en schilderijen in het appartement genoeg aanwijzingen hadden opgeleverd.

Johnny had echter niet één brief of dagboek aangetroffen, ofschoon zijn collega's in het Hilton al geruime tijd voor zijn familie van zijn ziekte op de hoogte schenen te zijn geweest. Het enige wat er van zijn broer restte waren de boeken op die overvolle planken geweest, en geleidelijk aan had Johnny hier en daar obscure titels herkend, met een dof gevoel van geschoktheid omdat hij ze zelf thuis ook had. Hij had in de veronderstelling geleefd dat hij als enige de fascinatie van de Graaf voor reizen in Ierland en Ieren in het buitenland had geërfd, maar hier, vol ezelsoren en onderstrepingen, stond een eerste druk van *Nine Rivers from Jordan* van Denis Johnston, waarnaar Johnny een boekhandelaar in Londen op zoek had gestuurd. Boeken als *History of Railways in Ireland* van Conroy, dat in 1928 in Londen, Calcutta, Bombay en Madras was gepubliceerd, hadden uit de verzameling van de Graaf afkomstig kunnen zijn geweest, andere, als *The Lough Swilly Railway* van Patterson, had Charles gekocht kunnen hebben voordat hij naar Canada was vertrokken. Johnny was echter ver-bijsterd door de gedachte hoeveel moeite Charles waar-schijnlijk had gedaan om de hand te leggen op recent ver-schenen boeken als *Ireland's Royal Canal* van Ruth Delaney, dat in Dublin was uitgegeven, of op de unieke editie van de studie van Frank Forde over Ierse schepen tijdens de oor-log, *The Long Watch*.

Terwijl de schemering over Montreal neerdaalde had hij zitten bladeren in *The Fighting Irish* van Patrick Myler en biografieën van Stephen Roche, Barry McGuigan en vrijwel iedere andere moderne Ierse sportkampioen. Ze hadden over zoveel kunnen praten, tijdens opgewonden telefoongesprekken op avonden dat Ierland een medaille had gewonnen, of als Johnny zichzelf maar had toegestaan eens vakantie te nemen. Zelfs hun platenverzamelingen waren zo te zien vrijwel identiek. Johnny had daar in de flat van Charles gezeten, huilend zoals hij zich sinds zijn kindertijd niet meer had toegestaan, om het verlies van een verwante ziel die hij nooit had gekend.

Johnny keek op. Hij wist niet hoe lang Alfie hem had zitten observeren. Alfie wendde nu zijn blik af en speelde met de ijsblokjes in zijn glas. 'Laat iedereen de klere krijgen,' zei hij tegen Johnny. 'We laten een fles whiskey naar boven komen, omwille van de goeie ouwe tijd. We bellen Simon, bij roomservice. Ik betaal.'

'Ik zou het graag doen,' loog Johnny. 'Maar ik zit stampvol werk vanavond. De cijfers van de afgelopen maand moeten worden opgemaakt. Maar laten we er beneden in de bar eentje nemen. Eerlijk, meer tijd heb ik niet.'

'Je moet niet zo hard werken,' zei Alfie bezorgd. 'Ik bedoel, je ziet er gejaagd uit. Ontspan je toch een beetje, zak onderuit en drink wat. Jezus, één avondje maar, jongen.'

'Een andere avond graag, maar…' begon Johnny, maar Alfie sneed hem de pas af.

'Luister, je bent hier nou toch. Vergeet even vijf minuten dat rothotel. Ga nou gewoon even zitten!' Alfie gedroeg zich geagiteerd. Hij kon zijn mond niet houden. 'Zo doe je dat met oude vrienden. Het dondert niet of je ze mag of niet, het zijn nog steeds oude vrienden.'

Nu krijgen we het, dacht Johnny, nu slaat hij toe. Alles wat hij had geërfd was mazzel geweest. Hij had gewoon achter in de rij gestaan, het suffe werkpaard dat had lopen zwoegen toen hem een fortuin in de schoot werd geworpen. Jaren had hij gewacht tot iemand het onloochenbare feit zou opdelven dat hij er niets van had verdiend. Niet alleen wat betreft zijn aandeel in het hotel, maar ook de driehonderdduizend Canadese dollars die Charles hem zonder testament had nagelaten. In Montreal was wel een gerucht gegaan dat er een testament bestond, maar de zakenman die Charles tot zijn overlijden had verzorgd voordat hij naar Dublin had gebeld, had het volgens eigen zeggen verscheurd omdat hij er niets van wilde hebben. Johnny wist niet hoeveel mensen hij zou moeten afkopen wilde hij zich eindelijk op zijn gemak voelen met deze rijkdom, die voor iemand anders bedoeld was geweest. Onwillig liet hij zich achterover zakken in zijn stoel. De koffie was koud geworden, maar toch dronk hij ervan.

'Ik weet dat je het druk hebt,' zei Alfie. 'Het is verbazingwekkend wat je van dit hotel hebt weten te maken, maar had je nou echt geen tijd kunnen vinden om eens bij Roisin op bezoek te gaan, al was het maar één keer? Ik bedoel, Johnny, je bent het enige waar ze het over heeft.'

Deze benadering had Johnny niet verwacht. Hij werd erdoor in de war gebracht en probeerde te bedenken hoe Alfie op deze manier uit zou komen bij wat hij eigenlijk wilde.

'Roisin zou me niet meer kennen,' zei Johnny. 'Ik heb haar negentien jaar geleden voor het laatst gezien.'

'Tijd is onbelangrijk,' zei Alfie. 'Negentien jaar of negentig, voor haar is het hetzelfde. Haar leven is tot stilstand gekomen toen ze zeventien was, snap je dat dan niet? Sindsdien was het afgelopen. Ik heb haar een paar keer naar Londen willen meenemen, maar de artsen... nou ja, het lijkt wel alsof ze door chemicaliën bij elkaar wordt gehouden. Ze heeft voortdurend medische begeleiding nodig. Maar ze is wel het ziekenhuis uit, wist je dat?'

'Nee.' Johnny schudde zijn hoofd. Hij besloot dat hij tweehonderdvijftig pond zou betalen, alleen maar om van hem verlost te zijn.

'Het is een soort doorgangshuis,' zei Alfie, 'maar verder zal ze nooit komen. Ze zitten er met zijn achten, heel beschermd en verzorgd, met een verpleegster voor dag en nacht. Als je het van buiten ziet zou je zweren dat het een doodgewoon huis was. Ze zijn er heel aardig voor haar, maar ik ben de enige die op bezoek komt.'

'Maar je woont toch in Londen,' protesteerde Johnny.

'Er bestaan vliegtuigen,' antwoordde Alfie, bijna heftig. 'Apex-tickets. Ze is mijn enige zuster, godbetert. Zesmaal per jaar, elk jaar, ga ik voor haar naar huis. De eerste van iedere maand schrijft ze me. Ik denk dat de verpleegsters haar laten schrijven bij wijze van therapie. Ik heb brieven bij me, als je ze wilt zien.'

'Nee,' zei Johnny, toen Alfie zijn hand naar zijn tas leek te willen uitstrekken. 'Die zijn privé. Familieaangelegenheden.'

'Als jij geen familie bent, wie is het dan verdomme wel,' antwoordde Alfie, en keek weer omlaag naar zijn lege glas. Het zou ondoenlijk zijn Simon te vragen twee glazen whiskey naar boven te brengen. Maar een fles betekende dat hij hier de hele nacht in de val zou zitten. In de jaren zeventig was Alfie begonnen met dat voortdurende heen en weer reizen naar Londen, als lichttechnicus en zelfs, beweerde hij, als manager van jonge Ierse bands waarvan niemand ooit meer iets vernam. Hij kwam dan in het hotel langs en praatte op luide toon over deals die hij altijd op het punt stond te sluiten. De laatste keer dat hij er was gezien was tijdens de nazit na de begrafenis van Finbar Og, toen hij voor de familie FitzSimons de grootste suite had gereserveerd en voor zijn familieleden een fantastische rekening had opgebouwd, terwijl het consortium om hem heen stond om hem de hand te schudden, in de wetenschap dat zijn cheque zeker niet zou worden gehonoreerd. Het was een oninbare schuld waartegen ze geen bezwaar hadden, omdat ze wisten dat ze nu eindelijk van de FitzSimons af zouden zijn. Johnny had al die jaren sinds die dag nauwelijks meer over hem gehoord dan geruchten – dat men hem in Londen encyclopedieën had zien verkopen of in een cafetaria had zien werken. Hij was altijd bang geweest voor Alfies persoonlijkheid, die je volledig in haar greep kon krijgen, en toch was Johnny pas nu, in een directe confrontatie, bereid zichzelf toe te geven hoezeer hij zo langzamerhand op hem neerkeek. Maar in weerwil van dat alles was hij ervan overtuigd dat Alfie de waarheid sprak toen hij zei dat hij al die jaren was teruggekomen om bij Roisin op bezoek te gaan.

Ook al kon Johnny Alfie ervan weerhouden hem Roisins brieven te laten zien, hij kon niet voorkomen dat hij ze beschreef.

'Over de afgelopen twintig jaar zegt ze helemaal niets, snap je?' vroeg hij. 'Zelfs nu ze in dat beschermde huis woont heeft ze het niet éénmaal over haar kamer of de andere bewoonsters gehad. Afgezien van wat er voor haar zeventiende verjaardag is gebeurd bestaat er niets voor haar. Ze heeft het alleen maar over jullie twee. Ik kom helemaal niet in het verhaal voor. Snap je wat ik je probeer duidelijk te maken, man?'

Johnny snapte het niet of niet helemaal. Hij liet Alfie doorrazen en vond wat hij zei huiveringwekkend. De helft van de dingen waarover Roisin volgens Alfie praatte, dingen die zij en hij hadden gedaan, waren herinneringen uit een zo ver verleden dat ze voor hem evengoed niet gebeurd hadden kunnen zijn. Onbetekenende, onbelangrijke feiten waren het, en hij had geen enkele reden ze zich te herinneren. Toch vond hij het schokkend dat hij als jongen in de fantasie van Roisin zo perfect was geconserveerd, zodat ze zijn verleden meer in haar macht leek te hebben dan hijzelf. Het was alsof je toekeek hoe het gebalsemde lichaam van een kind uit het veen werd opgegraven. Hij kon met geen mogelijkheid weten hoeveel Roisin Alfie had verteld. De ouders FitzSimons hadden Johnny altijd vertrouwd, zozeer dat ze zijn aanwezigheid niet eens opmerkten als ze denderende herrie hadden, alsof hij onzichtbaar was geweest.

Al als kleine jongen had hij die ernstige, verantwoordelijke blik in zijn ogen gehad en was hij tevreden geweest als hij in de keukens had mogen helpen of de wc's had mogen schoonmaken wanneer ze met een personeelstekort zaten. Zijn toewijding aan Roisin werd als de normaalste zaak van de wereld beschouwd, en toch was men er stilzwijgend van uitgegaan dat Johnny zijn plaats kende. Ze mochten dan vanaf hun vijfde onafscheidelijk zijn geweest en samen hun kinderfantasieën hebben botgevierd, sociaal gesproken leefden hun ouders in totaal verschillende werelden. Zelfs de komst van hun puberteit had bij de FitzSimons niet tot ongerustheid geleid als Roisin en Johnny waren vertrokken om een weekend naar een jeugdherberg te gaan. Hij was meer als chaperon dan als aanbidder beschouwd, een saai tegenwicht tegen de natuurlijke wildheid van Roisin, dat garandeerde dat ze nog onbevlekt zou zijn als het moment zou komen dat de familie FitzSimons haar via een huwelijk in de elite van Dublin zou onderbrengen.

'Weet je nog, die dag dat jullie met zijn tweeën in een veen in Wicklow verdwaalden?' vroeg Alfie. 'Ze heeft het er steeds maar over. Je zou zweren dat het gisteren was gebeurd.'

Johnny probeerde de doffe knoop van angst in zijn maag tot rust te brengen. Er kwam een herinnering bovendrijven van eeuwen geleden, een herinnering aan autokoplampen die er een eeuwigheid over deden om hen te bereiken, die in en uit het zicht hobbelden in de bochten in een bergachtige weg, en hoe ze met zijn tweeën achterin hadden gezeten terwijl ze naar de jeugdherberg werden teruggebracht, koud en stomgeslagen nadat ze uren in het donker hadden zitten rillen.

Terwijl Alfie doorpraatte probeerde hij zich zichzelf voor te stellen als die jongen die in haar fantasie bevroren was geraakt, maar alleen Roisin leverde een levend beeld op, veertien jaar oud op dat vlakke stuk veenland in de schemering. Er scheen geen detail van haar lichaam te zijn dat hij zich niet op slag kon herinneren, op het moment dat hij van achter een schoof gekapt riet tevoorschijn was

gekomen en had gezien dat ze haar trui en blouse had uitgetrokken. De namiddag was in schemering omgeslagen,
waardoor het veen chocoladebruin was geworden en haar
huid donkerder dan hij zich ooit had kunnen voorstellen.
Zelfs haar kleine tepels waren bruin in dat licht toen ze
hem uitdaagde haar voorbeeld te volgen en de gulp van
haar spijkerbroek openritste. Er was geen sprake van lijfe-
lijke liefde geweest, ze hadden elkaar niet eens gekust. Hij
had nog geen weet van zelfbevrediging en kon haar nog
niet vragen hem in haar mond te nemen. In plaats van dat
alles lachten ze als twee waanzinnigen en sprongen rond in
de vrijheid die de schemerige lucht bood; hun lichamen
raakten elkaar niet aan terwijl ze dansten en rondtolden tot
het zo donker was dat ze hun kleren nog maar nauwelijks
hadden kunnen terugvinden.

'Ik herinner me er niets van,' antwoordde Johnny.
'Sorry, maar het is ook jaren geleden.'

Alfie keek hem scherp aan, bijna alsof hij hem bevel gaf
door te praten.

'Misschien had ik wel te veel met haar te maken om het
allemaal te zien,' zei Johnny. 'Wat ik me van Wicklow herinner is dat ik toevallig een paar meisjes in een van de
jeugdherbergen hoorde klagen dat Roisin hen op de slaapzaal wakker had gehouden doordat ze in haar slaap had liggen praten en lachen.'

'Er waren signalen die we allemaal hebben gemist,'
beaamde Alfie. 'Niemand van ons wilde ze zien.'

Terwijl hij naar de meisjes in die jeugdherberg had staan
luisteren, was Johnny zo bang geworden dat Roisin in haar
slaap hun geheim had verraden dat hij geen tijd had gehad
om aan iets anders te denken. De mensen beweerden dat
Roisin was ingestort omdat Finbar Og het hotel had moeten verkopen, maar in feite was ze daarvoor al in de war
geweest en hadden haar ouders het niet kunnen opbrengen de schande onder ogen te zien dat ze hulp nodig had.

Zelfs nog voor die avond in het veen was Johnny zich in haar gezelschap ongemakkelijk gaan voelen. Het was tussen hen anders geworden sinds ze op de middelbare school in het Loreto-klooster in Stephen's Green zat en over haar nieuwe, rijke vriendjes en vriendinnetjes was gaan opscheppen. Af en toe kwamen deze klasgenootjes 's middags langs in het hotel, als Johnny na school zijn vader hielp – een lawaaierige kluwen benen en uniformen die de lift vulden en een vip-behandeling verwachtten in de suite van de FitzSimons. Roisin negeerde hem bij deze gelegenheden en hij had zich zo klein mogelijk gemaakt.

Aan deze bezoeken was echter een einde gekomen toen er in Loreto geruchten over Finbar Og de ronde waren gaan doen. Roisin kwam vanaf dat moment alleen thuis, met een verwarde blik in haar ogen en wanhopig van verlangen te ontsnappen naar hun fantasiewereld, die Johnny een jaar daarvoor nog zo graag met haar had gedeeld, maar waarvan hij ook wist dat ze er nu te groot voor waren geworden. Terwijl het imperium van de FitzSimons ineenstortte schudde hij altijd zijn hoofd als de mensen vroegen of hij iets vreemds aan haar merkte, maar het was net geweest alsof een vriendschap van tien jaar door één uur naakt dansen in een veengebied in Wicklow was opgelost. Hij had geweten dat zijn vader zijn baan zou verliezen als Roisin ook maar iets zei.

'Die obsessie dat ze uit de zon moest blijven – toen kreeg iedereen pas in de gaten dat er iets aan de hand was,' zei Johnny. 'Ze begon op een zeker moment zoveel te praten dat ik eigenlijk maar half luisterde – ze ging maar door over de zon die haar bloed aan de kook bracht.'

'Papa was gewoon…' Alfie zweeg opeens. Hij maakte werkelijk een gepijnigde indruk. Johnny wenste opeens dat hij eenzelfde vermogen had om iets dergelijks te laten blijken. 'Papa was in mijn ogen een koning,' zei Alfie. 'Weet je hoe het is om een koning te zien die kapot is? Hij kwam vaak om drie of vier uur 's morgens mijn kamer in. Hij was een ontzettend eenzame, zielige zak. Ik was nog maar een kind, maar op zo'n moment stond ik op, en dan gingen we zitten praten. Die plannen van hem. Weet je, als je maar iemand weet te vinden die lang genoeg naar je plannen luistert ga je ze uiteindelijk zelf geloven. Ik weet niet of hij tegen mij praatte of alleen maar tegen zichzelf, maar ik stond als een ridder naast hem. De laatste trouwe ridder van een koning in fantasieland.'

Zelfs toen zijn moeder was overleden, en daarna Charles, had Johnny's vader, voorzover hij zich herinnerde, niet tegen hem gepraat. Er was gewoon nooit tijd voor geweest. Alleen de Graaf en de oude Finbar hadden lange gesprekken met hem gehad, en nu hij erop terugkeek begreep hij dat dat alleen maar was gekomen doordat ze oud en eenzaam waren geweest. Samen hadden ze een oude man van hem gemaakt.

'Al die tijd,' zei Alfie, 'was mijn vader een zinkend schip. Misschien had ik Roisin kunnen redden. Het heeft me verdomme jarenlang achtervolgd. Johnny, ik was zo verstrikt geraakt in die klotegevechten van hem. Ik wilde hem niet nog meer verdriet bezorgen. Maar het was duidelijk dat ze acute psychosen had, dat ze aan waanvoorstellingen leed, jezusnogantoe, ze hallucineerde, en hun enige zorg was te voorkomen dat er een schandaal van kwam en dat er over ziekenhuizen werd gepraat, alsof iemand die goed bij zijn hoofd was erover zou piekeren langs te komen om met de dochter van een failliete dronkaard te trouwen.'

Alfie liet zijn hoofd in zijn handen zakken en zei even niets. Johnny staarde naar zijn gebogen hoofd en verzette zich hevig tegen de aanvechting medelijden met hem te hebben. Alfie FitzSimons. Johnny herinnerde zich nog hoe zijn moeder hem had schoongeboend, hoe ze nerveus aan zijn haar had gefrunnikt voordat hij werd gedwongen naar Alfies verjaarspartijtjes te gaan, hij herinnerde zich hoe achteloos Alfie het dure cadeaupapier verscheurde dat zijn moeder had gekocht, hoe hij nauwelijks de moeite nam een blik op het cadeautje te werpen voor hij wegholde om met zijn vriendjes te gaan spelen. Het medelijden was verdwenen. Een echo van dezelfde angst van twintig jaar geleden weerklonk toen hij zich afvroeg hoeveel Roisin Alfie had verteld. Haar naakte kinderdans had ze het jaar erop nog een tiental keren herhaald als ze met zijn tweeën in de suite van de FitzSimons hadden gezeten. Een keer was Alfie teruggekomen en had Johnny zich achter Roisins bed moeten verstoppen terwijl zij deed alsof ze een douche nam. Het hadden seksuele spelletjes geweest moeten zijn, maar om een of andere reden waren ze dat voor haar niet. Hij besefte algauw dat Roisin zich niet zou hebben verzet als hij met haar naar bed had gewild. Ze had zich echter meer als een bang kind aan hem vastgeklampt, omdat ze wist dat ze alles om zich heen kwijtraakte en dat ze de tijd probeerde tegen te houden. Roisin had altijd per se gewild dat ze allebei naakt waren, maar had nooit aandacht besteed aan zijn tienererectie. Iedere keer had hij strijd met zichzelf moeten leveren omdat hij wist wat een nacht-merrie het zou zijn als ze zwanger zou worden. In laatste instantie was het angst geweest waardoor hij zijn gevoe-lens had buitengesloten en haar was gaan ontwijken. Het was nooit een desertie geweest. Het was een kwestie van overleven geweest, voor zijn vader en zijn broer Charles, die via zijn connecties met de FitzSimons toen al naam begon te maken in de Londense hotelwereld.

Alfie praatte weer, alsof hij niet kon ophouden. Johnny vervloekte hem dat hij uitgerekend op dit moment was opgedoken, juist nu hij eindelijk op het punt stond dit hotel te sluiten, waarvan hij besefte dat hij het altijd had gehaat. Hij had zelf behoefte aan een flinke borrel.

'Ik moet dadelijk weer aan het werk, Alfie,' zei hij, de woordenvloed onderbrekend. 'Laten we naar de bar gaan en die laatste borrel samen drinken.'

'We laten hem hier brengen, zoals ik al heb gezegd,' antwoordde Alfie. 'Ik bestel een fles bij Simon. Ik betaal hem zelf. Ik heb geld. Ik vraag niet om een gunst, hoor.'

'Ik ben je geen gunsten verschuldigd,' antwoordde Johnny, op scherpere toon dan hij had bedoeld. 'Niemand van mijn familie trouwens. Het consortium van mijn vader heeft een mooie prijs voor dit hotel betaald.'

'Dat konden ze zich ook gemakkelijk veroorloven,' beet Alfie terug, 'gezien het feit dat jullie mijn vader jarenlang hadden uitgekleed.'

Johnny stond op. Hij was nu kwaad, en Alfie kwam met verontschuldigend uitgestoken handen van het bed.

'Oké, goed dan, sorry,' zei hij haastig; hij keek net als zijn vader vroeger had gekeken, die zo vaak op een haar na zijn vergunning was kwijtgeraakt. 'Het was maar een grapje, ik had het niet moeten zeggen. Ik weet dat je mij niets verschuldigd bent, maar wat wou je aan Roisin doen?'

'Ik heb je al gezegd dat ik je zus niet eens meer ken.'

'Kom nou,' snoof Alfie. 'Jullie zaten zo aan elkaar vastgebakken. Ik heb jullie toch eens op een middag boven betrapt. Je hebt jarenlang op haar lopen pezen. Kom joh, geef het nou toe.'

'Daar herinner ik me niets van.'

'Jij schijnt je alleen te herinneren wat je je wilt herinneren.'

'Ik herinner me jou en de Graaf,' zei Johnny.

'Wat?' Alfie keek verward.

'De dag nadat hij met pensioen was gegaan ging hij nog even in de keuken langs om afscheid van de mensen daar te nemen. Hij had er sinds 1924 gewerkt, godnogantoe. En toen kwam jij voorbij en zei tegen hem: "Hier mag alleen personeel komen dat hier nu werkt. U moet maar even in de bar wachten."'

'Jezus, ik was toen nog maar een kind.'

'Je vader zou zoiets nooit tegen hem gezegd hebben, en

je grootvader ook niet. Hij had er bijna vijftig jaar gewerkt, maar voor jou was hij nog steeds gewoon iemand van het personeel.'

'Dit heeft niets met Roisin te maken,' protesteerde Alfie. 'Je gebruikt dit gewoon allemaal tegen me.'

'Roisin was een paar maten te groot voor me, en je familie heeft me dat terdege ingepeperd.'

'Te groot voor je?' lachte Alfie openlijk verbitterd. 'Kijk toch eens hoe je er uit bent gesprongen. Jij bent er gewoon vandoor gegaan en getrouwd met zo'n paardentype van de Fine Gael uit Zuid-Dublin. Een van die krengen met echte juwelen en neporgasmes die altijd hun neus voor ons ophaalden.'

'Je kent mijn vrouw niet,' schreeuwde Johnny bijna, terwijl hij zich lijfelijk in bedwang hield. 'Je weet niet wat voor type het is. Je weet in de verste verte niet wie ik nu ben. Wat ik met mijn leven heb gedaan gaat jou totaal niets aan.'

'Je bent nog steeds dezelfde,' daagde Alfie hem uit, alsof hij hem nu echt probeerde te raken.

'En datzelfde geldt voor jou, FitzSimons.' Johnny bedwong zijn woede en fluisterde nu bijna. 'Alfie met een O.' Juist de zachte klank van zijn stem bracht Alfie uit zijn evenwicht.

'Wat bedoel je daarmee?' vroeg hij.

'Ik bedoel dat deze kamer dubbel geboekt is.' Johnny keek omlaag naar zijn pak, naar de dure schoenen die hij zorgvuldig had gepoetst. Ze herinnerden hem eraan wie hij was en dat in dit soort situaties de regel gold dat een meningsverschil nooit een persoonlijk tintje mocht krijgen. 'Er is een vergissing gemaakt,' zei hij. 'Aideen, van de receptie, had je deze kamer nooit mogen geven.'

'Ik zie hier anders niemand.'

'Helemaal onze fout. We zullen ervoor zorgen dat je met een taxi naar een ander hotel wordt gebracht, waar je als onze gast de nacht kunt doorbrengen.'

'Taxi's, dezelfde truc die je toen gebruikte om 's avonds mijn pa te lozen nadat jullie hem hadden uitgekleed,' zei Alfie. 'Maar toevallig bevalt het me hier uitstekend, met de geest van Rosie Lynch.'

'Wat is de echte reden dat je hier vanavond bent?' vroeg Johnny.

'Ik wilde met je praten, Farrell, één keertje maar, als mannen onder elkaar, over Roisin. Snap je dan niet dat ze niemand meer heeft om naar uit te zien? Zou je nou niet één keer bij haar op bezoek kunnen gaan, gewoon vanwege vroeger?'

'Hoe komt het dat je een valse naam hebt gebruikt terwijl je toch voor mij langskwam?' vroeg Johnny.

'Omdat ik niet wist of ik hier wel binnen zou worden gelaten,' riposteerde Alfie. 'Ik ben nog niet vergeten dat ik hier sinds de begrafenis van mijn vader nog een schuld heb. Ik weet dat die schuld twintig jaar oud is, maar jij bent altijd zo'n kleingeestige kleine zak geweest dat ik wist dat ik niet bang hoefde te zijn dat jij het zou zijn vergeten. Kun je me kwalijk nemen dat ik hier nog even rond wilde kijken voordat die hele tent over een paar weken tegen de vlakte gaat? Of ben je misschien vergeten dat dit allemaal eens van mij had moeten zijn?'

'Finbar's is nu een heel ander hotel,' antwoordde Johnny. 'Alleen de naam is nog dezelfde.'

'Het ziet er nog hetzelfde uit.'

'Er is veel veranderd. De Upstarts-club in het souterrain bijvoorbeeld.'

'Nou en?' vroeg Alfie.

'Misschien was je van plan er later op de avond even te gaan kijken?'

'Misschien wel. Wist je niet dat meisjes tegenwoordig liever een man met wat meer ervaring hebben?' Alfie knipoogde samenzweerderig, maar Johnny proefde de spot uit hun kindertijd in zijn toon. 'Of ben je er misschien nog niet helemaal achter wat je met je pik aan moet?'

'Ik wil dat je nu weggaat.' Johnny probeerde niet te veel achter deze opmerking te zoeken. Diep ademhalen, had de oude Finbar altijd geadviseerd, laat de klanten nooit zien dat je overstuur begint te raken.

'Je schoenen zijn je een maatje te klein geworden, Farrell,' snauwde Alfie. 'Of draag je nu die van je broer?'

'Laat onze familie hier buiten,' zei Johnny. 'Dit heeft helemaal niets met Charles te maken, en met Roisin trouwens ook niet. Ik weet niet eens óf je haar nog ziet.'

'Dat heb ik je toch verteld?' vroeg Alfie. 'Nou, wat ga je doen, verdomme? Ik heb altijd al gezegd dat Roisin gek is geworden omdat ze met een ouwe opa als jij opgescheept zat.'

Johnny deed een paar snelle stappen door de kamer en pakte Alfies onuitgepakte tas. Hij deed de deur open en stapte naar buiten, waarna hij de tas naast zich op de gang zette.

'Buiten is een taxistandplaats,' zei hij. 'Dit is je laatste kans. We brengen je gratis in een ander hotel onder, maar ik wil dat je nu weggaat.'

'Mijn vader heeft dit hotel gebouwd, Farrell,' schreeuwde Alfie, 'en mijn geld is even goed als dat van wie dan ook.'

'Jouw vader heeft dit hotel in brand gestoken,' gaf Johnny terug, 'toen het nog een echt hotel was. Een hotel dat jouw grootvader en de mijne samen hadden opgebouwd. Jouw vader heeft er een kaartenhuis voor in de plaats neergezet en alleen mensen als mijn vader hebben voorkomen dat het zou instorten.'

'Waarom maak je verdomme niet dat je in de keuken komt, waar je thuishoort,' zei Alfie, die nu weinig meer dan een gefluister voortbracht en wiens gezicht wit was van woede. 'En als je toch naar beneden gaat, zeg dan tegen Simon dat ik die fles whiskey wil, nu.'

'Je mag sinds de begrafenis van je vader niet meer in

Finbar's Hotel komen,' informeerde Johnny hem. 'En ik ontzeg je bij deze de toegang tot de Upstarts.'

'Jij? Mij de toegang ontzeggen?' spotte Alfie. 'En wie neem je daarvoor mee?'

'Desnoods de politie.'

'En waarvan word ik dan wel beschuldigd? Dat ik om de hoek van de kamerdeur van mijn zuster heb geloerd terwijl de keukenjongen zijn gang met haar ging?'

'Van hetzelfde waarvan je vorig jaar in die nachtclub in Luton bent beschuldigd.'

Alfie zweeg, de spottende uitdrukking verdween van zijn gezicht. Wat ervoor in de plaats kwam leek niet zozeer haat als wel angst. Alles wat voor echte mensen belangrijk is staat in de kleine artikeltjes, had de Graaf altijd gezegd. Waarschijnlijk hadden maar weinig lezers notitie genomen van het berichtje in de *Evening Herald* dat er een Ier was opgepakt omdat hij in een sjofele nachtclub in Luton ecstasytabletten had proberen te verkopen. Simon had de naam waarschijnlijk ook geregistreerd toen hij in zijn hok op zijn microscopische wijze de avondkrant had zitten spellen, zoals hij iedere avond deed, maar Simon vertelde maar zelden iets.

'Jij klootzak,' zei Alfie zachtjes. 'Iedereen maakt weleens een fout. Maar dat heeft er niets mee te maken dat ik hier een laatste nacht wil doorbrengen.'

'Ik wil niet weten wat je in die tas hebt zitten,' zei Johnny, terwijl hij er met zijn schoen een duwtje tegen gaf. 'Ik wil hem niet open hoeven maken om te zien dat mijn vermoedens kloppen.'

'Er zitten in die tas brieven over jou, als je tenminste de moeite wilt doen ze te lezen.'

'Echt waar?' Johnny keek omlaag. 'Moet ik hem openmaken?'

Alfie wierp hem een razende blik toe en Johnny staarde terug, probeerde in dit blufspelletje zijn blik strak te houden. Hij wist niet wat hij meer vreesde te vinden als hij gedwongen werd de tas open te maken.

'Er zitten ook persoonlijke dingen in,' zei Alfie. 'Alles wat ik nog heb. Ik kom weer in Dublin wonen. Dit is mijn eerste avond hier. En geef me nu die tas terug.'

'Kom hem maar halen,' zei Johnny. Het was altijd makkelijker dit soort situaties te beheersen als je in een gang stond. Johnny merkte dat zijn handen klam waren. Hij had het absurde idee dat er foto's van Roisin in de tas aan zijn voeten zaten, haar veertienjarige tepels bruin gekleurd in de schemering in een stuk veengebied, haar gezicht in een raadselachtige, verbijsterde uitdrukking vastgelegd. Aboriginals hadden ooit geloofd dat hun ziel kon worden gestolen als er een foto van ze werd gemaakt. Nu had Johnny het gevoel dat zijn ziel, of in ieder geval degene die hij ooit was geweest, hem ontstolen was. Dat kind leefde alleen nog voort in die brieven, als ze werkelijk bestonden – elke herinnering die hij zorgvuldig had weggestopt, elke vernedering die hij in zijn kindertijd had ondergaan. Zijn handen trilden terwijl hij knielde alsof hij de rits wilde opentrekken. Deze beweging lokte Alfie de gang op, zoals Johnny had geweten. Alfie duwde Johnny weg en pakte de tas op.

'Deze tas is privé,' zei hij, terwijl hij hem bijna koesterend tegen zijn borst drukte. 'Die mag ik alleen openmaken.'

'Zorg dat je uit mijn nachtclub wegblijft,' zei Johnny. 'Over een paar weken sluiten we Finbar's Hotel met een vergunning die twintig jaar lang schoon is gebleven. We hebben genoeg schorem over de vloer gehad dat beneden zijn waren heeft proberen te slijten.'

'Ik heb ooit een fout gemaakt en ervoor geboet,' zei Alfie bitter. 'Wat ik toen heb gedaan gaat je niets aan. Ik ben terug. Mijn grootvader is met niets begonnen en nou moet jij maar eens kijken hoe ik hetzelfde doe. Ik heb plannen waar je geen idee van hebt. Je bent nooit meer geweest dan het spastische broertje, d'r heeft nooit meer in je gezeten dan keukenhulpje.'

Aan het andere uiteinde van de gang ging een deur open en Alfie draaide zijn hoofd om. Johnny zag de blik van herkenning en daarna van oprechte doodsangst in Alfies ogen. Hij was de eerste in het hotel die de gast van kamer 107 herkende. De twee Nederlandse journalisten doken achter de gezette man uit Dublin op. Alfie drukte de tas steviger tegen zich aan. De deur van zijn kamer stond nog wijd open, zijn leren jasje hing er nog, maar Alfie kwam in beweging. Uit het gezicht van de gezette Dubliner viel niets op te maken waaruit bleek dat hij Alfie had herkend, maar uit dat gezicht bleek nooit iets. Johnny liep achter Alfie aan en voelde dat deze zijn uiterste best deed het niet op een rennen te zetten. Hij bereikte de lift, maar draaide zich om om de trap te nemen, alsof hij bang was dat hij samen met de Dubliner in de lift terecht zou komen.

Johnny bleef vier of vijf passen achter hem lopen. Ze kwamen in de foyer uit, die gevuld werd door het opgewonden geroezemoes van een feestje in de bar. Alfie bleef staan en Johnny keek naar hem.

'Ga nou een keer bij Roisin op bezoek, doe het voor mij, oké?' mompelde Alfie, verslagen.

'Dat aanbod van die kamer in een ander hotel geldt nog steeds.'

'Loop naar de hel met je liefdadigheid.' Alfie wierp een blik op het portret van zijn vader. 'Niemand van ons heeft ooit een fooi van jou of je soortgenoten nodig gehad.'

De liftdeuren gingen open. Alfie wachtte niet af wie er zou staan. Hij liep snel naar de uitgang. Johnny keek hem na, wetend dat hij die afgezakte schouders overal zou herkennen. Die schouders waren typerend geweest voor Finbar Og, al die avonden dat Johnny's vader hem met enige aandrang naar een door het hotel betaalde taxi had gebracht, die hem thuis zou brengen naar zijn armoedige flatje in Islandbridge, waar hij dood werd aangetroffen nadat het hotelpersoneel hem enkele ochtenden niet binnen had zien komen op zoek naar zijn medicijn. De Dubliner van 107 stapte de lift uit. Ditmaal liet hij zijn sleutel niet op de balie achter, maar liep naar de draaideur, terwijl de Nederlandse journalisten hem op enige afstand volgden alsof ze niet bij hem hoorden.

Johnny merkte dat hij stond te trillen. Hij trok zich in het hok van Simon terug om zich een groot glas cognac in te schenken uit de fles die daar voor noodgevallen stond. Aideen kwam binnen omdat ze iets zocht en keek verbaasd naar het glas. Johnny sloeg het achterover; het kon hem niet meer schelen dat hij uit zijn rol viel. Hij schonk zich nog een glas in. Pete Spencer kon nu wat hem betrof de hele klantenkring in de bar bestelen. Simon kon huishouden in de wodkavoorraad van het hotel. Dat stompzinnige tapijt met al die FF's, dat maar niet wilde slijten, kon wat hem betrof in de fik vliegen. De muren van het hotel konden instorten, en toch wist Johnny dat het hem niet van zijn schuldgevoel zou bevrijden. Simon kwam terug en zette zijn lege dienblad neer. Alleen iemand die de portier goed kende zou gezien hebben hoe dronken hij nu was. Hij keek naar het glas in Johnny's hand.

'Hij is weg,' zei hij, en Johnny knikte. Simon wierp een blik op de receptie. 'Ik heb altijd een pesthekel gehad aan die kleine zelfingenomen lul,' voegde hij er kalm aan toe.

Johnny staarde naar het achterhoofd van de oude man en wist dat Simon diep in zijn hart hetzelfde over hem zou zeggen.

'Voel je je goed? Weet je zeker dat je tot morgen elf uur kunt werken?' vroeg hij, beseffend dat Simon de enige in Finbar's Hotel was die hij zou missen.

'Ik?' vroeg Simon. 'Pico bello. Ik heb toch een leventje als een huiskat?' De portier miauwde zachtjes, alsof hij een binnenpretje had, en slofte weg. Johnny dronk zijn glas leeg en vermande zich, zette het bezoek van Alfie uit zijn hoofd. De gast van 107 had zijn sleutel niet achtergelaten. Dat betekende dat hij terug zou komen. Sinds kort kwam de politie 's avonds na sluitingstijd controleren. Je moest een heel zorgvuldige afweging tussen omzet en voorzichtigheid maken op het moment dat je besloot wanneer je de laatste ronde zou afkondigen. Er kwamen twee Amerikaanse dames naar de balie, op zoek naar Simon. Johnny keek naar de cognacfles, zette hem snel en discreet uit het zicht. Tientallen jaren van training kregen weer de overhand toen hij zich naar de dames vooroverboog en glimlachte, glad als de oude Finbar zelf zou hebben gedaan, zich volledig concentrerend op het hotel, dat natuurlijk wel nog steeds draaiende moest worden gehouden.

Kamer 105

Het onderzoek

Maureen Connolly had het al maanden op haar lijst staan, en toch had ze Finbar's Hotel nog steeds niet uitgeprobeerd. Ze had het ontdekt op een warme, futloze middag, zo rond de tijd dat ze het slechte nieuws over het onderzoek kreeg, en ondanks haar schrik en verbijstering had ze bedacht dat het weleens geschikt kon zijn voor haar doeleinden. Nu ze het nog eens goed bekeek, was ze daar niet meer zo zeker van. Terwijl ze er door de vochtige kou van een oktoberavond in Dublin haastig van het station naartoe liep, vond ze de gevel in dit licht allesbehalve indrukwekkend; het hotel had zijn beste tijd gehad en vertoonde ernstige slijtageverschijnselen. Het hele gebouw oogde wat vermoeid. Eigenlijk zag het eruit alsof het elk moment in elkaar kon storten. Maar eerlijk is eerlijk, hield ze zichzelf voor, datzelfde gold welbeschouwd ook allemaal voor haar. Goed, ze had gemengde gevoelens, dat was duidelijk. Maar die had ze dan toch maar. Gemengde gevoelens waren altijd nog beter dan helemaal geen.

Maar zodra ze door de zware draaideur stapte besefte ze dat ze hier volkomen terecht naartoe was gekomen. Finbar's Hotel hoorde op haar lijst thuis, dat wist ze nu al. Ja, zelfs hier, in die kleine, treurige bouwval van een lobby, waar alles van schimmel, verval en vergeefse verwachtingen sprak, voelde ze die zalige blijdschap opwellen waar ze de hele week al naar verlangde. Die omspoelde haar hart. Vouwde zich als een warme hand om haar ruggengraat. Het leed geen twijfel. Finbar's Hotel was een goed idee.

In de rij staan voor de balie en een kamer vragen had

voor haar iets heimelijks, iets stiekems gehad, vooral toen de receptioniste liet weten dat er alleen nog een kingsize tweepersoons vrij was. Haar gezicht was opeens vreselijk gaan gloeien, en ze had zich half van de balie afgewend naar de koele bries uit de draaideur, maar achter haar bleek een grijnzende jongeman te staan, met een krankzinnig kapsel en een lelijk Temple Bar-T-shirt. Hij had haar een knipoog gegeven, dat had ze duidelijk gezien. Of knipoogde hij om de een of andere reden naar de *receptioniste*? Maar misschien knipoogde hij wel omdat er iets aan hem mankeerde; dat was gezien zijn uiterlijk trouwens niet zo onwaarschijnlijk. Even had ze het idee dat hij een gek was die pas op de samenleving was losgelaten in zo'n beschermd-wonenproject. Ze hadden tegenwoordig allerhande nieuwerwetse opvattingen over gekken en hoe je met hen om moest gaan. Vooral in Dublin. Hier in Dublin moest je nergens van opkijken. In ieder geval had ze zeker geweten dat ze nog erger bloosde dan eerst toen ze zich weer naar de balie wendde en tegen het meisje zei dat die kingsize tweepersoons prima was.

'Mooi zo,' sprak de receptioniste monter. 'Kamer 105. Eerste verdieping. De lift is daarginds.'

De rare grijnzende kerel liep achter haar aan naar de lift en stapte er ook in. Zijn idiote gelkapsel leek net een bord koude tagliatelle. Bijna meteen klakte hij op een vaag melodramatische manier met zijn tong, kwakte zijn koffer en zijn gettoblaster op de vloer, haalde een spanningzoeker uit zijn zak en begon ritmisch op de deuren en het knoppenpaneel te trommelen terwijl hij zachtjes neuriede. Ze dacht de melodie te herkennen. Hij begon harder te trommelen en snoof een paar keer nadrukkelijk. Hij probeerde duidelijk aandacht te trekken. Ze draaide zich om en deed alsof hij lucht was. Ze bekeek zichzelf in de spiegel en vond zichzelf – dat moest ze toegeven – nog steeds aantrekkelijk. Misschien zei haar man het toch niet alleen uit beleefdheid, om zijn geweten te sussen. Zijn schuldgevoel om zijn heimelijke activiteiten moest ondraaglijk zijn, zo goed kende ze hem wel. In feite was hij geen slecht mens, bij lange na niet zo slecht als hij wel zou willen. Hij was het soort Ier dat zijn eigen aangeboren fatsoen als gênant ervaart. Ze liep naar de spiegel toe, likte aan haar vinger en streek haar rechterwenkbrauw glad. Achter zich hoorde ze de gek een zacht miauwgeluidje maken. Die arme jongen was echt niet goed bij zijn hoofd.

De lift stopte op de eerste verdieping. Vervelend genoeg stapte haar metgezel uit. Ze aarzelde of ze moest volgen, maar deed het even later toch. Hij zag er niet uit alsof hij haar kwaad zou doen. Dat hij floot vond ze op de een of andere manier geruststellend. Gekken van het gevaarlijke soort floten niet, hield ze zichzelf voor. Charles Manson bijvoorbeeld, die kon je je toch niet fluitend voorstellen? Hij slenterde voor haar uit de gang in, met een air van zelfvertrouwen dat eerder op iemand van het personeel dan op een gast wees. Opeens vroeg ze zich af of ze hem misschien ten onrechte voor gek had versleten. Ze bedacht dat hij misschien iets te maken had met de Nederlandse popster die dit vervallen hotel een tijdje geleden gekocht scheen te hebben. Ze vond dat hij zelf ook wel iets van een Nederlandse popster had of anders wel van het hulpje van een Nederlandse popster. Ach ja, ze had zich vast vergist wat die gekte betrof. Op krantenfoto's zagen popsterren er toch zo vaak gestoord uit, en hun hulpjes nog erger; trouwens, goed bekeken oogden Nederlanders in het algemeen behoorlijk labiel, op het psychotische af eigenlijk, al had zij natuurlijk op dat punt weinig recht van spreken. Hij hield stil bij de kamer twee deuren voor de hare, en ging naar binnen. Ze besefte dat ze opgelucht was dat ze hem kwijt was.

Toen ze eindelijk alleen op haar slaapkamer was, werd ze ineens licht in het hoofd van gespannen verwachting.

Tegen wil en dank fantaseerde ze heel even over de rare, grijnzende Nederlandse popster en vroeg ze zich af wat die op dat ogenblik verderop in de gang uitvoerde. Misschien componeerde hij wel een nieuw nummer. Of hij nam drugs; de combinatie van Nederlanderschap en muzikale creativiteit deed het ergste vrezen. De gedachte aan wat er overal om haar heen op dat moment gebeurde, in de kamers onder en boven haar, en in die aan weerskanten, was zo opwindend dat het haar begon te duizelen. Ze wou dat de muren doorzichtig waren. Ze vond het zelf belachelijk en irrationeel, maar voelde toch de opwinding van het alleenzijn in een nieuwe hotelkamer bubbelen vanbinnen, als champagne die over de rand van een glas stroomt.

Iets aan zo'n verblijf op een hotelkamer gaf haar het gevoel dat ze jong was. Het was altijd hetzelfde: zodra ze in een hotel een voet over de drempel zette – en dat deed ze, ergens in Ierland, minstens één keer in de week, soms zelfs twee keer als haar man met zijn nieuwe liefje de stad uit was – voelde ze weer die bekende, gedempte pijn van verlangen door haar zenuwen gaan. Dan voelde ze zich dankbaar voor die sensatie, de dankbaarheid van iedere verslaafde, dankbaar dat ze weer leefde, hersteld was, heruitgevonden en opnieuw aangesloten op haar levenskracht. Springlevend. Ze zei het hardop. Ze zei het hardop om te zien of het waar was.

Ze liep naar het raam en keek naar buiten. De rivier was erg troebel, vol vettig ogende kolkjes en stroomversnellingen. Er vlogen meeuwen op de waterspiegel af alsof ze die aanvielen. Her en der spoelde een tak of gehavende stronk langs die als een razende door het schuimende water tolde, dat vast zo woest was, zei ze bij zichzelf, door de ongebruikelijk hevige herfststormen van de afgelopen tijd. Ze ging op het bed zitten en keek om zich heen.

De kamer was klein en het was er veel te warm. Het rook er naar stof en oude tabaksrook en naar gewassen maar niet door en door droog beddengoed. Ze ging op bed liggen en tuurde naar het plafond. Onder de dikke laag roomkleurige glansverf dacht ze de schimmige silhouetten van het originele sierstucwerk te ontwaren: palm-, mirte-, wilgen- en citrusmotieven die allemaal als bezetenen leken te willen ontsnappen.

Ze bleef roerloos liggen, met haar blik strak op de vreemde vormen gericht. Er welden halfherinnerde versregels van Keats in haar op. Uit de 'Ode op een Griekse urn'. Welke wilde vervoering. Welke bezeten ontsnappingsdrang. Ze prentte zich in dat ze het er met haar leerlingen Engels uit de zesde over moest hebben als ze die weer zag, het eerste lesuur maandagochtend, haar lievelingsuur, die geheven, nieuwsgierige gezichten nagloeiend van weekendzoenen, hongerig naar poëzie. Nou ja, in ieder geval zo hongerig naar poëzie als bij hen mogelijk was. Misschien moest je het trek noemen. Wat hadden ze trouwens aan gedichten? Ze was al vaak met die vraag geconfronteerd – wat hebben we nou aan gedichten bij een sollicitatiegesprek, Maureen (ze stond erop dat haar leerlingen haar bij haar voornaam noemden) of op de boot naar Londen? – en haar tegenargument was geweest dat gedichten voedsel waren voor je ziel, dat poëzie voor de ogenblikken in je leven was waarvoor conventionele taal tekortschoot. Al wist ze diep in haar hart dat ze gelijk hadden, zoals de jongeren tegenwoordig bijna altijd gelijk hadden. Zou er ook maar één werkgever in de stad Galway geïnteresseerd zijn in wat haar leerlingen van Yeats of Hopkins vonden? (Haar man misschien, maar dat was een uitzondering. Er waren niet veel mannen, ook niet in Galway, die een recente ex-leerlinge van hun vrouw als vriendin zouden nemen.) Maar welke ambitieuze technocraat die in Connemara met subsidie van de Europese Gemeenschap een fabriek draaiende hield zou een boom over Patrick Kavanagh willen opzetten? Kon je 'belangstelling voor Chaucer' op je cv zetten? Plotseling zag ze zichzelf haarscherp voor de klas staan: een dwaas, dweperig middelbaar mens vol tweedehands zinsneden dat met een meedogenloos ontleedmes de beelden en vergelijkingen te lijf ging die jonge mannen uit de diepten van liefde en angst hadden opgedolven. Toen doemde het honende gezicht van haar man met de kwabkin voor haar op, een beeld uit een recente huiselijke ruzie, even later gevolgd door het treurige beeld van zijn zwetende hangbillen tussen de gespreide dijen van een tiener die zij ooit de definitie van kruisrijm en pastiche had bijgebracht.

Zou ze het hele weekend in Dublin blijven? Ach, misschien ook maar wel. Het was per slot van rekening donderdagavond en op vrijdag gaf ze geen les. De gedachte om in Dublin te blijven lokte haar. Een paar van de ouwe club opzoeken. Misschien naar een toneelstuk, of een concert in de National Concert Hall. De hele Grafton Street aflopen, of door Saint Stephen's Green wandelen als morgen de zon scheen, naar de hopen vergeelde en gouden bladeren kijken. Misschien kwam ze nog meer hotels tegen die ze aan haar lijst kon toevoegen. In Temple Bar werden nu voortdurend nieuwe hotels bijgebouwd. Ze stampten ze sneller uit de grond dan de gidsen ze konden opnemen. Ze hield van Temple Bar, die beschilderde winkeltjes, dat uitbundig ongeregelde, de jongelui die cool rondslenterden met hun zonnebril op, of er nu zon was of niet. Ja, Temple Bar kon weleens wat opleveren, ze zou er morgen met haar schriftje heen gaan en kijken of ze nog iets voor haar lijst kon vinden. Ze dacht aan Galway, harde Atlantische regen op de smalle kronkelstraten van de kille oude stad. Het leek nu heel ver weg.

Onder de douche voelde ze weer een intense seksuele opwinding opwellen toen het warme water haar vermoeide gezicht besproeide en over haar borsten golfde. Er prikte zeep in haar ogen en ze kreunde zachtjes, wat haar zo beviel dat ze het nog eens deed. Ze dacht aan de smekende stem van haar zoon aan de telefoon. Konden ze volgende zomer niet met z'n allen naar Frankrijk gaan? Het was op het stationsplein zo'n lawaai geweest dat het moeizaam praten was en daar was ze blij om geweest; ze had het niet over haar hart kunnen verkrijgen om hem de bittere waarheid te vertellen, dat er voor haar misschien geen volgende zomer meer was. Toen ze gezegd had dat er problemen waren met de trein, dat die vertraagd was omdat er een boom op de rails was gevallen, en dat ze die nacht in Dublin moest blijven, in Finbar's Hotel, recht tegenover het station, had haar zoon op zo'n hysterische tienertoon gevraagd: 'Wat zeg je, mam? Wat?' en had zij zo terloops mogelijk geantwoord: 'Je weet wel, Finbar's, dat die Nederlandse popster gekocht heeft. Ricky Van Huppeldepup. Of was het nou Rocky Van Huppeldepup?' en toen was haar geld op.

Na het douchen droogde ze zich half af maar kleedde zich niet aan. Ze ging weer op bed liggen, waar ze haar vingers over haar lijf liet gaan. Ze betastte de zachte vetrolletjes op haar buik, de knobbeltjes in haar oksels, het stugge haar op haar venusheuvel. Ze dacht even aan wat de dokter een halfjaar geleden op die zonnige middag had verteld. Ze dacht aan haar lijf, hoe dat haar geleidelijk aan in de steek liet. Weer schoot haar een versregel te binnen. *Mijn ziel zit vastgeketend aan een stervend dier*. Yeats had die meesterlijk koele woorden geschreven aan het eind van zijn leven. Door de vloer dacht ze een radio te horen. Ze wist zeker dat het een nummer van Oasis was, 'Wonderwall', waar haar vijfdeklassers gek op waren; ze had het goed gevonden dat ze een speciale les aan de tekst wijdden, ook al had ze zelf eigenlijk geen idee wat een *wonderwall* precies was. De wind wierp een handvol stof en bladeren tegen het raam. Doelloos probeerde ze zich de woorden te herinneren – *and after all, you're my wonderwall*; wat mocht dat in vredesnaam betekenen? – maar na die regel schoot haar niets meer te binnen. Eerst ergerde het haar, maar toen klonk er beneden, of ergens anders in het hotel, een ander nummer en was ze Oasis volkomen vergeten. Ze voelde zich dromerig, warm en behaaglijk toen ze naar dat nieuwe nummer luisterde. Haar vingers dwaalden af naar haar geslacht. Ze streelde het. Een paar minuten later besefte ze, alsof ze met een schok uit een soort trance ontwaakte, dat ze gehuild had.

Ze kwam overeind en begon zich aan te kleden, besloot het ondergoed maar te laten voor wat het was en trok alleen een broek en een trui aan. Opeens verveelde ze zich. Ze keek naar de telefoon op het nachtkastje – een modern apparaat, een glimmend vlak van wit plastic met een toetsenbord dat veel te ingewikkeld leek. Ze hield zich voor dat ze eigenlijk haar zoon of dochter weer zou moeten bellen om duidelijk te maken dat ze vannacht hier in Dublin bleef. Ze was opgelucht dat ze vandaag tenminste niet over haar verblijfplaats hoefde te liegen. Ze had ze verteld dat ze naar Dublin ging om een middagje te winkelen. Nou, dat was maar half gelogen. Maar toen ze de hoorn oppakte viel ze in een gesprek en hoorde ze een man praten. In een reflex van beleefdheid had ze bijna neergelegd. Maar met een glimlach, genietend van haar schuldgevoel, begon ze toen met bonzend hart mee te luisteren.

'Gisteren nog in Cork geweest, ik was getipt. Volgende maand gaat daar een nieuwe zaak van start, maar de baas was er niet dus moest ik zijn huis gaan zoeken. En je weet hoe het daar is, die krengen zijn niet te vinden. En tegen de tijd dat ik er was zag ik scheel van de honger, ik had wel een ossenwagen piepers opgekund.'

Daarop schoot een tweede mannenstem in de lach. 'Jij bent me verdomme een mooi nummer. Waar is jouw kamer trouwens?'

'Bovenste verdieping. Jawel. Nou ja, hoe dan ook, eindelijk vond ik het, en toen kwam er zo'n Indiër opendoen. Of een Pakistaan of zo, weet ik veel. Die lui hebben daar in Cork in ieder geval een restaurant. De Montenotte Raj heet het, maar nu gaat hij over op de boeken.'

Op dit punt werd hij weer onderbroken door de tweede stem. 'Kom op, kom nou maar naar beneden, dan praten we onder het eten verder. Straks gaan ze al dicht. Ik bel je mobiel vanuit het restaurant hier.'

Ze legde neer maar was tegen wil en dank toch een tikje nieuwsgierig naar die twee mannen. Wat waren het voor lui? Ze zaten in de handel, zoveel was wel duidelijk. Maar wat verkochten ze? Had een van hen het niet over boeken gehad? Waren het vertegenwoordigers in boeken? Ze hadden allebei een sterk Dublins accent, en toch logeerden ze kennelijk in dit hotel. Waarom zou iemand die in Dublin woonde in een Dublins hotel overnachten? Nou ja, waarom zat zij hier eigenlijk? Nergens om. Tenminste, niet om iets wat ze begrijpen kon. Hadden ze niet gezegd dat ze beneden gingen eten? In het restaurant hier? Misschien was het leuk om er zelf ook heen te gaan om te zien of ze ze eruit kon pikken.

In de lift bekeek ze opnieuw haar spiegelbeeld. Het rare vond ze dat ze er niet uitzag als een vrouw die doodging. Goed, ze oogde wel moe, bleek, een tikkeltje mottig hier en daar, maar niet als een vrouw die geen jaar meer te leven had. Was het wel waar? Het kón toch eigenlijk niet? Opeens zag ze in gedachten duidelijk de kankercellen voor zich als die ronde veelvraatjes van dat Pacman-videospelletje waar haar zoon vroeger zo gek op was. Die vraatzuchtig piepende happertjes raceten over het scherm en verslonden zonder pardon alles wat hun voor de voeten kwam. Het viel moeilijk te aanvaarden en geloven dat ook zij nu werd opgevreten. Toch had ze met eigen ogen de vage donkere schaduwen op het röntgenscherm gezien. Ze ging dood, had de dokter tegen haar gezegd. Dat leed geen twijfel. Misschien had ze nog een maand of tien. Ze had zich zelfs nog tegen hem verontschuldigd. Het speet haar dat hij haar dat moest vertellen, had ze gezegd. Het zou wel niet makkelijk zijn om iedere dag dat soort nieuws te moeten brengen.

In de lobby had zich een groepje woest gebruinde Amerikanen verzameld rond een prikbord met een poster van de ingehakte driedubbele spiralen op de enorme steen bij het ganggraf van Newgrange. Een kleinere groep dromde samen om een potige, knappe vent, die wel belangrijk moest zijn, zoals ze hem kwebbelend aanklampten. Was het een reisleider, iemand van een reisbureau? Buiten waaide het met zulke harde windstoten dat de draaideur traag rondwentelde, alsof hij in beweging werd gezet door een onzichtbare God. Ze moest stilletjes een beetje lachen toen ze een van de toeristen, een doodernstige oude man in een zeegroene golftrui, met een pafferig gezicht, tegen de barman hoorde zeggen: 'Hé, meneer, voor mij een Ierse koffie, zonder de whiskey alstublieft.'

In het vierkante restaurantje rook het naar vet en ontsmettingsmiddel. Het personeel liep af en aan en dekte de tafels voor het ontbijt. Aan een ronde tafel in het midden zaten twee mannen van middelbare leeftijd, de ene klein en mager, met een lompe kop, de andere groot als een rugbyspeler; ook al praatten ze op fluistertoon, ze dacht in hun klinkers en intonatie toch het Dublinse dialect te herkennen en zei bij zichzelf: Ja, dat zijn de mannen die ik aan de telefoon heb gehoord. Ze voelden zich kennelijk zo vertrouwd bij elkaar, zo prettig en ontspannen, en er was iets zo door en door mannelijks aan hun omgang, dat ze zich over haar afluisteren schaamde. Ze keek het vertrek rond. Er hingen onbeholpen houtskoolportretten van beroemde Ierse schrijvers aan de muur; ze herkende Joyce en Brendan Behan meteen, maar haalde Beckett en Sean O'Casey door elkaar, en merkte haar vergissing pas toen ze dichterbij kwam om te zien of ze de handtekening van de maker kon lezen.

De stokoud lijkende serveerster had een platte neus met opvallende paarse aderen die door de huid heen schenen.

'We zijn gesloten,' zei ze.

'Ach, u hebt toch nog wel een gaatje voor me?' zei Maureen met een glimlach. 'Toe, dat lukt vast nog wel.'

De vrouw zuchtte en zei dat het goed was, als ze voortmaakte tenminste, en knikte naar een van de ronde tafels. Maureen vroeg of ze niet in een box mocht zitten.

'Je wil toch niet in zo'n box, mop,' zei de serveerster. 'Een tafeltje in het midden is veel leuker.'

'Ik ga liever in een box,' zei ze. 'Als het u niets uitmaakt.'

De serveerster zuchtte nogmaals dramatisch en wenkte haar naar een box, waar ze met veel vertoon het in een rechtopstaande punt gevouwen servet losschudde en dat op haar schoot drapeerde. De menukaart was van plastic – met een lichte rilling zag ze dat er 'diverse zalades' op aangeboden werden. Terwijl ze verder las, deed ze haar uiterste best om niet naar de twee vertegenwoordigers te luisteren, maar ze merkte dat de kleine met het lompe hoofd bijna niet te negeren viel toen hij eenmaal luider was gaan praten.

'Dus ik laat die Pakistaan alle catalogi zien en trek de hele verkooptrukendoos open, en hij maar ja en amen knikken, zo'n superbeleefd figuur, je weet wel, alstublieft en dank u wel en hetzelfde wat jij neemt.'

Ze sloeg haar *Hello!* open, maar merkte dat ze zich niet op het tijdschrift kon concentreren. De vertegenwoordiger met de lompe kop die het verhaal vertelde werd steeds opgewondener, begon enthousiast te gebaren en te wippen op zijn stoel.

'Zijn vrouw is dus ondertussen in de keuken waar ze curry staat te maken. Dat ruikt wel zo allemachtig lekker. En dan zegt die gozer tegen me: "Meneer Dunne, wij zouden het op prijs stellen als u een hapje met ons meeat." En ik zeg: "Ach, rot op, nee zeg", want ik wil ze niet tot last zijn, snap je, al kan ik nu wel een nonnengat door de kloosterpoort eten.'

'Grote goden, jij bent me toch een mooi nummer,' zei de grote man. 'Jij bent me verdomme het nummer wel.'

Op dat moment kwam de potige man die ze in de lobby voor reisleider had aangezien het restaurant binnenwandelen. Hun blikken kruisten elkaar, waarop hij glimlachte en kort en wonderlijk formeel naar haar knikte. De serveerster liep op hem af en bracht hem naar een tafeltje. Ze vroeg zich een beetje gepikeerd af waarom híj niet te horen kreeg dat het restaurant was gesloten. De vertegenwoordiger met de lompe kop boog zich naar zijn maat en ging over op een vertrouwelijk gefluister dat ze niet kon verstaan.

Toen ze zich omdraaide om de aandacht van de serveerster te trekken merkte ze met een schokje dat de reisleider haar leek toe te lachen. Hij had zo'n vriendelijk rood gezicht dat in romans wel 'een blozend gelaat' heet, dik maar keurig geknipt lichtgrijs haar, en wenkbrauwen die elkaar boven zijn lange rechte neus bijna raakten. Hij wees in haar richting.

'Die ging met Bryan Ferry,' zei hij. 'Dat klopt toch? Bryan Ferry, die vroeger bij Roxy Music zat? Herinner je je die groep nog?'

Hij had het accent van de Amerikaanse oostkust en zijn stem was zacht als een nieuw stofdoekje.

'Wie?' vroeg ze.

'Jerry Hall,' zei hij. 'Dat fotomodel.'

'O ja?'

Weer glimlachte hij. 'Sorry, maar ik zag haar daar.' Weer wees hij. 'Ik bedoel, op het omslag van je tijdschrift. En op de een of andere manier moest ik daar toen aan denken.'

'Dat ze vroeger met Bryan Ferry van Roxy Music was?'
'Ja.'
'Aha.'
'Maar goed dat ze niet getrouwd zijn, hè?' zei hij.
'Hoezo?'
'Nou, want dan had ze Jerry Ferry geheten, toch?' Zijn knalrode wangen rimpelden zich tot een grijns.

Onwillekeurig schoot ze in de lach.

'Ja, daar heb je gelijk in,' zei ze.

'Klopt,' grinnikte hij. 'Ik heb 'm van mijn zoontje. Goeie hè?'

'Ja, hij is leuk.'

Er zat iets innemends in zijn schuchtere lachje. Ze vond hem aan de ene kant net een klein jongetje, maar aan de andere kant zo'n man die zich oprecht bij vrouwen op zijn gemak voelt.

'Wil je me geen gezelschap houden vanavond?' vroeg hij. 'Als je toch alleen eet?'

'O nee, dank je wel. Ik wil je niet storen.'

'Dat doe je niet,' zei hij. 'Zoals je ziet, ben ik ook helemaal alleen.'

Ze dacht even over zijn voorstel na. Zoiets was ze bepaald niet van plan geweest. Maar wat kon het voor kwaad? Het was per slot van rekening een openbare gelegenheid. Wat kon er nu gebeuren? Het was echt heel lang geleden dat ze had gegeten met een knappe Amerikaan die gevoel voor humor had. Als dat al ooit gebeurd was. Nog voor ze goed en wel had besloten op zijn uitnodiging in te gaan, was hij al opgestaan en trok hij de tweede stoel onder zijn tafel vandaan.

'Zou je dat willen?' vroeg hij weer. 'Je zou me er een groot plezier mee doen. Ik vind het vreselijk, alleen eten.'

Hij heette Ray Dempsey. Toen ze haar eigen naam noemde herhaalde hij die een paar keer – 'Maureen Connolly, Maureen Connolly, prachtig.' Zijn handdruk

was warm en bijzonder stevig. Wat leken zijn ogen inkt-
zwart en zijn kleine, rechte tanden wit. Hij vertelde dat hij
uit New York kwam. Ja, ze had de spijker op de kop geslagen, hij was reisleider. Hij had in veel landen gewerkt,
Mexico, Argentinië, Spanje, Peru. Hij had Spaans gestu-
deerd. Maar van Ierland hield hij het meest. De afgelopen
tien jaar had hij elke herfst een groep vakantiegangers naar
Ierland begeleid. Hij vond het altijd heerlijk in Dublin – 'Ik
bedoel, het is een fantastische Europese stad' – maar hij
was vooral weg van Connemara.

'De Beckettachtige leegheid daar,' zei hij, 'dat is een uitdrukking die ik ooit in een kort verhaal heb gelezen. Van
John Updike, geloof ik. Maakt ook niet uit. Maar het is wel
echt Connemara, hè?'

'Ja,' zei ze, getroffen door de toepasselijkheid ervan. 'Ja,
inderdaad.'

'De Beckettachtige leegheid daar,' herhaalde hij met
een glimlach. 'Schitterend.'

Haar brein werkte op volle toeren tijdens de paar minuten dat ze het menu bekeken. En toch voelde ze zich
meteen bij hem op haar gemak. Hij was zo allesbehalve
bedreigend. Dat had te maken met zijn grote handen, de
manier waarop hij zijn gebaren begon, het licht onbehol-
pene van zijn houding, alsof hij zijn beweging nooit helemaal afmaakte. Ze zei tegen de serveerster dat ze een
gegrilde tong wilde met salade. De Amerikaan bestelde
een grote biefstuk, kort gebakken, met aardappelpuree,
wortelen en een extra portie gebakken ui.

'We boffen dat we nog eten krijgen,' zei ze toen de serveerster weg was, 'tegen mij zeiden ze dat ze dichtgingen.'

'Voor mij strijken ze meestal de hand over het hart,' zei
hij. 'Dat is wel prettig als je reisleider bent. Dan zijn ze in
hotels aardig voor je. En dat is maar goed ook, want jee, wat
heb ik vanavond een honger. Ik heb me hier toch een eet-
lust.'

Hij keek haar stralend aan. 'Het is trouwens een grote feestavond voor joden. Ik ben joods.'

'O ja?' zei ze. 'Echt?'

'Nou ja, zo'n beetje. Eigenlijk meer joodsig dan joods.'

'Wat is dat dan voor feest?'

'Nou, vandaag is het de eerste dag van soekot. Het Loofhuttenfeest, de afsluiting van de oogsttijd.'

'O ja? En is dat ieder jaar op dezelfde dag?'

'Nee. Het begint op de vijftiende dag van de joodse maand Tisjri, in de herfst. Als je liberaal bent duurt het acht dagen. En als je orthodox bent negen.'

'En wat ben jij?'

'Nou, mijn familie was niet orthodox.'

'Aha,' zei ze met een lachje. 'Die van mij ook niet.'

Hij schoot in de lach. 'Nee. Van wie nog wel?'

'Maar vertel nog eens wat over dat feest. Dat vind ik interessant.'

Hij knikte. 'Nou, eens kijken, de laatste dag van het feest heet simchat thora – de vreugde der wet. Op die dag begint de jaarcyclus van het lezen van de thora weer bij het begin.' Zijn gezicht kreeg een quasi-plechtige uitdrukking en zijn wenkbrauwen gingen op en neer terwijl hij met zijn wijsvinger zwaaide.

'Te midden van veel zang en dans,' reciteerde hij, en toen verkreukelde zijn gezicht weer in een lach, en verschenen er kraaienpootjes in de hoeken van zijn glinsterende ogen. 'Dat hield de rabbijn ons voor toen we klein waren. Als een soort bevel. Het jodendom is bij mijn weten de enige godsdienst die je beveelt om je te amuseren. Op straffe des doods!'

'Bij de katholieken gaat het in ieder geval anders, dat kan ik je verzekeren,' zei ze.

'Ja, dat weet ik,' zei hij met een grijns. 'Mijn vader was een Ierse katholiek.'

Daar stond ze versteld van, maar het leek haar onbeleefd

om dat te laten merken. Toch leek hij wel iets van haar verbazing te merken. Zijn vader kwam uit Mayo, legde hij uit,
en was in de jaren twintig naar New York geëmigreerd. Hij
had een tijdje in de bouw en in cafés gewerkt, en ook even
als dokwerker aan de Hudson. Hij had een Pools-joods
meisje leren kennen, was tot het jodendom bekeerd en met
haar getrouwd. Na hun huwelijk had hij vaak geprobeerd
om bij de politie te gaan, maar telkens was hij afgekeurd op
zijn moeilijke voeten. Hij vertelde het verhaal van zijn
vader met de moeilijke voeten met charme en overtuiging,
en onderbrak zichzelf van tijd tot tijd om te vragen of hij
haar niet verveelde. Nee, zei ze steeds, en dat was waar.
Zijn stem was zo heerlijk bedaard. Hem horen praten over
een schijnbaar weinig interessant onderwerp als de moeilijke voeten van zijn vader, deed haar op de een of andere
manier denken aan haar warme douche van die avond, het
verrukkelijke water dat over haar neerstroomde. Terwijl
hij praatte, viel het haar op dat hij de Amerikaanse
gewoonte had om een overbodig vraagteken achter zijn
zinnen te plakken. Dat vond ze wonderlijk meeslepend,
want ze voelde telkens de behoefte om te reageren met 'ja',
of 'aha', of 'ja, ik snap wat je bedoelt', terwijl ze normaal
gesproken het relaas van een vreemde over de moeilijke
voeten van diens vader (of over welk lichaamsdeel dan ook)
zwijgend zou hebben aangehoord.

Toen het eten kwam, dat bijna siste van magnetron-
warmte, ging hij weer over zijn vader verder. 'Hij had iets
geks met Ierland. Zo'n haat-liefderelatie? Meestal was het:
"O, Ierland, dat rotland, geef me een stel bommen en ik
gooi dat door de papen geteisterde zootje plat." Maar met
een slok op was het andere koek. Dan was het leve de IRA en
hoera voor Michael Collins en zo. Hij kreeg altijd van die
krantjes uit Belfast opgestuurd, republikeinse, denk ik, en
die las hij dan. "Op elke plek ter wereld ben ik Democraat,
jongen," zei hij dan, "maar in Noord-Ierland ben ik een

Republikein. Zou jij ook moeten zijn."'

Hij keek haar aan. 'En nu is het welletjes,' zei hij. 'Ik snap niet wat me vanavond mankeert. Ik verveel je dood.'

'O nee hoor, echt niet.'

'Dat is aardig van je,' zei hij met een lachje. 'Maar nu wil ik iets over jou horen.'

Daar dacht ze over na terwijl ze een beetje in haar eten zat te prikken. Ze dacht er serieus over na. Even had ze een waanzinnige drang om volledig open kaart met hem te spelen, en te zeggen: 'Oké Ray, dan krijg je nu iets over mij: Ik heet Maureen Connolly en ben getrouwd met Hugh, een gestoorde man die geen boe of ba zegt, hij zit in de gemeenteraad en runt een supermarkt en vrijt bijna iedere avond in zijn Mitsubishi Lancer met een vrouw die jonger is dan onze eigen dochter, een meisje eigenlijk nog, ik heb haar lesgegeven, ze werkt in een platenzaak in Galway, en het zou me eigenlijk niet zoveel meer kunnen schelen als ik niet af en toe op het dashboardkastje haar voetafdrukken zag staan, Ray, hij neemt niet eens de moeite die weg te vegen. En ik ga dood, Ray, ik ga dood. Mijn kinderen weten niet dat ik binnen een jaar dood ben. Ik kan het niet over mijn hart verkrijgen om het te vertellen. Ik heb kanker. Er is geen hoop meer voor me, geen enkele. Ik weet het nu al een tijdje. Ik wil niet dood, Ray. Ik vind het heerlijk om te leven. Ik ben zo bang. Ik wil leven. Maar ik heb kanker. En één keer in de week, als mijn man denkt dat ik voor behandeling een nacht in het ziekenhuis moet blijven, rijd ik naar het station van Galway, zet de auto daar neer en neem de eerste de beste trein. Waar die ook heen gaat. In de trein neem ik koffie en een broodje. Denk ik na. En als ik dan op de bestemming aankom, waar het ook is, logeer ik een nacht in een hotel. Vaak is het Dublin. Meestal is het Dublin. Ik heb een lange lijst van hotels in Dublin, Ray. Ik logeer in hotels omdat die me op de een of andere manier een gevoel van leven geven. Ze zijn zo vol leven, vind je niet, Ray? Vol leven.'

Ze keek naar hem terwijl hij vragend zijn zware wenkbrauwen optrok.

'Veel valt er niet te vertellen,' zei ze. 'Vergeleken bij het jouwe heb ik vast een bijzonder oninteressant leven.'

'Nou, wat doe je dan, Maureen? Heb je een baan?'

'Ik ben bang van wel,' zei ze lachend. 'Ik zit parttime in het onderwijs. In Galway.'

Hij knikte. 'Aha, je geeft les. Waar? School of universiteit?'

'Ik geef les aan meisjes van vijftien tot achttien. Engelse literatuur.'

'O, fantastisch. Ontzettend leuk. Heb je er plezier in, Maureen?'

Bij haar weten had nooit iemand haar dat gevraagd. 'Ik geloof het wel. Ja,' zei ze. 'Ik bedoel, die kinderen zijn geweldig. Ze houden je tegenwoordig echt scherp. Ze zijn zo goed van alles op de hoogte. Ze worden nu zo snel volwassen dat ik weleens medelijden met ze heb.'

Hij wees naar het plafond. 'Een te brede kier laat geen vervoering binnen,' zei hij langzaam.

'Patrick Kavanagh,' zei ze met een lachje.

'Een favoriet van mijn vader,' zei hij. 'En van mij eigenlijk ook.'

'Van mij ook. Ik ben gek op Kavanagh. Het is treffend gezegd, hè? De jeugd van tegenwoordig krijgt alles zo gauw, of ze nu willen of niet.'

'Ja,' zei hij. 'Ik heb zelf een dochter van achttien. Als ik haar probeer bij te houden word ik gek. Ik kan me dus wel voorstellen hoeveel er van jou wordt gevraagd. Heb je zelf ook kinderen, Maureen?'

Ze bleef even stil en staarde naar het raam. 'Ja,' zei ze ten slotte, 'een jongen en een meisje.' Ze zweeg weer even voordat ze de leugen liet komen. 'Ze zijn al volwassen. Allebei getrouwd. Ze wonen in Engeland.'

De hotelmanager kwam als een beul naar hun tafel

geschreden en vroeg of alles naar wens was. Ze knikten allebei en mompelden een paar tevreden woorden, al was het eten eigenlijk niet geweldig klaargemaakt. De manager bleef even op hun borden kijken, boog en verdween weer.

Ze vonden zijn overgedienstigheid grappig; toen hij weg was stonden ze zichzelf toe hem heel even uit te lachen. Maar haar metgezel was kennelijk een man die kon lachen zonder wreed of superieur te zijn, en dat beviel haar. Na het eten praatten ze nog wat na, maar ze merkte dat ze zich niet meer kon concentreren. Ze bleef zich maar afvragen waarom ze had gelogen over de leeftijd van haar kinderen. Waarom had ze gezegd dat ze getrouwd waren? Het was iets wat ze de laatste tijd wel meer deed, dat ze zomaar de idiootste leugens vertelde. Een ober kwam koffie inschenken. Het viel haar op dat haar nieuwe kennis heel beleefd tegen hem was, 'meneer' tegen hem zei en 'alstublieft' en 'dank u wel'; het ontroerde haar vreemd genoeg een beetje. Toen de ober weg was, nam hij een slokje koffie en keek haar aan.

'Maureen,' zei hij met een zenuwachtige blik, 'ik moet je nu iets ondeugends vragen.'

'Wat dan?'

'Ik heb een stout geheim. Beloof je dat je het niet verder vertelt?'

'Ja, goed.'

Hij boog zich naar haar toe.

'Vind je het erg als ik rook?' vroeg hij. 'Ik zal je maar eerlijk opbiechten dat ik een zwak heb voor een sigaret bij de koffie.'

'Nee, hoor,' zei ze lachend. 'Ga gerust je gang.'

Hij grijnsde. 'Je keek echt gealarmeerd.'

'God, is het echt? Tja, ik wist ook niet wat je zou gaan zeggen.'

Zachtjes grinnikend haalde hij een pakje Marlboro uit zijn jaszak en stak er een op.

'O jee, sorry, Maureen. Wil jij er ook een? Rook je?'

Weer doemde in een flits het beeld op van de gele gulzige monstertjes die zich een weg vraten door haar leerachtige, asgrauwe long. Ze sloot even haar ogen en verjoeg het beeld.

'Weet je wat?' zei ze. Eigenlijk wil ik er wel een, Ray. Ik heb in jaren niet gerookt, maar vanavond heb ik wel zin in die ene.'

Hij gaf haar een sigaret, stak hem voor haar aan, en raakte bijna haar knokkels toen hij zijn lange vingers om het flakkerende vlammetje boog. Ze nam een gretige haal, zoog de dikke rook diep naar binnen. De serveerster kwam met de rekening, kwakte die op tafel en beende weg.

Hij legde zijn hand erop.

'Het zou me een eer zijn als ik mocht betalen, Maureen. Mag dat? Om het goed te maken dat ik je zo verveeld heb met mijn vader?'

'O nee, dat kan ik echt niet toestaan. En het was helemaal niet vervelend.'

'Toe, ik wil het graag.'

'Nee, eerlijk niet. Ik heb het liever niet. Maar toch bedankt.'

'Nou, mag ik je dan misschien een drankje aanbieden? Een nachtmutsje?'

'Ach, ik weet niet,' zei ze.

'Nou ja, als je andere plannen hebt,' zei hij. 'Dat begrijp ik wel. Maar bedankt dat je me bij het eten gezelschap hebt gehouden. Ik moet zeggen dat het echt een genoegen was om je te leren kennen, Maureen.'

Ze keek op haar horloge en haalde haar schouders op. Haar man zou nu net binnenkomen. Ze kende zijn gewoontes beter dan hijzelf. Hij zou de keuken in komen, meteen naar het aanrecht lopen en daar zoals altijd grondig zijn handen wassen. Nadat hij aan zijn verhouding was begonnen had ze zich maandenlang afgevraagd waarom.

Tot hij het op een avond was vergeten, en toen hij mompelend in zijn slaap haar gezicht had gestreeld, iets wat hij nog steeds weleens deed, vooral als hij zich schuldig voelde, had ze het flauwe, maar onmiskenbare luchtje van condoomrubber aan zijn vingers geroken. Het had haar hart gebroken. Ze had die avond naast hem liggen huilen als een kind. De dag daarop had hij uit de winkel bloemen voor haar meegebracht. Nog zo'n verraderlijk teken.

'Nou, goed dan,' zei ze met een lachje. 'Een snel afzakkertje moet kunnen.'

Hij straalde. 'Je leeft maar één keer, hè?'

Ze liepen het restaurant uit en gingen door de lobby naar de bar. Halverwege bood hij haar zijn arm en ze haakte in. Achter de receptiebalie klonk een nummer op de radio dat ze dacht te herkennen uit haar studietijd, maar ze kon niet op de titel komen. Jaren geleden had ze voor haar verjaardag van haar man de lp gekregen. Was dat niet vlak na hun verloving? Of na hun trouwen? Ze wist het niet meer. Was het in de tijd van haar eerste zwangerschap? Hij had haar mee uit genomen naar een restaurant op Barna Pier en haar bij het dessert het cadeautje gegeven. Ze vond het raar dat ze zich nog precies kon herinneren hoe de plaat eruitzag, in blauw-met-zilver pakpapier, maar de titel van het liedje niet meer wist.

Ze vroeg het aan de Amerikaan.

'Volgens mij is het "You're So Vain" van Carly Simon,' zei hij.

Ze kneep in zijn arm. 'Ja, ja, je hebt gelijk.'

'Ik denk trouwens dat Carly Simon wel mijn lievelingszangeres is,' zei hij.

'Echt? Die van mij ook.'

Maureen Connolly, hield ze zichzelf voor, wat kun jij toch soms gruwelijk liegen.

Ze liepen de kleine bar in, die blauw stond van de rook, en liepen langzaam tussen de mensen door. Het was er stampvol – de mensen leken er ver heen en iemand probeerde ze met z'n allen aan het zingen te krijgen – maar alsof het zo moest zijn waren er nog twee barkrukken vrij. Ze liepen erheen en gingen zitten. Toen hij vroeg wat ze wilde drinken, zei ze dat ze een glas droge witte wijn wilde. Hij bestelde dat, en tonic met ijs voor zichzelf.

'Waar denk je aan?' vroeg hij.

'Aan Carly Simon,' antwoordde ze. 'Dat brengt zo het een en ander naar boven.'

'Bij mij ook,' zei hij. 'Uit de tijd voor al die vreselijke rap, hè?'

'Hou je niet van rap? De meisjes uit mijn klas zijn er gek op.'

Weer grinnikte hij. Dat grinniklachje van hem vond ze echt leuk. 'Ik krijg er genoeg van mee hoor, Maureen, via mijn eigen kinderen thuis. Maar vatten doe ik het niet. Die MC Hammer en zo, ik word er gek van. Geef mij maar "You're So Vain". Maar Carly zal wel precies mijn tijd zijn. Het stenen tijdperk, volgens de kinderen.'

'Ja. Wist jij trouwens dat ze verloofd is geweest met Bob Marley, Ray?'

Hij draaide zich om en keek haar in de ogen. 'Jee, echt? Nee, dat wist ik niet.'

Ze voelde dat ze een beetje bloosde. 'Nee, nee. Grapje. Carly Marley, snap je?'

'Carly Marley?'

Hij gooide zijn hoofd achterover en schaterde het uit. Ze klonken en lachten elkaar toe.

'Daar had je me mooi te pakken,' zei hij. 'Je had me mooi te pakken.'

Hij dronk in één lange teug zijn glas leeg, vroeg of zij nog wijn wilde en bestelde nog een tonic. 'Jij drinkt dus niet graag?' vroeg ze.

'O, nee, nee, zo zit het niet.' Hij stak zijn vinger in het glas en roerde de ijsblokjes rond. 'Er is zelfs een tijd in mijn leven geweest dat ik het te graag deed. En daarom mag ik niet meer drinken. Ik ben alcoholist.'

Ze voelde zich stom en schaamde zich. 'O, het spijt me, Ray,' zei ze.

'Hé, het hoeft jou toch niet te spijten. Niks aan de hand hoor. Wat spijt jou dan?'

'Ik schaam me nu dood, dat ik zo tegen je deed. Nu vind je me vast vreselijk.'

'Natuurlijk niet.' Zijn ogen bleven een paar tellen op haar rusten. 'Ik vind je juist heel leuk. Echt.'

Zijn geflirt bracht haar van haar stuk en ze wendde haar blik af om haar gedachten op orde te krijgen. Hoe heette dat restaurant in Barna ook alweer? Ze kon het zich niet herinneren. Maar na het eten waren ze de pier afgelopen en hadden ze een tijdje naar de Aran-eilanden in de verte zitten kijken. Op de kapotte muur aan het eind van de pier had iemand met witte letters *einde* gekalkt. Daar hadden ze samen nog grapjes over gemaakt. Ze wist nog hoe zijn lach over het water had geschald. Toen waren ze het bos van Barna in gereden en hadden ze gevrijd in de auto.

'Een oom van me is ook alcoholist,' zei ze.

'O ja?' De Amerikaan knikte. 'Ik moet hem eens opzoeken in de gids.'

Ze gaf hem lachend een mep op zijn hand.

'Zo bedoelde ik het niet,' zei ze. 'Niet zo gemeen doen.'

Hij bood haar nog een sigaret aan en ze accepteerde. Ze voelde de rook branden achter in haar keel. 'Maar waarom heb je de drank er dan uiteindelijk aan gegeven, Ray? Kun je dat zeggen?'

'Tja,' zei hij, 'weet jij nog waar je was toen je hoorde dat Kennedy was doodgeschoten?'

'Natuurlijk,' zei ze.

'Ik niet.' Hij glimlachte en nam een lange haal.

'Echt niet?'

'Jawel,' zei hij. 'Ik maak maar een grapje.'

'Waarom dan wel? Echt? Wil je dat niet zeggen?'

Hij zuchtte. 'De drank heeft me mijn eerste huwelijk gekost. Rita – dat is mijn eerste vrouw – is bij me weggegaan en heeft onze twee dochters meegenomen. Dat kon ik haar niet kwalijk nemen. Ik had het een en ander uitgehaald. Het was een fantastische vrouw. Lief, meelevend. Maar getrouwd zijn met een zuiplap betekent dag en nacht werk. En dáár had ze niet voor getekend.'

Hij haalde zijn portemonnee tevoorschijn, deed hem open en haalde er een gekreukte polaroid van zijn dochters uit; de langste van de twee droeg een toga en baret. 'Die rechts daar is Lisa, en die andere is Cathy op de dag van haar afstuderen.'

'Het zijn knappe meiden.'

'Ja,' zei hij. 'Dat hebben ze van hun moeder.'

'Heb je nog contact met haar?'

'Nee, nee. Ze is nu hertrouwd, met een fatsoenlijke vent. Woont in Oregon. We zijn elkaar in de loop van de jaren zo'n beetje uit het oog verloren.'

Hij stopte de foto terug in zijn portemonnee en nam een slokje tonic.

'En ben jij hertrouwd, Ray?'

'Ja, ja.'

'Nou, gelukkig maar dan, hè? Vindt ze het niet erg dat jij zoveel reist?'

Hij drukte langzaam zijn sigaret uit in de asbak op de bar. 'Ze is helaas overleden. Dat is nu drie jaar geleden. Doodgereden. Door een dronken automobilist.'

'O, Ray, wat erg. Wat vreselijk.'

Hij schudde zijn hoofd en zweeg.

Ze legde haar hand op zijn arm. 'Wat verschrikkelijk voor je.'

'Het kwam hard aan, ja,' zei hij. 'Het kwam heel hard aan.' Ineens leek hij geen woorden meer te kunnen vinden. Zijn ogen zwierven het vertrek rond en kregen een wonderlijk verbijsterde uitdrukking, alsof hij niet meer wist hoe hij daar verzeild was geraakt. 'Ik weet niet wat ik er je verder nog over moet vertellen.'

'Nee. Dat begrijp ik.'

'Het leven moet gewoon verdergaan, denk ik,' zei hij. Toen staarde hij naar zijn nagels en schudde opnieuw zijn hoofd. 'Hoewel, of dat móét, weet ik eigenlijk nog zo net niet. Maar verdergaan doet het kennelijk toch.'

Ze vond het pijnlijk, die plotselinge versombering van hem, die omlaag wijzende mondhoeken. Hij stak weer een sigaret op en inhaleerde diep. Hij hield hem tussen zijn middelvinger en duim en rolde hem heen en weer, terwijl hij naar de gloeiende rode punt bleef staren. Even wist ze helemaal niets te zeggen. Ze keek de bar rond, wanhopig op zoek naar gespreksstof. 'En ben je gelovig, Ray? Vind je daar misschien troost in?'

Hij staarde in zijn glas. 'Nee, Maureen. Niet echt.'

Toen hij naar haar opkeek, zag ze dat hij probeerde te glimlachen, al stonden er tot haar ontzetting tranen in zijn donkere ogen. 'Ik hoop dat ik je hier niet mee beledig, Maureen, maar ik zie het zo: godsdienst creëert angst waar niets te vrezen valt' – hij zweeg even en nam een trek van zijn sigaret – 'en geeft je hoop terwijl er eigenlijk niets te hopen valt.'

'Zo heb ik het nog nooit bekeken,' zei ze.

'Nee. Ach, nou ja.' Hij kneep in zijn neusbrug en plotseling lachte hij weer. 'Geen politiek of godsdienst in de kroeg, toch? Dat raden ze toch altijd af?' Hij veegde de as van zijn knieën. 'En ben jij zelf getrouwd op dit moment, Maureen? Mag ik dat vragen?'

'Tja,' zei ze, 'ik zit verstrikt.'

Hij knikte snel en diplomatiek, alsof dat precies het antwoord was dat hij had verwacht. 'Een van die gecompliceerde situaties.'

Ze overdacht die uitdrukking even. 'Tja, zo zou je het

wel kunnen zeggen. Een van die gecompliceerde situaties. Vind je het heel erg als we het er verder niet over hebben?'

Hij knikte. 'Ik heb een scheiding achter de rug,' zei hij. 'De pijn daarvan kan ik invoelen. De pijn als je in de steek wordt gelaten. Ja. Ja, natuurlijk. Maar weggaan doet ook pijn, niet? Er is echte moed voor nodig om afscheid te nemen.'

'Ja, waarschijnlijk wel.' Ze dronk nog wat wijn en keek de bar rond.

'Kun je me dan niet een beetje vertellen over dat... dat verstrikt zitten van jou?'

'Verstrikt is misschien het goeie woord niet,' zei ze.

'Oké,' zei hij. 'Wat is dan wel het goeie woord?'

Ze keek naar zijn welwillende, onschuldige gezicht. Hij leek erg op haar dokter, vond ze, de dokter die het haar verteld had. Ze hadden broers kunnen zijn.

'Ik ben een non,' zei ze.

(Goeie gód, dacht ze.)

Hij grinnikte in zijn glas.

'Het is waar,' zei ze. 'Echt.'

(Jezus chrístus, mens, wat zég je nou tegen die man?)

'Ach, maak 't nou.'

'Ray, ik ben non.'

'Ja hoor,' zei hij. 'En ik ben moeder Theresa.'

'Maar het is zo,' zei ze lachend. 'Heus.'

Even staarde hij haar uitdrukkingsloos aan. Toen priemde hij zijn vinger naar haar. 'Ha! Mooi niet! En ik weet waarom.'

'Wat bedoel je?'

'Omdat je me daarnet hebt zitten vertellen dat je twee kinderen hebt, moeder-overste. Hoe kom je daar dan aan? Onbevlekte ontvangenis?'

(Hou op, Maureen. *Hou op*. Niet doorgaan. Zo is het welletjes.)

Ze deed haar mond open en besloot de woorden te laten komen.

'Mijn man is twaalf jaar geleden overleden,' zei ze. 'Aan kanker. Longkanker. Hij... de dag dat hij het hoorde kwam hij naar huis en heeft hij het verteld. Ik stond in de keuken. Bij het aanrecht. Mijn handen te wassen. En ik... mijn handen roken naar rubber, zie je. Van mijn handschoenen. Ik had afgewassen en mijn handen roken naar rubber. En ik was te geschokt om iets te zeggen. Ik heb hem gewoon een tijdlang vastgehouden. Dicht tegen me aan. Zei dat ik van hem hield. Want ik weet nog dat ik dacht: als ik het geweest was, zou ik dát willen. Gewoon iemand die me in zijn armen hield. Iemand die zei: "Ik hou van je, Maureen. Ik zal voor je zorgen." Maar dat heeft hij niet gedaan. Ik bedoel, dat heb ik niet gedaan. En in de maanden daarna begon... ging het niet zo goed meer tussen ons. Raakten we van elkaar vervreemd. Alsof hij dacht dat ik het hem kwalijk nam dat hij ziek was. Ik heb nooit kunnen vatten hoe het voor hem geweest moet zijn. Ik heb vast kil geleken. Misschien zag hij niet hoe veel, hoe waanzinnig veel ik van hem hield. Misschien kon ik dat ook niet goed laten zien. Ik kan niet zo goed mijn gevoelens tonen. En ik moet harteloos op hem zijn overgekomen, al hield ik diep vanbinnen zoveel van hem dat... dat ik in zijn plaats was doodgegaan als dat gekund had. Maar dat ging natuurlijk niet. Dat ging niet. En zo is hij toen doodgegaan. Zonder dat ik ooit heb kunnen zeggen wat ik voelde. We hebben niet eens echt afscheid genomen. We hebben er niet eens echt over gepraat, al wisten we al een jaar dat het zou gebeuren. Nooit is het uitgesproken. Nooit in woorden gegoten. En op een gegeven moment is hij doodgegaan. Mijn kinderen waren al groot. Toen ben ik in het klooster gegaan.'

Zijn gezicht zag bleek van schrik. 'Je bent non,' zei hij.

Ze voelde hete tranen over haar wangen druppen. 'Ja.'

'Maureen, ik... het spijt me vreselijk dat ik er zo mee heb gespot.'

'Dat geeft niks.'

'Wat vreselijk voor je. Zo je man te verliezen.'

'Ja,' zei ze. 'Hij… hij hield zo van het leven. Hij vond het echt heerlijk om in leven te zijn. Zo zijn ze in Ierland niet allemaal. Hij wel, Ray. Hij wel. In zijn laatste paar maanden nog meer dan anders, geloof ik. Dat begon zich op rare manieren te uiten. Ik bedoel, de meeste mensen zouden het raar hebben gevonden. Ik… Het was bijvoorbeeld zo dat hij iedere week een nacht in het ziekenhuis moest doorbrengen. Maar zonder dat tegen iemand te zeggen, is hij daarmee opgehouden. Hij wilde gewoon niet. Op een ochtend kwam ik langs om hem daar op te zoeken en ben ik erachter gekomen dat hij er al heel lang niet geweest was. Hij had gelogen.'

'Waar was hij dan wel?'

'Ik ben erachter gekomen dat hij dan de stad uitging. Dan reed hij naar het station van Galway en nam hij de trein. De eerste de beste. Waar die ook heen ging. Toen ik hem daarop aansprak, zei hij dat hij het land nog een laatste keer wilde zien. Voor hij doodging. Dan ging hij ergens naar een hotel, een klein hotel meestal, en daar logeerde hij dan gewoon in z'n eentje. Hij leek er iets aan te ontlenen wat hij thuis niet vinden kon.'

Hij bood haar een zakdoek aan en ze droogde haar tranen.

'Het gaat wel weer,' zei ze. 'Echt, het gaat wel. Ik heb er alleen in geen tijden over gepraat. Het gaat prima. Kunnen we nu dan over iets anders praten? Alsjeblieft?'

Hij oogde nog slap van verbazing toen hij een nieuw gesprek met haar op touw probeerde te zetten. 'Tja, je bent nu non. Dat is me wel even wat!'

'Ja, dat kun je wel zeggen.'

'En mag ik wel met een non in de bar zitten? Is dat eigenlijk geen zonde?'

'Nou, ik vind het niet erg,' zei ze. 'Zolang jij het ook best vindt.'

194

'Ik moet nu echt even naar de wc,' zei hij. 'Wil je me een ogenblikje excuseren?'

Ze keek hem na toen hij snel de deur uitliep. Het leek warmer te worden in de bar. Verderop in de lobby doken twee stevige politieagenten op, hun lichtgevende gele nachtjacks glommen van de regen. Ze werd licht in haar hoofd van paniek. Opeens kreeg ze in de gaten dat de vertegenwoordigers die ze had afgeluisterd aan een tafeltje in de buurt zaten, met nog een derde. Ze waren alledrie duidelijk dronken. Die met de lompe kop leek nog steeds aan hetzelfde eindeloze verhaal over curry en Cork bezig, of anders zeker iets wat erop leek, en bij zijn vriend, de man die net een rugbyspeler leek, kon je de verveling bijna van het gezicht scheppen.

'Ik kon het verdomme niet gelóven,' zeurde Lompkop, 'toen ik de volgende ochtend wakker werd *leek mijn reet net de Japanse vlag!*'

Waarom in naam van God en alle heiligen, vroeg ze zich af, moest jij zo nodig zeggen dat je non was? Uitgerekend een non. Waar kwam dat vandaan? Oké, hij wilde je versieren. Maar hij wilde alleen maar weten of je getrouwd was voor hij echt doorzette. Een non? Jezusnogantoe. Die mag jij niet eens, nonnen. Waarom doe je zulke dingen toch? *Waarom?* Haar gedachten dwaalden terug naar een van haar recente tochtjes naar Dublin. In het Gresham Hotel aan O'Connell Street was ze voor ze het wist de nachtportier aan het vertellen dat ze gescheiden leefde van haar man, een bekende dichter wiens naam ze niet kon onthullen. In de trein terug naar Galway de afgelopen maand was ze in de restauratiewagen in een verhit debat over politiek verzeild geraakt met een fanatieke jonge priester die ze verteld had dat ze net gescheiden was. Vorige week nog had ze in de Jury's Inn in Christchurch de serveerster die met het ontbijt kwam verteld dat ze een weduwe was wier man vermoord was door gewapende inbrekers uit de binnenstad. Waar was dát vandaan gekomen? En nu was ze weer een non. Ze stond versteld van zichzelf.

Tot haar grote verbazing kwam Ray ten slotte terug. Hij ging zitten, dronk in één teug zijn glas leeg en zei dat er volgens hem buiten iets gebeurd was, hij had de politie in de lobby over de mobilofoon iets horen zeggen over het vermoeden dat er beneden in de nachtclub drugs verhandeld werden. Precies op dat moment verscheen als om zijn woorden te bevestigen de manager in de deuropening. Na een knikje van de manager probeerde het personeel ijlings uit alle macht de schijn te wekken dat de bar allang dicht was. Ze haalden de glazen van de tafels in de hoek waar een soort kantoorfeestje aan de gang leek, al waren de meeste glazen nog niet leeg. Twee feestvierders stonden schreeuwend op en liepen dreigend op een barman af.

Een van de agenten kwam binnen met de manager in zijn kielzog, die zijn handen opstak en erin klapte. Alle lampen in de bar gingen aan. De gesprekken waren snel verstomd.

'Deze bar is vanaf nu gesloten,' kondigde de agent aan.

Een zacht gekreun vulde het vertrek.

'Is de gastenbar nog open?' riep er iemand.

'Alleen voor gasten,' antwoordde de barman.

'Is het te laat om nog een kamer te bespreken?' schreeuwde de man, en iedereen schoot in de lach.

'Het beste kunt u nu allemaal boven naar bed gaan of naar de gastenbar of waar u ook moet zijn,' zei de agent. 'Anders moet ik van alle aanwezigen hier verklaringen gaan opnemen.'

Mopperend en protesterend stonden de mensen op en schuifelden ze naar buiten, sommigen met glazen of flessen onder hun jas verstopt. Zij en de Amerikaan liepen er langzaam achteraan. In de koude lobby leek het te tochten. Haar metgezel had een vermoeide en verslagen blik in zijn ogen. Hij keek om zich heen alsof hij iets probeerde te bedenken wat hij zeggen kon.

'Die sluitingswetten hier,' bracht hij er ten slotte uit.

'Ja,' zei ze. 'Zo wordt het wel een abrupt welterusten.'

Hij keek op zijn horloge. 'Ja,' stemde hij in. 'Tenzij jij zin hebt om nog even naar die beroemde gastenbar te gaan.'

Haar hart leek tegen haar ribben te hameren. Haar gezicht voelde als vuur.

(Maureen, *laat dat*. Nu gewoon weggaan. Het is al laat.)

'Ik weet het niet,' zei ze. 'Wil je niet even mee naar mijn kamer? Voor een kop thee of zo? Ik geloof dat ik er een waterketel heb zien staan.'

Hij klemde zijn lippen op elkaar en wilde haar niet aankijken. 'Goed dan,' zei hij. 'Waarom niet? Misschien hebben we vanavond lang genoeg in een bar gezeten.'

In de lift zeiden ze geen woord tegen elkaar. Ze bedacht wat haar man zou zeggen als hij haar nu zag. Hij zou thuis wel diep in slaap zijn, in hun bed, het bed waar hun twee mooie kinderen waren verwekt. Hij zou een kop thee op zijn nachtkastje hebben staan. De radio zou aan zijn, zoals altijd wanneer ze er niet was. Het nam haar voor hem in dat hij in haar afwezigheid niet kon slapen zonder de radio aan te hebben. In de gang hoopte ze dat ze haar ondergoed niet op de vloer had laten slingeren. Ze had zich geen zorgen hoeven maken. De kamer was leeg en netjes als een kloostercel. Ze deed water in de ketel en zei tegen de Amerikaan dat hij maar ergens moest gaan zitten. Ze bedacht dat ze niet wist wanneer ze voor het laatst met haar man of wie dan ook samen in een hotelkamer was geweest. Hij slenterde naar het raam en bleef een tijdje naar buiten staan kijken alsof zijn aandacht in beslag werd genomen door iets heel bijzonders en ging daarna op de vensterbank zitten.

'Weet je,' zei hij onverwachts, 'een goeie vriend van mij is ook gelovig. Een katholieke priester.'

'Ik zal hem eens opzoeken in de gids,' zei ze.

Lachend stak hij zijn vinger naar haar uit.

'Die zit. Maar ik zat net te denken, vreemd genoeg is hij

juist degene door wie ik uiteindelijk atheïst geworden ben. Indirect dan.'

'Hoe zit dat dan?'

'Hij zat bij die revivalbeweging in New York. Gebeds- groepen. Weet ik veel. Een paar jaar geleden had ik het moeilijk met de drank, en toen heeft hij me op een avond zover gekregen dat ik meeging. En dat heeft me voorgoed genezen.'

'Hoezo dan?' vroeg ze. 'Vertel eens.'

'Dat is toch niet interessant voor jou.'

'Jawel, Ray. Vertel op.'

'Tja, eens denken.'

Ze gaf hem een kop thee en ging op bed zitten.

'Vertel op,' zei ze weer. 'Ik heb daarnet toch ook mijn ziel en zaligheid voor jou blootgelegd?'

Hij lachte zachtjes. 'Nou, het was echt zo'n hete zomer in New York. Er heerste waterschaarste en de mensen wer- den gek. Iedereen glibberde zo'n beetje rond in van die fietsbroekjes, roze en klam. Als zielige kippen. En op een avond ging ik met Liam Gallagher, dat is die vriend van mij, de eerwaarde Liam...'

'De eerwaarde Liam Gallagher?'

'Ja, wat 'n giller hè? Nou ja, ik had dus besloten om mee te gaan naar die gebedstoestand. Ik bedoel, baat het niet... Soms ben je tot alles bereid. In een kapsalon was het. Want waar ze normaal naartoe gingen, daar was de airco kapot, en dus – een van de lui van die groep, de leider, Stephen heette hij, die werkte in een kapsalon met een goeie airco, en dus werd de bijeenkomst daar gehouden.'

Ze lachte in haar thee. 'Vertel verder,' zei ze.

'Nou goddank waren wij de eersten, Liam en ik. Eerst was er koffie en frisdrank, en zelfs een koude schotel en broodjes. Het begon met een beetje tamboerijn en gitaar. Ik bedoel, dat was allemaal nog onschuldig. Maar toen dat spreken in tongen begon kreeg ik echt het gevoel, jezus, ik wil hier weg. Dit is voor een volwassen kerel toch zonde van zijn tijd.'

Een volwassen kerel, dacht ze. Een arm misleid bang ventje.

'Ik weet nog dat ik daar aan het nieuws zat te denken. Die middag had ik in een café naar het cnn-nieuws zitten kijken. Iets over de wapenstilstand in Noord-Ierland. Daardoor dacht ik aan mijn vader. Die was het jaar daarvoor overleden. En iets over een satelliet die ze kwijt waren – de nieuwslezer zei dat hij een gat zou slaan ter grootte van Manhattan Island als hij op het aardoppervlak zou botsen. Ik weet ook nog dat ik aan Bosnië dacht. Ik vond het zo onwezenlijk, ik dacht zoiets als: in Bosnië schieten ze elkaar overhoop, en ik zit hier halflazarus in een kapsalon, en ik voel me niet bepaald lekker, om van normaal maar te zwijgen. Vooral ook die hitte, het was zo'n soort hitte waar je allerlei waanbeelden van krijgt. Ik dacht steeds: als ik mijn voeten nu in een bak water stop, stijgen daar sissende stoomwolken uit op. En overal om me heen zaten mensen van middelbare leeftijd, mensen zo oud als ik. Maar ze gedroegen zich als beatniks. Tegenover me zat zo'n figuur, in zo'n ouderwetse kapperstoel, je weet wel. Te bidden als een gek. Maar hij had een kop als een renpaard. Echt. Nu lach je, maar je had die figuur moeten zien. En die vrouw naast hem, die kwam bij de koffietafel zo'n beetje tegen me aan staan schurken, volgens mij had ze dringend medische hulp nodig. Ze rolde maar met haar ogen en riep met een gek stemmetje: "Looft de Heer, o, looft de Heer." Snap je wat ik bedoel?'

'Ja,' zei ze. 'Ik snap wat je bedoelt, Ray.'

(Je hebt geen flauw idee wat hij bedoelt, liegbeest.)

'Op een gegeven moment zei Stephen: "God heeft Zijn enige zoon gezonden om voor ons te sterven." Ja, dacht ik, en niet om haar te verven. Ik voelde me afschuwelijk, Maureen. Het licht was ook zo raar in die salon. Raar neonlicht dat door de kieren in de rolluiken naar binnen scheen. Dat licht had iets wat me misselijk maakte. Als je zag hoe het glom op die bolle droogkappen. En dan dat kappersluchtje? Dat metalige luchtje dat je bij hairspray hebt? En die shampoo. Dennengeur. Weet je wel? Ruikt absoluut niet naar dennen, maar meer zoals de commissie heeft besloten dat dennen moeten ruiken.'

'Ik snap wat je bedoelt,' zei ze. 'Ik heb er ook een hekel aan.'

(Je hebt er helemaal geen hekel aan, Maureen. Je vindt het eigenlijk best lekker.)

'Ja. En dat kleine mens zat dus naast me, dat mens met die Little Richard-ogen. En naast haar, ik bedoel echt vlák naast haar, had je op de salontafel een stapel vrouwenbladen liggen. En op een van die omslagen zag ik in van dat hartaanval-roze de woorden VERPLETTERENDE ORGASMEN staan, dwars over een foto van een of andere actrice met een zwarte bikini aan. Ik hoop dat ik je hier niet mee kwets, maar het stond er echt: VERPLETTERENDE ORGASMEN.

'Dat kwetst me heus niet, Ray.'

'Verpletterende orgasmen. En wij werden geacht daar te bidden. Terwijl ik naar dat mens naast me keek en probeerde te bedenken of die zelf ooit een verpletterend orgasme had gehad, moet je nagaan. En eerlijk gezegd twijfelde ik daaraan. En toen begon ik me af te vragen of ik dat ooit gehad had. En eigenlijk dacht ik van niet. Ja, als ooit een verpletterend orgasme gehad had, had ik dat toch nog geweten? Ik wist eigenlijk niet eens of ik er wel een wilde. Een orgasme dat je echt verplettert. Ik wist het echt niet.'

'Gelijk heb je, Ray,' zei ze. 'Ik waarschijnlijk ook niet.'

(Geloof je het zelf, Maureen? Geloof je het zelf?)

'En toen begon Stephen, die leider van de groep, met dat spreken in tongen. Het is een grote vent over wie ik het hier heb. Die graag zijn bordje leegeet. En die deed zijn mond open en liet me daar toch iets uitkomen. Het was geen verbale diarree meer, maar verbale incontinentie. En toen gingen al die lui daar hetzelfde doen. Dat geluid maken, naar voren en achteren deinen. Liam had me ervoor gewaarschuwd, maar het echt meemaken is toch weer anders. Die Stephen deed het echt. Die man stond me daar toch te krijsen.'

Ze deed haar best om te lachen.

'En dat geluid, dat klonk, hoe zal ik het zeggen, allemaal klinkers, wa-wa, wo-wo, en ik probeerde me echt vroom te voelen maar ik vond het net een refrein van zo'n doo-wop-nummer. En hij zegt: "Doe mee, mensen, als je de Geest voelt bewegen, beweeg dan mee." En ik kan alleen maar *awopbopaloobop* denken. Eerlijk waar. *Awopbopaloobop alop-bamboom*. Stephen zegt weer: "Laat je gaan." En ik denk: *tutti frutti, oh fuckin' Rudi*. Excuseer m'n taalgebruik.'

'Geeft niet,' zei ze. 'Dit is niks bij wat ik iedere school-dag hoor.'

Hij stond van de vensterbank op, liep naar de ladekast en schonk nog wat melk bij zijn thee. Daarna stak hij een siga-ret op, inhaleerde diep en kwam naast haar op bed zitten.

(Maureen! Waar ben je mee bezig? Laat hem daar toch niet zitten, in godsnaam.)

'"Raymond Joseph Dempsey, kijk eens goed naar jezelf," voel ik mezelf zeggen. "En dan, als je jezelf eerlijk en waarachtig getaxeerd hebt? Kijk dan eens naar hen. Naar die *Jesus people*." Want inmiddels heb ik het gevoel dat ik op een soort scherm naar ze zit te kijken. Of door een soort lens. Of door een oud raam, bewasemd en vuil. En dan beginnen ze weer te zingen. Al die mensen. Gezangen zijn het. Maar niet van die echte, oude gezangen. Meer populaire nummers. "Bridge Over Troubled Waters" bij-voorbeeld. "He Ain't Heavy, He's My Brother". Echt, dat zijn nu gezangen geworden. "You're So Vain" is binnen de kortste keren ook een gezang als het aan die lui ligt.'

Ze ging plat op bed liggen, schopte haar schoenen uit en staarde naar de schimmige gewassen op het plafond. Ze kreeg het gevoel dat hij langzaam naar haar toe kroop. Hij maakte zijn das los en maakte het bovenste knoopje van zijn overhemd los.

(*Maureen! Zeg dat je wilt gaan slapen.*)

'Ze zeggen dat Gods wegen ondoorgrondelijk zijn. Nou, die van Stephen ook. Als je zag hoe die rondwaggelde. Hij gaf me met zo'n vals lachje een tamboerijn. "Raak 'm voor de Heer, broeder." Ik maak geen grapje, dat is precies wat hij zei. "Raak 'm voor de Heer", Maureen. Op straat ging er een autoalarm af. Dat geluid – ooooOOOO – ik dacht dat er iemand huilde. De zon ging onder en buiten was alles van brons. Mysterieus zag het eruit, prachtig. Door de luiken zag ik zwarte jongens met honkbalshirtjes en honkbalpetjes. Ze waren aan het voetballen, maar dan met een tennisbal. Af en toe bonkte de bal met een keiharde knal tegen het raam. En dan gierden al die jongens het uit.'

Hij tikte zijn sigarettenas in het kommetje van zijn hand. Ze keek naar die hand, zo sierlijk en fraai en toch zo mannelijk. Ze zag het haar op de knokkels.

'Op een gegeven moment houden die tongen kennelijk op en wordt het stil. Stephen staat op.

"Is hier iemand die iets kwijt wil, broeders en zusters?" En aan de manier waarop hij dat zegt, hoor je dat het geen vraag is, maar meer een vaststelling. Eigenlijk wil ik niet. Maar nu zie ik ook Liam naar me knikken. En Stephen zegt: "Ik heb echt het gevoel dat er onder ons iemand is die kwijt wil wat zijn hart bezwaart."'

(*Je snapt toch wel dat hij dit allemaal verzint, Maureen? Dat hij je met z'n praatjes probeert te lijmen? Je bent toch niet achterlijk?*)

'Ik heb geen zin om op te staan. Maar voor ik het weet

doe ik het toch. Zo ben ik nu eenmaal. Wat mijn dochter Lisa een behager noemt, iemand die altijd aardig gevonden wil worden. Het was hetzelfde in de jaren dat ik naar de AA ging. Altijd de eerste die opsprong en met zijn billen bloot ging. Volgens Lisa heb je twee soorten mensen in de wereld: behagers en leiders. Zij moet haar pijnpunten rond leiders doorwerken. Dat soort taal slaat ze uit sinds ze in therapie is.'

Hij zweeg en staarde even naar het vloerkleed. Toen ze nog eens goed naar hem keek dacht ze te zien dat hij beefde. Ze begreep toen dat hij het niet verzon.

'Gaat het wel?' vroeg ze.

'Jawel, jawel. Waar was ik, Maureen? Het spijt me. Ik ben de draad kwijt.'

'Je was net opgestaan om iets te zeggen. Bij die gebedsbijeenkomst.'

'O ja. Goed, ik sta dus op. Ik zeg: "Ik heet Ray Dempsey", en precies op dat moment klinkt dat keiharde rinkelgeluid van de tennisbal die tegen de rolluiken knalt. En om tijd te winnen om na te denken draai ik me bliksemsnel om, zet mijn bril af en kijk naar het raam, alsof daar enig heil van te verwachten valt. Ik zie de zon, dieporanje aan de hemel, die een prachtige paarsrode tint heeft gekregen. Dan draai ik weer terug en kijk ik naar al die naar mij opgeheven gezichten om me heen. Als voormalig dronkelap zou ik er toch aan gewend moeten zijn om in het middelpunt van de belangstelling te staan, zou je denken. Maar nee. Om de een of andere reden die ik niet snap, merk ik dat ik plotseling in tranen ben. Terwijl ik in jaren niet gehuild heb.

Weer zeg ik hoe ik heet, waar ik vandaan kom. Ik vertel dat ik negenenveertig ben en voor een reisbureau werk. Mijn vrouw is pas gestorven. Mijn vrouw is dood. Ik hield van haar. En ze is dood. Die God van jullie, dat wezen van liefde, nou, die heeft me mijn vrouw afgepakt. Ik hoor die woorden uit mijn mond komen maar ik voel me nog steeds alsof ik er niet echt bij ben. Alsof ik zweef, of alsof ik die woorden ooit heb opgeschreven en vanbuiten heb geleerd.

Ik voel mijn gezicht vertrekken als ik de tranen probeer weg te slikken. Iemand geeft me een papieren zakdoekje. Nu huil ik echt. Stephen komt naar me toe en legt zijn handen op mijn hoofd. En hij begint: "Vergeef, Ray, vergeef, Ray." Dat blijft hij maar herhalen. En na een tijdje kan ik niet meer zeggen of hij nu bedoelt dat ik iemand moet vergeven of dat ze mij moeten vergeven. Meer zegt hij niet: "Vergeef, Ray, vergeef, Ray." Telkens weer. En dan legt hij weer zijn handen op mijn hoofd en begint hij zo hard te drukken dat ik er pijn van in mijn schouders krijg. En dan begint hij: "Voel je het, Ray? Voel je het, Ray? O, zeg dat je het voelt, broeder." En dat is dan waarschijnlijk de clou van het verhaal, Maureen. Want gek genoeg voelde ik inderdaad iets.'

'Wat dan?' vroeg ze.

Buiten floot de wind. Hij staarde naar het plafond en zuchtte. Hij bleef eindeloos zwijgen. Toen hij weer verderging klonk zijn stem rustig en beheerst. 'Wat ik dan voel, echt voor het eerst van mijn leven voel als een absolute, onwankelbare zekerheid, is dat er geen God is, dat er nooit een God geweest is en nooit een God zal zijn. En dat dat niet erg is. Dat de kapsalon, die flessen vol gekleurd spul op de planken, de kappersstoel – dat dat alles is wat er is. De straatjongens die hun bal tegen het luik laten knallen. Verder niks. Ja zeker, die mensen daar. Hun hoop dat er een God is, die ook. Maar géén God. Geen opperwezen daar ergens. Ook geen duister wezen. Je hebt dit gesprek, dit ogenblik en verder niets. Hier en nu, bijvoorbeeld, is er alleen deze kamer, jij en ik die hier in de kamer aan het praten zijn, in dit hotel, in deze stad, waar we geen van beiden wonen. We hebben elkaar nooit eerder ontmoet. Vanavond hebben we elkaar leren kennen en zijn we aan de praat geraakt. Vijf minuten vroeger, of later, en het was niet gebeurd. Maar het is wel gebeurd. Dat is het sacrale moment. Als er al een sacrament bestaat, is dat het. En verder? Heel weinig. De dingen die ons in ons leven overkomen, ja. Onze herinneringen, jawel. Onze verlangens, ook die. Het werk van kunstenaars. Als we kinderen hebben, dan die kinderen. En iedereen van wie we houden. Misschien iedereen van wie we ooit hebben gehouden. Maar verder niets. We komen hier één keer langs en dan is het afgelopen. Maar zo is het goed.'

'En geen hiernamaals?' vroeg ze.

'Nee,' zei hij. 'Voor mij niet. Want die ene keer leven, nou, dat is op zich al wonder genoeg.'

Hij stond langzaam op en liep naar het raam. Hij liet zijn gezicht tegen de ruit rusten. Ze keek naar zijn spiegelbeeld. Verderop bij de rivier klonk de snijdende kreet van meeuwen. In het verre stuk van de lucht was grijs licht verschenen. Over de noordkade reed met hoge snelheid een ambulance, met een blauw zwaailicht dat weerkaatste in het water.

'Het is al laat,' zei ze.

'Ja,' zei hij. 'Ja, het is al laat. Sorry, Maureen. Ik weet niet waarom ik je dat nu allemaal moest vertellen. Ik heb me laten meeslepen.' Hij keek naar de wekker op haar nachtkastje en trok een bedenkelijk gezicht. 'Ik moest maar eens gaan.'

Hij draaide zich naar haar om. Ze stapte van het bed en liep op hem af.

'Het spijt me als ik je ergens mee heb beledigd,' zei hij. 'Het is vast toch allemaal maar flauwekul.'

Ze deed nog een stap in zijn richting en kuste hem op zijn wang. Hij raakte haar haar aan.

Voor ze het wist kuste ze hem vurig op zijn lippen. Hij beantwoordde die kus. Ze liet haar tong in zijn mond glijden. Ze voelde hem terugdeinzen.

'Ik geloof dat dat niet zo'n goed idee is,' zei hij.

'Als je hier wilt blijven, Ray, dat kan, hoor.'

'Hier wil blijven? Ik blijf al hier. Mijn kamer is boven.'

'Nee, ik bedoel de nacht doorbrengen. Hier. Wat er nog van de nacht over is.'

'Begrijp ik dat nu goed? Als ik hier de nacht wil doorbrengen, hier op deze kamer?'

'In dit bed. Bij mij.'

Hij schoot in de lach. 'Jij bent een non.'

'Ja.'

'Jij bent een non en je wilt dat ik vannacht bij je blijf?'

'Gewoon hier slapen, bedoel ik. Mijn bed delen. Je voelt zo vertrouwd.'

'Hoor eens, ik weet dat ze zeggen dat de katholieke kerk sterk aan het veranderen is, maar Maureen, dit is toch wel…'

Zijn stem stierf weg. Ze beantwoordde zijn lach niet. Hij krabde op zijn hoofd en keek verdwaasd de kamer rond. 'Alleen samen slapen?' vroeg hij.

'Ik ben niet het soort non dat bij het eerste afspraakje meteen wil vrijen,' zei ze.

'O nee? Dat heb ik dan weer.'

'Wil je je niet uitkleden, Ray, en bij me in bed komen?'

'Me uitkleden?'

'Alsjeblieft. Om mij een plezier te doen.'

'Wat is dat nu voor onzin?'

'Ray, ik ben tweeënvijftig. Tweeënvijftig jaar. Ik zal nooit van mijn leven meer een naakte man zien. Dat is de waarheid. Ik zal de rest van mijn leven niet meer gekust worden. Nooit meer. Niemand wil dat. En dat is niet erg. Ik klaag niet. Voor dat leven heb ik gekozen. Maar voor deze ene laatste keer zou ik nog graag een naakte man zien. Alsjeblieft.'

Ze keek toe hoe hij zijn jasje en schoenen uittrok. Daarna zijn sokken en das. 'Je meent dit echt?' vroeg hij en ze knikte. Hij deed de knoopjes van zijn overhemd los en trok het uit. Hij maakte zijn broek los en liet die op de vloer vallen. 'Je houdt me niet voor de gek?' Ze schudde haar hoofd en zei nee. Hij stroopte zijn onderbroek af over zijn dijen en voeten. Toen stond hij naakt voor haar, zijn lange, stevige armen bungelden naast hem en hij zei niets. Op zijn linkerschouder had hij een vervaagde tatoeage in de vorm van een hart. Zijn borst was bedekt met dun grijs haar, dat ook van zijn navel naar zijn geslachtsdelen liep. Over zijn rechterknie liep een litteken. Zijn teennagels waren te lang. Hij was weliswaar gezet en had ook een buikje, maar had nog een iets beter figuur dan haar man. Hij begon kippenvel te krijgen. Hij rilde even en klopte een paar keer op zijn buikje.

'Sorry dat je geen beter exemplaar getroffen hebt.' Hij lachte zachtjes. 'Voor de laatste man die je ooit naakt zult zien.'

'Je bent prachtig,' zei ze. 'Wil je mij nu misschien uitkleden?'

Hij hielp haar uit haar trui. Ze stond op en trok haar lange broek uit. Naakt gleden ze samen onder het dekbed. Ze keerde haar rug naar hem toe, en hij liet zijn arm om haar heen glijden. Ze deed het schemerlampje uit en een paar minuten lagen ze roerloos in het schemerduister. Buiten denderde een grote vrachtwagen voorbij. Ze voelde zijn kleine dikke penis hard worden tegen de achterkant van haar dijen.

'Ray,' zei ze.

'Dit is wel een beetje gênant,' zei hij bedaard. 'Ik raak opgewonden van je.'

'Geeft niet,' zei ze.

'Geeft wel. Ik raak seksueel opgewonden door een non. Nu moet ik verdomme de rest van mijn leven in therapie.'

'Je pijnpunten rond het opgewonden raken door nonnen doorwerken,' zei ze.

'Reken maar. En dat zijn nog niet de goedkoopste pijn-punten ook, dat kan ik je verzekeren.'

Ze deed het schemerlampje weer aan en draaide zich naar hem om. 'Je hebt me echt aan het lachen gemaakt van-avond, Ray.'

'Jij mij ook. Heus.'

'Mag ik je nog iets vertellen? Ik had het meer nodig om eens lekker te lachen dan jij.'

'Hoezo?'

Ze raakte zijn lippen aan. 'Het maakt niet uit. Er is iets moeilijks in mijn leven gebeurd. Iets heel pijnlijks. Ik wil er niet over praten. Maar jij hebt me aan het lachen gemaakt en je hebt me ontroerd. Je bent een lieve, tedere, prachtige man, meneer Ray Dempsey. Ik hoop dat je dat beseft. Echt. Als ik de kans had ging ik er met je vandoor.'

'Als dat kon, hè?'

'Ja. Als ik dat kon.'

'En waarom kan je dan niet?'

'Omdat het geen toekomst zou hebben, Ray. En dat is de waarheid.'

Zodra ze haar armen om hem heen sloeg begon hij te huilen. Ze was er blij om, want vanaf het eerste moment had hij haar een man geleken die eens flink moest huilen. Hij sloeg zijn handen voor zijn gezicht en schokte stilletjes van de tranen. Lange tijd liet hij helemaal geen geluid horen, alleen zo af en toe een zacht, beverig zuchtje. Hij rilde een beetje onder het huilen, en ze hield zijn hoofd vast. Ze sloeg haar armen om zijn schouders en kuste zijn haar.

'Het is goed, Ray,' fluisterde ze. 'Het is goed. Ik ben hier.'

'Het spijt me, Maureen,' snikte hij. 'Ik weet niet wat ik nu heb.'

Ze kuste hem zachtjes naast zijn mond en hield hem in haar armen tot hij in slaap viel.

Het klaaglijke geluid van een stofzuiger buiten op de gang maakte haar even over half negen wakker. De klamme lakens zaten stijf om haar dijen gewikkeld. Het was benauwd in de kamer, verstikkend warm. Haar mond voelde aan alsof ze een brok zout had ingeslikt. Toen ze overeind kwam om een slokje water te nemen zag ze het briefje op het kussen.

Ben naar Newgrange, 6 uur terug. Zou je dan graag weer zien. Alsjeblieft? Zal niet-storenbordje aan de deur hangen. Vrolijk soekot. Alle goeds, Ray. P.S. Bedankt voor alles.

Ze nam een lange, koele douche en ging toen een tijdje naakt op het kingsize bed zitten. Ze begon na te denken over dat woord, kingsize. Koningsformaat. Wat betekende het eigenlijk? Een koning kon tenslotte ieder formaat hebben. Richard iii bijvoorbeeld was praktisch een dwerg geweest, maar Hendrik viii was weer boomlang en had zijn buik als kilt kunnen dragen. Ze rookte twee van de drie sigaretten die nog in het pakje zaten dat ze op het vloerkleed had gevonden, en staarde neer op de rivier, waarvan de draaikolkjes en poeltjes voor haar blik vervaagden terwijl ze nadacht over de betekenis van woorden. Maandagochtend zou ze het er met de meiden uit de zesde over hebben. 'De verschillende betekenissen van woorden', dat zou de titel van hun volgende opstel worden. Liefde. God. Ierland. Seks. Afscheid. Dat waren een paar van de voorbeelden die ze haar leerlingen zou voorleggen van woorden met verschillende betekenissen, afhankelijk van hoe ze werden gebruikt, en wanneer, en door wie, en vooral: waarom.

Beneden stond de uitgeput lijkende nachtportier als een schildwacht bij de deur van het restaurant; het leek wel of hij haar verwacht had. Achter hem scheen heel helder het gele licht, het leek hem met een prachtig glanzend vernislaagje te omkransen, als bij een engel op een middeleeuws schilderij – zo leek het haar tenminste. Toen ze aanstalten maakte om naar binnen te gaan versperde hij haar de weg en keek hij haar afkeurend aan. 'U bent de dame die gister-avond te laat was voor het diner,' zei hij.

'Ja, dat klopt. Het spijt me.'

Hij tikte op zijn horloge. 'Nu bent u ook weer ver-schrikkelijk laat, mevrouw.'

'Ja, dat weet ik,' gaf ze hem gelijk. 'Ik heb uitgeslapen.'

Hij haalde zijn schouders op. 'Het ontbijt is om negen uur afgelopen. Dat zijn de regels. We zitten krap in ons personeel.'

'Dat weet ik. Maar misschien...'

Hij stak zijn hand op. 'Ik heb die regels niet verzonnen. Regels zijn regels. Ze hebben mij nooit naar mijn mening gevraagd. Maar zo zijn ze nu eenmaal.'

'Maar denkt u – denkt u dat u, echt voor de allerlaatste keer – dat u voor mij misschien een uitzondering zou kun-nen maken?'

Hij staarde haar een paar tellen aan, alsof ze iets onge-hoords had gezegd.

'Alstublieft,' zei ze. 'Ik weet dat ik verkeerd zit. Dat begrijp ik wel.'

Hij zuchtte en schudde zijn hoofd. 'Tja, iedereen kan natuurlijk een fout maken. Dus komt u maar. We zullen u niet laten verhongeren. Maar alleen voor deze ene keer, laat dat duidelijk zijn.'

Hij ging opzij en wenkte haar met een gracieuze zwaai van zijn witte servet naar binnen. Het kleine vertrek leek te zingen van zuiver licht. Hij gaf haar een plek in een box. Ze dacht aan haar man, die opstond, zich schoor, onder de douche ging, zijn tanden poetste, schone kleren aantrok. Ze dacht aan de citroengeur van zijn aftershave. Ze stelde zich voor hoe hij het huis uitging en naar zijn werk reed. Hij zou luisteren naar het begin van de *Pat Kenny Show* op de radio. Op weg naar de stad zou hij stoppen bij Lafferty om de *Irish Independent*, een pakje sigaretten en twee lotto-formulieren te kopen. Ze zei altijd tegen hem dat hij die allemaal net zo goed bij zijn eigen supermarkt kon halen, maar nee, hij had ze altijd bij Lafferty gekocht en dat zou zo blijven. Hij was een gewoontedier. Het was een van de dingen die haar aan hem ergerden, maar die haar ook, en wel tegelijkertijd, het dierbaarst waren. Ze probeerde zich uit alle macht voor te stellen hoe hij het zou redden als zij er niet meer was. Daar zouden ze het binnenkort over moeten hebben, over het onafwendbare feit van haar heen-gaan, het absurde maar ook het onomstotelijke ervan, het begin van de allerlaatste herfst. Ze moesten eraan geloven. De gedachte bracht tranen in haar ogen maar ze knipperde ze weg. De portier bracht haar een kom cornflakes en een kop vettig ogende thee.

'Meer kan ik echt niet voor u doen,' zei hij. 'En als ze erachter komen dat ik dit heb gedaan, word ik meteen ont-slagen.'

'Dank u wel, dat is geweldig.'

Vijf minuten later kwam hij met een standaard met gloeiendhete, kleffe toast, een mandje broodjes en een zil-veren schoteltje met marmelade.

'Dank u wel,' zei ze. 'U bent heel vriendelijk.'

'Nou, niet echt hoor.'

'Wel waar. U bent een godsgeschenk.'

Hij maakte een spottend gebaar. 'Ze hebben me in dit oord heel wat toegevoegd maar dat heeft nog nooit iemand tegen me gezegd.'

'Mag ik vragen hoe u heet?' vroeg ze.

'Simon, schat. Je kunt altijd naar Simon vragen.'

'Een goeie om naar vernoemd te worden.'

'O, jawel,' zei hij met een lach en hij sloeg zijn ogen hemelwaarts. 'Hij heeft Hem daarboven toch zijn kruis helpen dragen? Dat vertelde mijn moeder me altijd toen ik klein was. Maar het enige wat ík hier sjouw zijn die rottassen en koffers.'

Ze permitteerde zich een lachje.

Hij keek schichtig achterom naar de deur, alsof hij dacht dat daar iemand van belang stond te luisteren. Maar er was niemand. De lobby was vrijwel leeg. De draaideur wentelde nog traag, maar alles was nu stil in Finbar's Hotel. Hij liet zijn vinger langs zijn overhemdboord glijden. Hij keek weer naar haar en knipoogde.

'Zorg dat je voortaan niet meer zo laat bent, schat,' fluisterde hij. 'Meer bedoelde ik er niet mee.'

'Ja,' zei ze. 'Het zal niet meer gebeuren, dat beloof ik.'

Hij liep weg en begon de tafeltjes gereed te maken voor de lunch. Ze overwoog of ze naar de lobby zou gaan om haar man op te bellen in de supermarkt, alleen om te zeggen dat ze hem gemist had, dat ze nodig moesten praten, dat de tijd voor vergeving was aangebroken, de tijd voor mededogen. Maar dat kon wachten. Ze zag hem vanavond wel als ze thuiskwam. Ze zou ergens een tafel reserveren. Misschien in het restaurant op Barna Pier. Ze stak haar laatste sigaret op, zag het sliertje blauwpaarse rook opstijgen, en wist diep in haar hart dat ze Dublin nooit terug zou zien. Maar het was goed zo. Het was goed. Want op de een of andere manier wist ze dat ze eindelijk de moed had gevonden om afscheid te nemen.

Kamer 106

Een oude vlam

May wilde Finbar's Hotel helemaal niet in. Met haar rug naar de rivier stond ze op de kade en nam het op: een kubus van tranend beton, gordijnen met een vieze baan die precies aangaf tot waar je de ramen open kon zetten. Ze probeerde zich het gebouw voor de geest te halen dat ze een dikke dertig jaar geleden had gezien, een gewoon gebouw tussen rijtjeshuizen, met vlammen die als in een kindertekening uit het dak sloegen. Ze herinnerde zich de weerschijn, brandend op de rivier achter haar, en het verrassende geluid dat de brand had gemaakt, diep en steunend alsof het hotel een keel had – het gekraak van daksparren en het doffe scheuren van plafonds die het begaven. Het had iets ouderwets, een brand.

Dus dit was er na de verbouwing van geworden – dit vreselijke blok beton. Wat zijn we toch weer modern. Net een alcoholische zwerver in een nieuw pak, als je even niet keek was het alweer een stukje kaler geworden. May was er die ochtend rechtstreeks van het vliegveld naartoe gereden en toen de taxi voor de draaideur stopte, besefte ze dat haar jeugd niet gewoon was verdwenen, maar haar was ontstolen. Dit hadden ze ervoor in de plaats neergezet.

Er kwam een groepje schoolmeisjes aan en May wilde tegen ze zeggen dat ze het land zouden moeten verlaten en er nooit meer terug zouden moeten komen. Ze wilde hun vertellen over de brand – hoe ze, toen ze zo oud was als zij, had willen wegzwijmelen. Gewoon wegzwijmelen. Hoe ze op deze kade naar de vlammen had staan kijken, met haar gedachten bij liefde zo hevig dat je erin bleef.

Ze lachte naar een van de meisjes, een mooie, lange sliert met wangen waarop de wind een blos had geranseld. 'Bellefleuren', zou zij ze noemen. May lachte naar haar – per slot van rekening was dit Dublin – maar het meisje mikte zonder te reageren een peuk in de rivier, haar haar wapperde in slierten langs haar mond, en ze liep door. Alles was nat in deze stad. Hij had niets sensueels.

May stond op het trottoir, bang dat ze in de rivier zou vallen, bang dat ze op de rijweg zou vallen – jetlag, deze klamme wind beukte haar vol met leegte. Ze drukte het logboek tegen haar borst en probeerde de kou weg te wensen. Gisteren, nog maar gisteren, zat ze in Nieuw-Mexico, meer dan dertig graden in de schaduw. Ze had op haar slaapkamer de twee enige truien bekeken die ze had, dik en slobberig, en had zich proberen te herinneren hoe kou ook alweer was, hoe die voelde. Uiteindelijk had ze er maar een ingepakt. Wat kan het lichaam toch stom zijn, dacht ze. Het lichaam heeft geen fantasie.

May probeerde aan warme dingen te denken. Ze dacht aan de woestijn, de zon die zwol bij het ondergaan. Ze probeerde zich een kop thee voor te stellen, iets warms in de winter. Ze probeerde zich een kus voor te stellen en toen ze in een luwte in het verkeer stapte, spatte haar lichaam uit elkaar bij de herinnering aan seks, een vreselijk ineenstortend vuur dat naar haar lippen en over haar borsten flitste.

Alweer een doorgeprikte theorie.

De wind werd met de zucht van de draaideur uitgezet. May liep met zeebenen door de lobby naar de bar. Ze vond een kruk en wachtte tot haar bloed tot bedaren was gekomen, probeerde te beslissen of het een whiskey of een wodka-martini zou worden. Ze nam in gedachten van allebei een slokje en toen de barman haar bestelling kwam opnemen vroeg ze: 'Hebt u van die driehoekige cocktailglazen? Of olijfjes?'

Hij keek haar onverstoorbaar aan.

'Een warme whiskey,' zei ze en ze moest om zichzelf lachen toen hij zich naar de ketel toedraaide. 'Waar denk je wel dat je bent,' zei ze tegen zichzelf, 'May Brannock?' Of Mary Breathnach, zoals het vroeger was. Waar denk je wel dat je bent? Ze was in Dublin. Ze was terug. Haar lichaam wist van wanten. Haar beurs was gevuld. Ze had nu herinneringen waar Ierland niet de flauwste notie van had. Ze was nu iemand anders, in alle opzichten.

Zeven jaar eerder gebaarde een agent van de verkeerspolitie haar naar de vluchtstrook van de autoweg en May had zich voorover laten zakken en het stuur omklemd. Waarom voelde ze zich niet veilig? Het was donker. Ze verafschuwde zijn laarzen. Ze zat dertig kilometer van Phoenix, Arizona, en de auto was nu al vies, met strepen stof van de weg. Maar hij liet haar gaan en ze reed verder, een vrouw midden in de nacht, niet jong meer, met het leven dat ze had gestolen in de bagageruimte gepropt. Het was haar eigen leven, maar dat leek een schrale troost.

Ze was uiteraard bij een man weggegaan. Hij lag op het bed te drinken en verfoeide haar uit de grond van zijn hart terwijl ze tussen de klerenkast en de commode heen en weer liep, nam haar op met trage ogen waarin te lezen stond: *Niemand zal jou ooit nog een beurt geven, niemand.* Ze had haar spullen ingepakt en was weggegaan, was de gang uitgelopen en had de hordeur achter zich dichtgetrokken. Op de veranda struikelde ze over het roeiapparaat waarop hij voor het avondeten had gezeten en misschien met lange halen door de woestijn was vertrokken.

Vóór haar snelde de weg voort, de witte strepen schoten onder de motorkap door. Achter haar lag de bagageruimte vol met troep: kleren, een paar pockets, toiletartikelen. Ze gaven haar het gevoel dat ze arm was. Als je rijk bent, heb je geen spullen nodig.

May reed een verlaten benzinestation op, deed het portier open en stapte uit. Ze stond in een uithoek van de wereld. Ze was veertig. Ze keek naar de koude, vriendelijke maan en probeerde te bedenken wat ze moest doen. Ze wachtte op het gejank van een prairiewolf dat niet kwam, op het geschuifel van een slang.

May keek naar de maan en besloot geld te verdienen. En wat verder? Ze besloot zich nooit meer bang te laten maken door een agent van de verkeerspolitie, nooit nooit meer.

May besefte dat ze strak naar een man zat te kijken die aan de andere kant van de bar zat. Elk gezicht dat ze in Dublin zag kwam haar bekend voor. Op straat keek ze mensen recht aan alsof ze wilde zeggen: Ja, ik ben het. Maar ze wendden hun blik af, net als deze man, terug naar zijn thee met een koekje. Thee met een koekje. Geen wonder dat hij haar niet herkende. Ze had in geen dertig jaar thee met een koekje gehad.

De barman zette de warme whiskey voor haar neer en May pakte het glas met haar Amerikaanse arm op; de arm was een beetje droog en de spieren vlochten zich om elkaar heen door haar work-outs in de sportzaal. Ze droeg de zware, eenvoudige zilveren armband die je in de Arbol de la Vida aan Hunter Street kon krijgen. Sommige vrienden van haar waren Mexicaans, een was een Amerikaan van het eerste uur. Af en toe ging ze naar bed met een man die een aannemersbedrijf op poten probeerde te zetten om zijn vervelende vrouw een plezier te doen. Hij was bij haar langsgekomen om haar een kostenraming voor een nieuw zonneterras te geven.

Ze had geen idee wat ze hier eigenlijk deed.

Zes weken eerder was haar vader overleden. Haar zus had gewacht tot na de begrafenis voor ze haar belde en toen May er een opmerking over maakte antwoordde ze: 'Je komt nooit op begrafenissen', wat tot op zekere hoogte waar was. Maar hoe kon May haar uitleggen dat toen hun moeder was overleden, ze zat te wachten tot Benny bij zijn vrouw weg zou gaan, en dat ze, toen het telefoontje kwam met het bericht, teleurgesteld was geweest dat hij het niet was, dat ze na het gesprek weer verder ging met wachten en pas huilde toen hij de volgende dag belde, 'Mijn moeder is overleden, wanneer zie ik je? Wanneer kun je daar weg?', en dat ze een leven had verzonnen dat ze hem kon geven.

Nu was ze ouder. De kwestie van het huis moest worden geregeld, haar zus 'kon het niet aan' – een of andere langzame ramp in Birmingham waar ze niets van wilde weten. Ze handelde zoveel als ze kon per fax af en pakte ten slotte met tegenzin het vliegtuig.

Wat was dat toch met hotels? Zoals ze de spot met je dreven. Al reis je naar het andere eind van de wereld, zo leken ze te zeggen, uiteindelijk kom je toch altijd op dezelfde plaats uit. Uiteindelijk word je toch altijd een vrouw van middelbare leeftijd. Uiteindelijk kom je toch altijd in een of andere gribus terecht; de vloerbedekking en gordijnen de natte droom over de toekomst die een of andere malloot dertig jaar eerder had gehad. May keek naar het krullerige groen op de vloer en probeerde uit de vlekken het patroon op te maken. Ze keek naar de anderen die de bar waren binnengekomen om iets te drinken, plukjes mensen die door God weet welke kleffe omstandigheden met elkaar waren verbonden: familie, of seks, of geld, of gewoon drank. Ze zagen er grauw uit en hun gezicht leek elk moment in hun leven te zullen storten.

Toen het hotel afbrandde was May zestien – en verliefd. Toen het hotel afbrandde had ze ernaar staan kijken, naar het geknetter en het geweld en de hitte van zijn ondergang. Ze had op de kade gestaan, haar bekken schrijnde en ze had gedacht dat dit nou liefde was: een jongen met wie je niet naar bed ging. Een jongen bij wie je je zo ten einde raad voelde dat er gewoon geen woorden voor waren. Hij stond naast haar en keek naar de vlammen. Kevin, nog net zo'n kind als zij, met een adamsappel als een golfbal in een zenuwinzinking. Als ze hem nu was tegengekomen, zou ze hem geen tweede blik waardig hebben gekeurd. Als ze nu met hem naar bed was gegaan, zouden ze haar een pedofiel hebben genoemd.

May riep de barman, kalm, als een volwassene. Hij keek in haar richting, kalm, als een volwassene. Ze bestelde nog een warme whiskey, de ene niet-meer-maagd tot de andere niet-meer-maagd. En speelde met haar dikke, gemanicuurde nagels met de rits van haar beurs.

De barman draaide zich naar de ketel toe en May nam hem op. Hij was een beetje te dik. In gedachten kon ze de twee lijnen op zijn rug zien waar het vet naar zijn middel zakte. Zijn gezicht in de spiegel was erg Dublins, alleen maar jukbeenderen, geen oogleden. Het soort man dat er altijd hongerig uitzag, zelfs als hij lag te slapen. May wendde haar blik af. Ze zou niet aan slapende mannen moeten denken. Zeker niet aan mannen achter de bar. Zeker niet aan kleine mannen achter de bar.

Hij zette de whiskey voor haar neer, met om het glas een papieren servetje. Op het bierviltje stond: *Zoek troost bij een warme Ier*.

'De boel heeft hier eens in brand gestaan,' zei ze.

'O.'

De ogen zonder oogleden flitsten over haar heen en May verschoof op haar kruk. 'Je kent me niet,' wilde ze zeggen. 'Mijn zus in Engeland neemt valium in terwijl haar handen nog nat zijn van de afwas, maar je kent me niet.' Het liet de barman koud, hij draaide zich weer naar de flessen en glazen toe en nam haar in de spiegel op.

'Mijn vader heeft het geblust,' zei ze. 'Heeft het helpen blussen, bedoel ik.'

'O ja?'

'Ja,' zei ze.

May wilde hem toeschreeuwen: 'Ik hoor hier niet, ik zit in het verkeerde land. Ik ben de hele middag in het huis geweest waar ik ben opgegroeid. Ik ben er per taxi heen gegaan met de sleutels in mijn schoot, maar ik wist niet eens meer waar dat rotding lag.'

'De huizen in Drimnagh,' leerden de nonnen hun vroeger, 'zijn aangelegd in de vorm van een verluchtigd Keltisch kruis, ter ere van het Eucharistisch Congres.' Dat vertelde ze de taxichauffeur toen ze naar deze voorstad van Dublin reden.

'Klopt,' zei hij. 'Allemaal friemeltjes en kletskoek.'

'Ik ben hier opgegroeid,' zei ze. En toch kon ze zich niet oriënteren toen ze van het ene verkeersplein naar het andere dwaalden. Je had net zo goed in Iran opgegroeid kunnen zijn, concludeerde ze terwijl ze naar buiten keek: de Ayatolla Khomeinistraat, de Straat van de Jongensmartelaren, de Kuisheidsstraat. Ze riepen geen enkele emotie op. Zijn we nu bij de voet van het kruis, zijn we bij de knieën, of zijn we bij de nagels? De straten kwamen haar zo bekend voor dat zij ze niet uit elkaar kon houden. Ze keek uit het raam en zocht naar een referentiepunt. Toen zag ze een jongen zijn zusje aan de mouw van haar windjack meetrekken en de kaart was niet meer nodig, ze wist weer waar ze zaten.

'Links en dan weer links.'

De chauffeur draaide aan het stuur en zong: 'Ik breng je straks weer thuis, Cathleen', en May wist weer hoe je op z'n Dublins moest flirten.

'Foei,' alsof hij iets geestigs en een tikje gewaagds had gezegd. Ze gaf hem geen fooi.

Maar toen hij van de stoeprand wegreed en ze naar het huis keek, met de uitdrukkingsloze ramen en het hek dat klem was komen te zitten in de boog die het in het beton had uitgeschuurd, had ze het gevoel of ze een dierbare had verloren. Het was een kort pad, maar May had het gevoel of ze alsmaar aan het lopen was en nooit bij de deur kwam.

Ze stak haar sleutel in het slot. Het halletje was kleiner dan ze had gedacht, maar May was erop voorbereid. Manhaftig liep ze door, langs de muren die te ver voorover hingen en het plafond dat haar hoofd bedreigde. Ze boog zich naar de kruk van de keukendeur en hoewel het huis nauwelijks van haar was, liep ze door naar het achterraam om de geur van haar vaders leven de wijde wereld in te laten.

De tuin was een enorme troep.

May sloeg de hoek om naar de kamer. Pas wanneer de papieren waren getekend, was het huis in zekere zin van haar. En dan het zeil eruit, dacht ze, en de wanden schilderen. Uitbreken, uitbreken. Weg tussenmuur tussen huiskamer en keuken. Laat het licht binnenkomen.

Een omgekeerd kopje op het aanrecht had vette randen om het oor. May hing het aan zijn lege haakje en een boeket porseleinen rozen wiegde zacht heen en weer. Een eierdopje in de vorm van een aardewerken konijn. Het ei legde je tussen de oren.

In het halletje nam May de haak van de telefoon, een zwaar, zwart bakelieten toestel dat thuis wel iets zou kunnen opbrengen – als curiositeit. Tot haar verbazing was de lijn niet dood. Haar vader was dood. Ze luisterde naar de kiestoon en had een gevoel of het huis weglekte.

May ging zitten en begon te huilen. Als ze echt een Amerikaanse was geweest, zou dit de kwintessens zijn: het verdriet dat haar bij de telefoon beving, neerzinken op de veel te ondiepe trap en huilen om haar overleden vader, zodat ze kon zeggen: 'Ik huilde om mezelf, om het meisje dat op deze trede zat te huilen toen...' Maar ze kon zich nog wel herinneren waar ze verdrietig om was geweest, en het was niet belangrijk: een dansavondje dat ze was misgelopen; een jongen die niet opbelde; een zaterdagmiddag toen de stilte haar naar de keel greep en haar moeder, in de overgang, aan het aanrecht verstarde, met trillende handen en haar schouders onnatuurlijk hoog opgetrokken.

Maar May huilde daar allemaal niet om. Ze huilde om de dood van een man die alles voor haar had betekend. Niet omdat ze van hem had gehouden, maar gewoon omdat hij was overleden. Volwassen tranen.

In de huiskamer stond de leunstoel op haar te wachten, nog altijd met zijn vorm erin. Hij was in die stoel overleden. Omringd door rotzooi was hij overleden: kranten, een oude tv, een dressoir met het trouwservies waar haar zus en zij als de dood voor waren geweest toen ze klein waren, want brak je een kopje dan kon het niet meer worden vervangen, zelfs niet door iets wat duurder was. Spullen waren niets voor haar, ze kreeg er wat van. Ze zou ze allemaal voor de volgende eigenaars laten liggen, een jong stel misschien, zonder geld en met gevoel voor humor.

Toen zag May haar vaders bril op de schoorsteenmantel. Zonder erbij na te denken liet ze zich in de stoel zakken waarin hij was overleden, kon moeiteloos bij de plaats waar hij hem had neergelegd. Wat zag het ding er leeg uit. En May besefte dat ze gewoon de knoop door moest hakken – de rol zwarte vuilniszakken kopen, bij de buren aanbellen, een kop thee blijven drinken, de sleutels achterlaten, kijken hoe haar leven in hun afgrijselijke vloerbedekking wegsijpelde en glimlachen.

Drie uur later was ze gesmoord in de geur van oudemannenkleren, smerig van haar vaders leven, de gang een dik matras van plastic vuilniszakken, nergens iets schoons te bekennen, zelfs geen handdoek om haar gezicht mee af te vegen. Ze gebruikte een stuk van de toiletrol waar haar vader halverwege in was overleden en dacht aan zijn graf.

Boven op de klerenkast vond ze iets waar ze haar werk voor onderbrak. Het was een journaal met daarop: *Brandweerkazerne Drimnagh 1962-1969*. Haar vader was brandweerman. En dit was een logboek van zijn branden.

Het lag nu naast haar op de bar, een gewone kaft, blauwe stof, aan de randen gerafeld. Ze bladerde het door. Het handschrift binnenin was mooi en onbeholpen, het schrift van mannen met grote handen die op school hadden geleerd een lus aan hun l en een krul aan hun r te maken.

De barman stond de bar met langzame halen af te nemen. Ze wilde nog iets te drinken bestellen. Ze wilde met haar glimlach komen.

Ze riep hem.

Hij gaf geen antwoord. May wierp een blik in de spiegel en zag zichzelf zoals hij haar zag. Smalle, bruine ogen. Ze zag eruit als veertig, niet als zevenenveertig, maar wat kon het hem schelen of ze nu veertig of zevenenveertig was? Ze probeerde zich het gezicht te herinneren dat ze eens had gehad, en het was niet alleen een kwestie van de rimpels wegdenken. Haar vader had haar sinds haar twintigste niet meer gezien, ze herkende nota bene zichzelf amper. May pakte het logboek op en dacht: Het zou niets hebben uitgemaakt. Haar vader zou haar toch wel hebben herkend. Hij zou niet verbaasd hebben opgekeken.

'Mag ik afrekenen?'

Ze tekende het bonnetje en liep de trap op. De dochter van een brandweerman wantrouwt liften. De dochter van een brandweerman doet haar peuk onder de waterkraan uit en controleert altijd waar de bordjes met Nooduitgang zijn.

May liep de gang door – nog meer krullerig groen tapijt, met een schrootjeswand boven de afwerklijst van het behang. Ze vroeg zich af of Kevin in Dublin zou wonen, in een huis met net zulk behang. Sliep hij in een Dublins bed, met een hoofdeinde van velours dat vettig was geworden waar hij ertegenaan leunde? Ze hoopte maar dat hij weg was gegaan, maar ze wist niet of hij het type was dat wegging of dat bleef. Ze wist niet wat voor iemand hij nu kon zijn geworden, die jongen van wie ze op haar zestiende had gehouden. Ze had de hele dag verwacht hem op straat tegen het lijf te zullen lopen, ze had verwacht staande te worden gehouden door een man van middelbare leeftijd die zei: 'Ben jij het echt?'

De maagd die ik vroeger kende.

Om je rot te lachen. May liep de kamer in. Gruwelijk. Een hele avond voor zich. Ze zou hem eigenlijk in het telefoonboek moeten opzoeken, zeggen: 'Drie keer raden waar ik zit, in een kamer met lichtgroene lampenkapjes waarvan de helft van de kwastjes weg is. Waar zit jij?' Alle hotels zien er hetzelfde uit.

In Albuquerque zat ze een week in het Old Majestic te wachten op een man die weg was gegaan om de boel met zijn vrouw te regelen. Het behang was een soort paarsrood brokaatpapier met over de bloemen een gouden latwerk gedrukt. De beddensprei was bespat met madeliefjes. Het raam keek uit op een achtermuur. Hij was niet teruggekomen. Dat had ze ook niet verwacht. Maar wat zat er in Amerika anders voor je op dan een man te volgen? Anders kon je er toch geen touw aan vastknopen?

Ze gaf haar vriendin Cassie de schuld die met de verkeerde man was getrouwd. Het hoorde bij het aanvankelijke avontuur van in New York te zitten, allebei serveerster en stomverbaasd over de fooien, opgewonden over het simpele feit dat ze in deze stad zaten, zelfs toen ze blasé waren geworden. Cassie had een meestertitel en een psychotische moeder die haar over de post Iers ondergoed opstuurde. May voelde zich in de steek gelaten toen ze een baantje kreeg als secretaresse op een advocatenkantoor. Waarom deed ze dat nou, ze hadden immers hun schepen achter zich verbrand? Toen Cassie Amerikaans recht ging studeren, begon May een relatie met een jongen uit Litouwen die maar een paar woorden Engels sprak en in zijn slaap zong en er zelf wakker van werd.

Toen gebeurde het. Cassie gaf het op. Ze trouwde met een cliënt en verhuisde naar buiten New York, een gewone man met stevige, sensuele lippen en een familiebedrijf dat onder zijn ogen afbrokkelde. Cassie verhuisde naar buiten New York om bij een man te zijn wiens moeder elke dag opbelde, wiens vader aan de drank was, die een broer in Californië had en een andere die lesgaf aan de plaatselijke middelbare school. Haar moeder kwam op het huwelijk en zag er normaal uit.

New York was nog steeds een stuk van Dublin, maar Cassie was een richting ingeslagen die geen terug kende. May besefte opeens dat ze niet meer naar huis zou gaan.

Cape Cod, San Francisco. Na Albuquerque besloot May de liefde een poosje voor gezien te houden. Ze trok naar het zuiden en ging bij een reisbureau werken, want dat was een manier om tegelijkertijd onderweg te zijn en op dezelfde plaats te blijven. De man die haar aannam had een trieste stem en zware ogen die je strak opnamen terwijl hij met je praatte. May had het gevoel of hij altijd zat te controleren of het waar was wat ze zei, altijd over haar schouder keek. Totdat hij op een warme dag achter haar bij de waterkoeler stond en het tot May doordrong dat hij de geur van haar bezwete rug inademde. Ze voelde zijn adem zacht tussen haar schouderbladen drukken en daarna de gestage, zachte afwezigheid ervan toen hij inademde. Hij was getrouwd. Drie weken lang keek ze hem niet recht aan en toen ze het een keer wel deed, bedreven ze in de achterkamer abrupt de liefde. Het was voorbij voor ze goed en wel waren begonnen, maar toch kon May het aantal keren dat ze klaarkwam niet tellen.

'Als je telt kom je niet klaar,' zei Benny jaren later toen ze hem hieraan herinnerde, maar eerlijk gezegd was tegen die tijd tellen niet het probleem.

De verwarming deed het uiteraard niet. Die doet het nooit in hotels. May worstelde met de hotelradiator en stapte met al haar kleren aan in bed. Ze zou de kou uit haar lichaam schudden en daarna, wanneer ze het aandurfde, haar kleren uittrekken en een douche nemen. Ondertussen zou ze het logboek doorlezen.

In 1962 was er brand geweest aan het St. Agnes' Park, in Knocknarea Avenue, een frituurpan in Darley Street, een petroleumkachel in Carrow Road. De keet achteraan op het voetbalveld aan het Eamonn Ceannt Park was halverwege de middag in vlammen opgegaan. Een verrassend aantal branden was 's morgens uitgebroken en dat leek eigenlijk niet te kunnen, de vlammen hadden dan niets speciaals en waren doorschijnend in de zon.

Haar vader kwam altijd thuis alsof er niet veel bijzonders was gebeurd, een gewone dag op het werk, een beetje van dit en een beetje van dat. Hij sprak niet over ontploffende verfblikken, over ladders die te dichtbij zwaaiden, hij had het nooit over geblakerde longen, of hoe het voelde als zweet over een brandwond liep. Toch beschouwde May hem als een held die kleine meisjes in nachtpon uit een raam op de bovenverdieping haalde terwijl het zwaailicht van de ambulance zijn gezicht met blauw bespatte.

Nu keek ze zijn logboek door, het was een opsomming van nonchalante sigaretten en smeulende matrassen; het was een kind dat in de andere kamer lag te huilen, of een oude vrouw die was ingedommeld. De waterschade was erger dan de brand. Het was een en al smerigheid en ongemak en een vrouw die zei: 'Ik stond zijn overhemd aan de lijn te hangen. Het schoot me opeens te binnen dat hij geen schoon overhemd meer had, ik had er dus een gewassen en stond het aan de lijn te hangen.'

De branden waren het ergste niet. Het was de angst die aan een brand voorafging – die wierp zijn gloed over het leven van mensen.

Op een avond verscheen er een gezicht voor hun slaapkamerraam en May vroeg: 'Heeft ze een pistool? Heeft ze een pistool?' Maar Benny's vrouw had alleen maar een stel autosleutels en een hand die ze tegen de ruit drukte, met in de palm twee woorden gekrabbeld. *Plantaardige olie*. Ze bleef zo lang staan dat May en Benny het konden lezen en May besefte met een schok dat de woorden geen betekenis hadden, dat ze niet door een vloek of een kogel zou worden gedood – niets van dat al.

Benny had zijn geslachtsdelen bedekt zodat zijn vrouw ze niet zou zien, en hij liep langzaam naar het raam en zei: 'Lieverd. Nu.' Het had een les voor May moeten zijn zoals de vrouw terugdeinsde en door de duisternis werd opgeslokt. Ze had er iets van moeten opsteken. Dat Lieverd niet in een regen van glasscherven en bloed hun kamer was komen binnenstormen, Benny's gemoedelijke borst niet met haar vieze vuisten had bewerkt of in huilen was uitgebarsten. Ze had geen pistool, geen mes, ze had helemaal geen kwade bedoelingen.

Toen hij weer in bed stapte haalde May hem aan en trok zijn onderbroek naar beneden, leefde mee met een man die door de hulpeloosheid van anderen tot wanhoop werd gedreven. Een man die gewoon een tweede kans moest krijgen, anders niet.

Voor Benny was het leven een bordspel dat je kon winnen of verliezen en als je dacht dat je ging verliezen kon je altijd de stukken van het bord halen en opnieuw beginnen. Een tijdje had ze dat ook gedacht. Maar nu ze het logboek van haar vader doorkeek, vol kleine rampen, geloofde May niet meer in tweede kansen. Je leefde je leven gewoon van begin tot eind, dat was alles.

Ze sloeg de bladzijden om. Dargan, Kelly, O'Driscoll, Boyle.

Oorzaak: elektriciteit; onbekend; fornuis; onbekend.

Schade: nihil; aanzienlijk; uitgebrand; nihil.

Tijdstip van melding: de nacht was het ergst.

Ze kregen andere echtparen te eten. May kon niet geloven dat ze andere echtparen te eten kregen, dat ze de sla aanmaakte en de kip braadde en aan tafel zat, licht naar links gebogen om haar taille beter te laten uitkomen terwijl Benny over de liefde sprak. Hij sprak graag over de liefde, gewoon om te laten zien dat hij niet bang was voor grote woorden.

'Ik ben vaak verliefd geweest,' zei hij bijvoorbeeld. 'Erg vaak. Maar...'

'Maar wat?' vroegen ze. Al en Irene, Pete en Liana, of Bill en Soledad.

'Maar... Weet je…' Hij liet ze wachten.

'Ja?'

'Ik heb nooit kunnen denken dat dit mijn voorland zou zijn. Ik heb nooit kunnen denken dat ik zo'n geluksvogel zou zijn.'

Dan raakte hij Mays wang aan. Of legde zijn hand over de hare. Of prooste op haar, en Bill lachte, of Al lachte, of Soledad barstte in tranen uit. Op die avonden met andere echtparen barstte er altijd wel iemand in tranen uit.

Toen ze klein was, was May bang dat haar vader gedwongen zou worden te kiezen. Hij klom bijvoorbeeld naar de top van de ladder en dan waren er twee mensen die gered moesten worden, de ene die als eerste moest worden gered, de andere die achter moest blijven. Avond aan avond stond ze met haar vader voor dat tweetal in het raam. Hun kleren werden van hun rug gescheurd, de hitte was een solide massa achter hen. Zij redde de vrouw het eerst.

'Redt u de vrouw het eerst?' vroeg ze. En hij zei: 'Zover zou het nooit komen, eigenlijk', maar ze geloofde hem niet en tegenwoordig, 's nachts, liet ze de vrouw staan en terwijl ze de ladder afklom keek ze omhoog en zag ze de vrouw vlam vatten, haar haar vurig als een stralenkrans om haar hoofd terwijl ze naakt en besmeurd in het smeltende raamkozijn stond.

Mays gedachten gingen terug naar Benny in de warmte

wanneer de airco het niet meer deed. Ze lagen in bed met hun benen wijd uit elkaar en hij zei: 'Kom op, lieverd. Kom op nou.' Als het te warm was om te vrijen, zoog ze hem af. May dacht dat hij dat liever had, dat alle mannen dat liever hadden. En ze zei: 'Oké, toe maar', en hij moest boven op haar klimmen, zijn buik glibberde van voren naar achteren, de druppeltjes van zijn gezicht spatten op haar wang. Die nachten – de warmte was in de kamer als een ding dat ze niet scherp kon onderscheiden. May daagde het uit totdat ze licht in haar hoofd werd, concentreerde zich op het water dat uit haar lichaam stroomde en probeerde adem te halen.

In de laatste kolom zag ze Brandstichting staan. Een huis aan Rutland Avenue, niet ver van waar zij woonden. Eén dode. En ze herinnerde zich dat ze haar hadden verteld dat een man zijn vrouw levend had verbrand. Ze zeiden dat hij had gevochten om naar binnen te mogen. Ze hadden hem tegen moeten houden toen hij zo vocht om naar binnen te mogen. Misschien was het zijn bedoeling geweest alleen het huis in brand te steken.

May sloeg het logboek dicht. Het rook naar mannenhanden. Ze legde het naast zich op het kussen, sloot haar ogen en probeerde te slapen. Nu en dan schrok ze wakker – in de kamer naast de hare was een brandende sigaret blijven liggen, iemand had een elektrische ketel op laten staan, hij kookte droog, het plastic sijpelde en borrelde over het element. Het hotel was een doos vol lucifers die lagen te wachten om afgestreken te worden. May draaide zich om en probeerde aan iets anders te denken. Geld. Het huis van haar vader was verrassend veel geld waard. Echt geld, het soort dat je kon tellen en waar je een elastiekje omheen kon doen, het soort dat je in een plastic tas mee kon nemen. Ze probeerde het elke keer weer in dollars om te rekenen, maar er bleven maar stapels bankbiljetten vlam vatten. Water – ze zou aan water denken. In 1963 was het

Glendale Park overstroomd. May zag in gedachten de leden van een gezin aan het avondeten zitten, tot aan hun knieën in het water, en de vader tilde zijn krant hoog op wanneer hij de pagina's omsloeg.

Maar toen ze naar zijn gezicht keek was het een andere vader. Wat was het toch altijd moeilijk om mannen van wie je hield duidelijk te zien. Toen kwam hij de kamer binnen en zijn gezicht was beroet en de geur van rook hing om hem heen. May wist dat hij dood was en ze besefte dat nu hij dood was, ze naar hem kon kijken. Aan de buitenkant zag haar vader er heel mager uit en zijn waterige ogen knipperden, net of hij iets grappigs en vreselijks had gezien. Dus zo zag hij eruit. Ze probeerde iets te zeggen. Ze probeerde te zeggen: 'Dus zo ziet u eruit', maar haar vader draaide zich heel langzaam naar haar toe, en toen lachte hij.

May werd met een schok wakker, stomend van warmte en verscheurd door verdriet. Van onder haar kleren bereikte haar de doordringende geur van haar lichaam. Ze ging weer stil liggen, probeerde het gezicht dat haar droom haar had gegeven vast te houden, maar het vervaagde en verdween.

May stapte uit bed, eindelijk woedend. Ze liep naar de badkamer en testte het water van de douche. Wat maakt mannen toch zo anders? Dat was de vraag die ze hem wilde stellen. Wat maakt mannen toch zo vreselijk anders? Benny zou iets hilarisch zeggen, zoiets als: 'Een lul om mee te behangen', maar haar vader zou zelfs de vraag niet begrijpen. Trouwens, toen hij nog leefde hadden ze nooit eens echt met elkaar gepraat.

May legde haar schone kleren op het schap naast de badkuip en schoof haar schoenen als een wig in het handdoekenrek. Ze peinsde er niet over op blote voeten over die vloer te lopen; zich naakt door een kamer te bewegen waar sinds de jaren zestig vreemde mensen hadden liggen vozen, mensen van wie de helft hypocriet was. De douche-kop zat met roest aangekoekt, maar het water dat eruit kwam was schoon. May stapte eronder, hield zich blind voor de schimmel op de tegels en hief haar gezicht.

Kevin was de vierde jongen die ze had gezoend. De eer-ste droeg een groot, flodderig, wit overhemd en hield van Elton John. Toen ze dat allemaal met elkaar probeerde te rijmen, het overhemd, de opmerkelijke tong, zijn muzika-le smaak, leken ze niet bij elkaar te passen. Ze zat er zo lang over na te denken dat tegen de tijd dat hij zijn tong eruit had gehaald, ze zijn naam was vergeten.

De keer erop was ze er klaar voor, maar het gebeurde niet. De jongen draaide zijn open mond alsmaar in het rond, zoals je dat in de film zag, maar hij wist niet wat men-sen vanbinnen deden. May wilde hem niet vernederen door hem te helpen erachter te komen.

Ze ging naar een café waar de jongens meer door de wol geverfd waren en ze verloor haar beurs buiten Rice's toen een man zijn knie tussen haar benen probeerde te wrikken. Erg ver kwam hij niet, want haar rok was te strak, maar hardlopen kon ze er evenmin mee en ze moest als een gek met een buschauffeur flirten om thuis te komen. Ze nam zich toen voor verliefd te worden. Al was het maar als een soort bescherming.

Bij klaarlichte dag boog ze zich voorover naar de vriend van de broer van haar vriendin Clare en gaf hem een zoen. Hij heette Kevin en niemand wilde verder met hem zoe-nen, want hij had rood haar. Dat was destijds het ergste van het ergste: peenrood haar, een witte huid en sproeten – het leek wel een ziekte of zo. Kevin had bruine ogen, dat was tenminste nog iets, en hij keek de hele tijd of hij pret had en dat was bijna hetzelfde als gelukkig kijken. Ze hadden een tijdje verkering en May merkte dat ze verliefd was. Ze liep de hele tijd aan hem te denken.

Ze maakten wandelingen, namen de bus naar het

Phoenix Park. Ze deden veel met elkaar, maar dat ene deden ze niet. De meeste tijd waren ze ten einde raad, een grote, bonzende bal van radeloosheid die beneden begon en niet overging. Ze zouden het toch eens moeten doen, maar wat dan.

Maar telkens wanneer ze hem zag bonkte toch haar hart en wanneer ze naast hem liep riep ze zonder naar hem te kijken zich zijn gezicht voor de geest. En wanneer ze wel naar hem keek omkranste ze zijn hoofd met het blauw van de hemel, met het grijs van de huizen. Wanneer ze met hem praatte zag ze alleen zijn ogen. Alles wat ze zei vond hij grappig, maakte hem bijna gelukkig. Het was dat 'bijna' waar ze zo van hield.

Op een dag gingen ze bij klaarlichte dag naar het park en vochten ze zo tegen hun seksuele verlangens dat ze er haast gek van werden. Ze stonden tegen de stam van een boom en May, helemaal van de kaart, zag het tafereel voor zich dat ze met hun tweeën vormden, hun verticale, incompetente leven.

Het was in het donker makkelijker, maar het was gevaarlijk om te blijven. Zonder elkaar aan te raken of iets tegen elkaar te zeggen liepen ze over de kade naar huis terug. Kevin was begonnen te roken. Hij ademde de rook oppervlakkig in en blies hem helemaal uit. May was zestien en had het gevoel dat deze stad overliep van hypocrisie.

Hij vroeg waarom ze huilde en ze maakten ruzie over heel iets anders, iets wat Clare had gezegd over een meisje dat Kevin van vroeger kende en dat alsmaar om hem heen draaide en naar hem liep te kijken.

'Ze heeft het uitgemaakt,' zei hij. 'Wat klets je toch?' Boven zijn hoofd zag ze de gloed van een brand. Ze hadden zich omgedraaid om te kijken wat het was en Kevin, jongensachtig en niet langer in verwarring, had haar hand gepakt en het op een hollen gezet naar Finbar's Hotel.

Later ging het allemaal uiteraard een stuk makkelijker.

Je ging gewoon met mannen naar bed. Makkelijk zat.

May zette de douche uit en lachte. Natuurlijk zou hij hier nog steeds wonen. Misschien liep hij zelfs op dit moment op straat, ergens vlakbij, of zat hij thuis en hielp hij zijn kinderen met hun huiswerk, met zijn gedachten bij een glas bier. Tegen de tijd dat ze zich had afgedroogd had ze een besluit genomen. Ze zou hem bellen, zomaar voor de gein.

May stond voor het nachtkastje en aarzelde. Toen rukte ze lachend de la open – zelfs geen bijbel. Ze belde naar roomservice en kreeg de receptioniste. De vrouw klonk argwanend. Wat was er zo lollig aan een telefoonboek? Ze bood aan het nummer voor haar op te zoeken, maar May zei dat ze het boek wilde hebben.

'We mogen helaas geen telefoonboek op uw kamer laten brengen.'

May probeerde tijd te rekken. Ze was vergeten hoe je dat deed, hoe je iets wat doodsimpel maar volstrekt onmogelijk was, gedaan moest zien te krijgen. 'Hè, doe niet zo flauw,' zei ze.

'Ik ben in mijn eentje,' zei de vrouw. 'De portier is bezig.'

'Nou en?'

'We raken ze de hele tijd kwijt.'

'Luister, tien pond als het hier binnen drie minuten is. Elke minuut langer is een pond eraf.' Tevreden over zichzelf hing May op en wachtte een halfuur.

Toen ze beneden kwam keek de jonge receptioniste haar aan alsof ze elkaar nooit eerder hadden gesproken. May vroeg zich af of dit haar te wachten zou hebben gestaan als ze was gebleven: een slecht gesneden, pastelkleurig uniform dat bij de revers bobbelde, een stralende lach, een grenzeloze hekel aan iedereen die dacht dat hij het beter wist.

'Vindt u het erg om het hier aan de balie in te kijken?' vroeg ze. 'We raken ze de hele tijd kwijt.'

'Nee, helemaal niet.'

Kevin Hegarty. Ze sloeg de bladzijden om. Eén kolom met Hegarty's, maar twee met een K. Ze noteerde beide nummers, Sallynoggin, Glasnevin. In welke voorstad kon hij terechtgekomen zijn? Ze besloot ze een voor een te bellen. Als de receptioniste niet zo'n kreng was geweest, zou ze het niet hebben gedurfd. Maar ze was de dochter van een brandweerman. Ze was zevenenveertig.

Terug op haar kamer raapte May de kleren van de grond op, besefte toen dat ze dat deed om te voorkomen dat hij haar ondergoed zou zien. Ze moest om zichzelf glimlachen, hield op en pakte de hoorn van het toestel.

Toen de telefoon vier keer was overgegaan nam een vrouw op. Een getrouwde vrouw.

'Is Kevin thuis?'

'Ja? Hallo?' zei de vrouw. Een oude stem. Zijn moeder misschien. May zag opeens het beeld van een kalende, bange jongen voor zich.

'Mag ik Kevin van u?' De hoorn werd kletterend neergelegd.

'Kirian,' zei de stem. 'Een meisje aan de telefoon, denk ik.'

May verbrak de verbinding. Dat zou hun stof tot nadenken geven. Ze glimlachte nog steeds toen het tweede nummer antwoordde, ditmaal een man, een man die 'Hallo?' zei, en May zat weer op de trap, de bakelieten hoorn in beide handen, zwaar gefluister dat door de lijn naar de andere kant gleed, *Waarom heb je nou niet gebeld?*

'Kevin?' vroeg ze.

Toen ze aankwamen, wolkte er nog steeds zwarte rook uit de bovenramen van het oude hotel. Achter de gordijnen van een kamer op de hoek glansde een mollige gloed. Het zag er heel knus uit. Toen vloog de stof in brand, werd met een steekvlam zwart en het vuur vertoonde zich naakt in de kamer erachter. De ruit kraakte.

May en Kevin keken met open mond naar de vlammen. Ze hadden zo lang staan zoenen dat hun lichaam verdrietig was geworden. Maar toen May naar de brand keek die zich verspreidde, wist ze dat ze op een heerlijke wolk dreef. Ze zouden zoveel van elkaar houden dat ze eraan onderdoor gingen, ze zouden elkaar met hun liefde bestoken. Ze was zestien, ze zou met deze man naar bed gaan en dan sterven.

Een groepje mannen stond met hun glas in de hand op het trottoir, hun gezicht wild in het licht. Een vrouw holde met de kassa naar een kleine man in een duur pak – de eigenaar, dronken. Hij zwaaide op zijn benen en bestudeerde het trottoir aan zijn voeten, wierp nu en dan een blik op de brand. Hij keek of hij elk moment in zingen kon uitbarsten. Naast hem stond een lange man met een hoog voorhoofd en een smalle glimlach. Het was Mays vader. Hij rookte.

Niemand leek iets te doen.

Haar vader trok aan zijn sigaret en keek naar de kassa op de grond. Eindelijk zag hij eruit zoals hij was, mager in een waterdichte, zwarte jekker, met op een van de schouders de weerschijn van de vlammen. Uit eerbied voor de brand draaide hij het sigarettenpuntje naar de kom van zijn hand.

May draaide zich naar Kevin toe en wees naar enige beroering bij de deur, naar een man die met open overhemd naar buiten kwam hollen en een vrouw die hij bij de hand achter zich aan sleurde. Ze wilde niet mee. Terwijl hij aan haar trok zette ze zich schrap, maar toen volgde ze hem toch struikelend de straat op. Ze had geen schoenen aan.

De drinkende mannen draaiden zich naar elkaar toe en May hoorde ze zacht lachen. Een van hen hief zijn glas en riep hoera. De vrouw barstte in huilen uit en May zag dat ze haar rok, die open was, ophees en omdraaide om haar rits dicht te trekken.

May keek naar haar vader. Hij draaide zich weer naar de

kassa toe en ze zag hoe zijn mond zich om een paar woorden krulde die hij tegen de receptioniste zei. Een ander raam kraakte. En toen kwamen ze met een brandslang aanhollen.

Je kunt je vader maar eenmaal zien. Je kunt je vader maar bij toeval zien – want je houdt de hele tijd van je vader.

'Kevin, met May.'
'May?'
'Ik bedoel Mary. Mary Breathnach.'
'Mary?'
'Ik ben in de stad.'
'Mary! Maar je zat toch in Amerika?'
'Ik ben nu hier,' zei May en ze verzette zich tegen de aanvechting om op te hangen. 'Hoe gaat het?' vroeg ze. 'Ik dacht, kom ik zal maar eens bellen.'
'Hoe is het met jou?' vroeg hij. 'Met mij gaat het best, z'n gangetje, je weet wel. Vertel eens?'
'Wat?'
'Waar heb je gezeten?'

Op een uur rijden van Phoenix was ze bij een verlaten benzinestation gestopt en had ze zich in het donker laten zakken. Ze stond in een uithoek van de wereld. Ze wist niet of ze zelfs wel een spoor achter had gelaten. Een laagje walging op de ogen van een man, een telefoontje midden in de nacht met een vriend in New York die zei: 'Kom maar naar het Oosten', alsof liefde gewoon een kwestie van geografie was.

Maar misschien was het ook wel zo, in dit land. May stond in Amerika en keek naar de maan. Ze besloot geld te verdienen. Wanneer ze probeerde te bedenken wat ze verder nog wilde, kwam er niets – alleen dit. Ze zou naar Nieuw-Mexico gaan, verder, roder, droger. Wie kwam immers ooit uit de woestijn weg? Het was de plaats waar uiteindelijk iedereen strandde.

'Hoofdzakelijk Nieuw-Mexico,' zei ze. 'Mijn vader is overleden.'

'Ach,' zei hij. 'Wat erg.'

'En jij?'

'O, getrouwd, kinderen. Je kent dat wel. Gelukkig. En jij?'

'O, gelukkig.' Ze lachten allebei, met vriendelijke ironie. Zijn lach was nog precies hetzelfde. May kon haar oren niet geloven. Hij was zeventien toen ze hem kende en ze had niet geweten dat hij lachte als een man.

'Ik zit in Finbar's Hotel,' zei ze. 'Weet je nog? Dat ding dat is afgebrand.' Aan de andere kant was het even stil.

'Blijf even hangen. Ja. Ja. Jezus, Mary. Hoe is het met jou? Godallemachtig. Je klinkt nog net als vroeger.' Ze stonden er weer en keken naar de brand, hun huid zo fris dat je haast tranen in je ogen kreeg.

'Heel goed.' Ze konden het moment niet vasthouden. May zei: 'Ik heb een reisbureau, je weet wel, en die draait erg lekker.'

'Hoe lang blijf je?' vroeg hij. 'Wanneer kom je bij ons langs?'

'Ik vertrek morgenochtend weer.' Hij meende het niet, maar het was toch aardig van hem. 'En jij, wat doe je?' vroeg ze. 'Weet je, net of we in Amerika geen telefoon hebben.'

'Ik ben boekhouder,' en ze lachten weer. 'Jezus, Mary, dat hotel is een luizentent.'

'Ik zie het,' zei ze.

Ze speelden even met de gedachte – om met elkaar naar bed te gaan, te doen wat ze nooit hadden gedaan, in een kamer in het hotel dat ze eens in vlammen hadden zien opgaan. May vroeg zich af hoe groot de afknapper zou zijn. Maar wanneer zijn lach hetzelfde was gebleven, wat gaf het dan wanneer zijn lichaam was veranderd?

Kevin lachte om de vrouw toen ze haar rok goed trok, zijn gezicht afwisselend oranje en zwart, zijn ogen verlicht. Hij keek alsof hij naar het brandende hotel toe wilde rennen en om de vrouw heen wilde dansen. Hij keek alsof hij een brandslang wilde pakken, maar niet om het vuur te blussen. Als de slang vol benzine had gezeten, zou hij net zo blij zijn geweest en May ook. Laat het maar fikken.

'Dat is mijn pa, daar,' zei ze en ze zag de bewondering op zijn gezicht veranderen.

'Kom op, we gaan weer,' zei hij. Een grapje. Haar vader liep naar de cabine van de brandweerauto en zei iets tegen de chauffeur. De ladder kwam in beweging.

De vrouw zonder schoenen wipte van haar ene been op haar andere, probeerde niet op haar voeten te staan. De man die bij haar was, was naar het groepje drinkende mannen gehold en had een glas uit de hand van een van hen gepakt. Hij dronk met enorme teugen en lachte en de vrouw sloeg hem vanuit de deuropening gade. Ze weigerde een stap te verzetten en Mays vader liep naar haar toe om haar daar weg te krijgen. Door het lawaai van de brandweerauto kon je moeilijk verstaan wat ze tegen elkaar zeiden, maar de vlammen gaven de vrouw een verwilderd uiterlijk. Ze huilde en wees, alsof ze weer naar binnen wilde hollen om haar schoenen te pakken. Ze greep haar vader bij een arm en May hield haar adem in, maar hij schudde zich los.

Toen deed Mays vader iets raars. Hij spreidde beide armen wijd uit en boog zijn hoofd. Hij liep om de vrouw heen tot hij met zijn rug naar de deur toe stond, kwam op haar aflopen en dreef haar stapje voor stapje van het hotel vandaan. De vrouw, in verwarring gebracht, stond met haar gezicht naar hem toe, struikelde achteruit en keek ondertussen over zijn schouder. Het drong tot May door dat haar vader de vrouw niet wilde aanraken en terwijl hij haar achteruit dreef drong dat ook tot haar door. Haar gezicht begon te verschrompelen. Ze trapte ergens in en toen hij op haar af bleef komen begon ze te gillen.

May had nog nooit een vrouw zo horen gillen. Er steeg een gejuich uit het groepje drinkende mannen op en ze draaide zich met een ruk om en gilde ook naar hen. Toen keerde ze zich om en rende de kade af, haar witte voeten tuimelend in het donker.

Mays vader keek haar even na en schoof zijn helm naar achteren, en May slaakte een zucht van opluchting. Hij had het gevecht met de gillende vrouw gewonnen. Hem hoefde niets verweten te worden. Hij had haar niet hoeven op te tillen. Ze had zelfs niet in brand gestaan.

Twee kinderen stonden naast hen in het donker, een klein meisje met lang haar en een ernstige jongen die haar stevig bij de hand hield. May draaide zich naar Kevin toe om hem een zoen te geven, ze wilde zeggen: 'Kom op, laten we ergens naartoe gaan. Laten we ergens naartoe gaan en het doen', maar hun monden hadden elkaar nauwelijks aangeraakt of het meisje begon jammerend te huilen. Ze keek naar het brandende hotel en brulde dat het op moest houden. Hou op, stoute brand. Hou nou op, stoute brand.

Kevin had vanaf het moment dat hij de telefoon oppakte het gesprek proberen af te ronden, maar ze hield hem nog even aan de praat – informeerde belangstellend naar zijn drie kinderen en hoe het met Clare was (helemaal bezeten van paardrijden tegenwoordig en van terreinwagens) en met Clares broer (iets wat geen MS was, een jaar in bed, nu weer beter) en ten slotte met de vriendin die vroeger om hem heen draaide en naar hem liep te koekeloeren (geen idee). Tegen de tijd dat ze in staat waren op te hangen, voelde May zich sterk genoeg om de gok te wagen.

'Nou, vanavond ben ik er in elk geval nog, wat denk je, komt het uit?'

'Goh, wat jammer nou. Als je een paar dagen langer kon blijven...'

'Volgende keer dan maar,' zei ze. 'Volgende keer. Enfin, kijk maar of je kunt.'

'Doe ik,' zei hij. 'Doe ik. In elk geval bedankt voor het bellen, hè?'

May verkleedde zich nog eens. Ze trok een jurk aan die bij haar armband paste en smeet de trui op het bed.

Beneden was het restaurant bijna leeg, alleen een eenzaam paar in een box tegen de muur en twee luidruchtige zakenmensen. Ze probeerde te zien wat op hun bord lag en besloot toen geen moeite te doen. Het hele restaurant rook naar eieren, jaren en jaren van eieren. Ze mocht dan wel thuis zijn, maar dat wilde nog niet zeggen dat ze moest eten alsof ze nooit weg was geweest. Drinken was een ander verhaal.

De bar was vol. Een groepje Amerikanen deed haar stem bewuster Iers klinken toen ze een whiskey bestelde, maar het was namaak-Iers, dat wist ze zodra het uit haar mond kwam. Ze wist het zodra ze 'dubbele' zei.

May ging aan de bar zitten, al was ze dan een vrouw alleen en was het avond. Maar wat donderde het? Over twaalf uur zat ze toch in het vliegtuig, ze kon zitten waar ze wilde. Ze voelde de drank gloeien en branden toen hij haar maag bereikte. Het was een optie. Als ze hier was gebleven, zou ze de hele tijd dronken zijn geweest.

Ze besefte dat ze op Kevin zat te wachten – wachten op het grote moment. Wachten op de sopraanpartij. Kevin zat thuis bij zijn vrouw. Zijn vrouw vroeg: 'Hoeveel jaar is het geleden?', jaloers – alsof ze iets in het leven van deze man was misgelopen. Hij zat tv te kijken, zette de kat buiten, maar nog altijd zag May hem onderweg naar de stad, herinnerde zich hoe hij haar in het Phoenix Park had losgelaten en in zijn spijkerbroek was klaargekomen.

Hij zat thuis met een tuinzadencatalogus en ze zag hem

naar de deur lopen, dik, kalend en teleurgesteld, of dik, kalend en tevreden over zichzelf – misschien zelfs slank. Ze ging verzitten op haar kruk, zodat ze direct kon vaststellen welke uitdrukking het eerst op zijn gezicht zou verschijnen. Hij zou het vertrek afspeuren en haar in het oog krijgen. Er zou een blik van blijde verrassing in zijn ogen komen.

Keer op keer trok ze hem aan het ridicule elastiek van haar begeerte naar zich toe voordat hij terugveerde naar Glasnevin en het aardrijkskundehuiswerk van zijn dochter. Het was een ondraaglijke gedachte. Zo was het haar hele leven gegaan. Ze had van haar vader gehouden, al was hij dan geen aardige man. Benny was een rotzak geweest, maar ook van hem hield ze. May draaide in haar hoofd telkens weer de grijs geworden plaat van haar hart af en opeens interesseerde het haar niet meer.

Op een uur rijden van Phoenix was ze midden in de nacht gestopt, had het deksel van de bagageruimte opengetrokken en was uit de auto gestapt. Het was winter en de nacht was ijl. Het rook er licht naar benzine. Geen wind. De motorkap van de auto gaf een klik van opluchting en May glimlachte. Benny was dol geweest op dat geluid, hij zei dat hij er altijd van moest plassen. Ze drukte haar hand tegen haar mond en kon hem nog steeds op haar vingertoppen ruiken. Toen keek ze naar de grijszwarte woestijnheuvels en dacht: Ik zou gewoon kunnen lopen. Ik zou gewoon kunnen lopen en alles hier achterlaten.

May zag zichzelf languit op de lege autoweg liggen, wachtend, en de witte streep snelde onder haar middel door. Ze luisterde even. Geen auto's.

Ze hees haar koffer uit de bagageruimte, droeg hem naar het midden van de weg en zette hem op het asfalt neer. De opkomende zon zou hem morgen beschijnen, een grote, blauwe koffer op een weg die kilometerslang leeg was. De garagehouder zou uit zijn huis komen en zich in de zon over zijn buik krabben en geeuwen. Hij zou de koffer zien en blijven staan. Hij zou denken dat het een lijk was dat in stukken was gehakt – en misschien was het ook wel zo. Hij zou eromheen lopen, een hond roepen en hem eraan laten ruiken. Pockets, toiletartikelen, een paar kleren.

May deed de bagageruimte dicht en stapte weer in de auto. Ze draaide de weg op.

De bar explodeerde van kabaal. May doopte haar vinger in haar whiskey en schoof de zware, zilveren armband over haar onderarm terug. Ze pakte een boekje lucifers van de bar op, omgevouwen groen karton, met daarop FINBAR'S HOTEL.

Kut-Finbar, dacht ze bij zichzelf, krijg maar de pest, en ze streek ze een voor een af. Ze zou het vliegtuig pakken en naar de woestijn terugvliegen. Ze zou met haar bouwvakker naar bed gaan en meeleven met zijn kopzorgen over zijn vrouw – eerlijk met hem meeleven. Ze zou het geld dat de verkoop van het huis opbracht opnemen en een gele Corvette kopen. Ze zou zelfs verliefd kunnen worden.

May keek de bar rond of ze een man zag met wie ze eventueel naar bed zou gaan. Niemand merkte haar op, behalve de man die die middag in de bar had gezeten met zijn thee met een koekje. In deze horde vreemden leek hij al een vriend; net of hij haar begreep. May probeerde niet naar de mannen te luisteren die om haar heen stonden te schreeuwen. Ze besefte opeens dat ze nog nooit met een Ier had gevreeën. Ze wist niet of ze wel schoon zouden zijn. In elk geval zat het hier afgeladen vol met ze, hun gezicht gevlekt van de drank. Het tafereel had iets zo intiems dat ze niet wilde kijken.

Mays hart rees op en barstte. Ze zou weer naar huis gaan en verliefd worden. Ze ging op de voetenstang van haar kruk staan en hees zich op, alsof ze het vertrek afspeurde naar een kennis. Ze nam de bovenkant van de hoofden op. Kaal, bruin, kaal-en-blond, bruine krullen, zwart, zwart.

Vuurrood.

Kamer 107

Portret van een dame

De stad was een immense leegte. Hij stond voor het raam in Finbar's Hotel en keek uit over de Liffey, die na dagen regen modderbruin was. Hij sloot zijn ogen en dacht aan de kamers om hem heen – leeg, zo 's middags – en de lange, lege gangen van het hotel. Hij dacht aan de huizen in de uitgestrekte buitenwijken die de stad uitwaaierden: Clontarf, Rathmines, Rathgar, het vertrouwen dat ze uitstraalden, het gevoel van kracht en betrouwbaarheid. Hij dacht aan de kamers in deze huizen, leeg voor het grootste deel van de dag en misschien ook van de nacht, en aan de lange achtertuinen, keurig, gesnoeid, ook al leeg in de winter en het grootste deel van de zomer. Weerloos. Geen mens zou het merken als een indringer over een muur klom, door een tuin schoot om over de volgende muur te klimmen, een onopvallende man die het huis afspeurde op een teken van leven, op alarmsystemen, en dan stil een raam openwrikte, naar binnen gleed, voorzichtig door een kamer liep, deuren opende, zonder geluid te maken, zo op zijn hoede dat hij vrijwel onzichtbaar was.

Toen schoot hem een andere herinnering te binnen terwijl hij van het raam wegliep: een ogenblik uit de juwelenroof bij Bennetts. Een paar minuten nadat hij en vier anderen de zaak hadden overgenomen, had hij vijf personeelsleden, allemaal mannen, het bevel gegeven met hun handen voor zich uit tegen de muur te gaan staan en toen had een van hen gevraagd of hij zijn zakdoek mocht pakken.

Hij had ze in zijn eentje met een pistool bewaakt en

wachtte op de anderen, die de rest van het personeel bij-eendreven. Hij had tegen de vent gezegd dat als hij zijn neus moest snuiten, hij vooral zijn zakdoek moest pakken. Hij had onverschillig geklonken en de indruk proberen te wekken niet bang te zijn op zo'n domme vraag in te gaan. Maar toen de vent hem uit zijn zak haalde, was al zijn klein-geld meegekomen; de munten rinkelden over de vloer. Alle vijf de mannen hadden omgekeken, totdat hij tegen ze geschreeuwd had dat ze snel weer naar de muur moesten kijken als ze geen toestanden wilden. Eén muntje was blij-ven doorrollen, hij had ernaar gekeken en het had hem gespeten dat hij had geschreeuwd. Toen was hij de muntjes gaan oprapen, heen en weer lopend, bukkend, op zijn knieën zakkend, tot hij ze allemaal had. Hij was teruggelo-pen en had ze aan de vent gegeven die zijn zakdoek had gepakt, weer rustig toen. Hij mocht dan juwelen roven, je kreeg van hem wel je kleingeld terug.

Hij glimlachte bij de herinnering terwijl hij zijn schoe-nen uittrok, ging liggen op het smalle eenpersoonsbed met de groen chenille sprei en dacht toen aan de ruzie die die avond met een van de vrouwen, die had geweigerd zich in het herentoilet te laten insluiten.

'Jullie mogen me gerust doodschieten,' had ze gezegd, 'maar mij krijg je daar niet binnen.'

De mannen die naar haar keken, Joe O'Brien met zijn bivakmuts en Sandy en die andere kerel, die opeens niet meer wisten wat ze moesten doen, draaiden zich naar hem om alsof hij het bevel zou kunnen geven haar ook werkelijk dood te schieten.

'Neem haar en haar vriendinnen mee naar het dames-toilet,' had hij rustig gezegd.

Hij draaide zich om om nogmaals naar het schilderij aan de muur van zijn hotelkamer te kijken – een reproductie van Rembrandts *Portret van een oude vrouw* – en vroeg zich af of hij aan dat verhaal moest denken vanwege het schilderij of dat hij naar het schilderij moest kijken vanwege het verhaal, of dat er geen verband tussen bestond. De vrouw op het schilderij zag er eveneens onverzettelijk uit, en lastig en zorgelijk, al was ze ouder dan de vrouw die had geweigerd het herentoilet in te gaan. Dat was het soort vrouw geweest dat je op zondagavond met een stel vriendinnen van de bingoavond naar huis zag lopen. Ze leek helemaal niet op de vrouw op het schilderij. Hij vroeg zich af wat er aan de hand was in zijn hoofd.

Je hoofd is net een spookhuis. Hij wist niet waar de zin vandaan kwam, of iemand het een keer tegen hem had gezegd, of hij het ergens had gelezen, of dat het een regel uit een liedje was. Nee, dacht hij, het kon geen regel uit een liedje zijn. Hij had deze schilderijen gestolen uit een huis dat eruitzag of het er spookte. Indertijd had het een goed idee geleken, maar nu niet meer. Hij had de Rembrandt gestolen waarvan hij nu een reproductie lag te bekijken, plus een Gainsborough en twee Guardi's en een schilderij van een Nederlander met een voor hem onuitsprekelijke naam. De diefstal had dagenlang de krantenkoppen beheerst. Hij herinnerde zich hardop te hebben gelachen toen hij las over een internationale bende van kunstrovers die naar Ierland was gekomen. De diefstal werd in verband gebracht met andere die de afgelopen jaren op het Europese vasteland waren gepleegd.

Drie van deze schilderijen lagen nu begraven in de bergen bij Dublin, geen mens die ze ooit zou vinden. Twee ervan lagen op de vliering van het huis van Joe O'Briens buren in Crumlin. Bij elkaar opgeteld waren ze tien miljoen pond of meer waard. De Rembrandt alleen was vijf miljoen waard. Hij keek naar de reproductie aan de muur en zag het er niet aan af. Het grootste deel was in een of andere donkere kleur gedaan, hij vermoedde zwart, maar het leek nergens naar, en verder maakte de vrouw de indruk wel een verzetje te kunnen gebruiken, als een zure oude non.

Vijf miljoen. Als hij het aan flarden scheurde of in brand stak, was het geen ene reet waard. Hij schudde zijn hoofd en glimlachte.

Iemand had hem verteld over Landsborough House en hoeveel de schilderijen waard waren en wat een eenvoudige klus het zou zijn. Hij had een hele tijd over alarmsystemen lopen nadenken en had zelfs een alarmsysteem in zijn eigen huis laten installeren, zodat hij nauwkeuriger kon nagaan hoe ze werkten. En op een dag wist hij het: wat gebeurde er als je midden in de nacht een alarmsysteem doorknipte? Het alarm zou nog gewoon afgaan. Maar wat gebeurde er daarna? Niemand die het systeem kwam repareren, zeker niet als ze ervan uitgingen dat het vals alarm was. Je hoefde je alleen maar uit de voeten te maken als het alarm afging en te wachten, en als een uur later alle opschudding achter de rug was kon je terugkomen. Hij was op een zondagmiddag naar Landsborough House gereden. Het was pas een jaar opengesteld voor publiek en de bewegwijzering was nog duidelijk. Hij had erheen gewild om het alarmsysteem te onderzoeken en de schilderijen te bekijken en de sfeer op te snuiven. Hij had geweten dat de meeste bezoekers op zondagmiddag families zouden zijn, maar hij had zijn eigen gezin thuisgelaten, want hij dacht niet dat ze veel lol zouden beleven aan een uitje naar een groot huis of aan wat rondsjokken om naar schilderijen te kijken. Hij trok er sowieso liever in zijn eentje op uit en vertelde ze nooit waar hij heen ging of wanneer hij terug zou zijn. Hij zag 's zondags vaak mannen met het hele gezin de stad uitrijden. Hij was benieuwd hoe ze dat vonden. Hij zou het afschuwelijk vinden.

Het huis was een en al schaduw en echo geweest. Slechts een deel – een 'vleugel' was het woord, veronderstelde hij – was open voor publiek. Hij had aangenomen dat de eigenaars in de rest van het huis woonden en stilletjes geglimlacht bij het idee dat zodra hij echt plannen kon maken, hun nog een hele schok te wachten stond. Ze waren oud, dacht hij, en mocht hij last van ze hebben, dan was het een fluitje van een cent om ze vast te binden. Aan het einde van een gang had een gigantische galerij gelegen, en hier hadden de schilderijen gehangen. Hij had de namen van de allerduurste bij zich, en het had hem verbaasd hoe klein ze waren. Als er niemand keek, dacht hij, kon hij er zo een onder zijn jas stoppen. Hij vermoedde wel dat er achter het schilderij een alarm zat en er ergens een suppoost rondhing. Hij keek naar de bedrading, het zag er eenvoudig uit. Hij liep door de gang terug naar het winkeltje waar hij ansichtkaarten kocht – bij een later bezoek zou hij posters kopen – van de schilderijen die hij wilde gaan stelen.

Hij had genoten van het idee dat niemand – helemaal niemand, niet de suppoost, niet de andere bezoekers, niet de vrouw die zijn geld had aangenomen en de ansichten voor hem had ingepakt – hem had opgemerkt of zich hem ooit zou herinneren.

Om diezelfde reden was hij gehecht geraakt aan Finbar's Hotel. Ook dit was een plek die niemand opviel. Het was niet uitgesproken modern of uitgesproken weelderig of uitgesproken vervallen, en zijn eigen aanwezigheid hier leek niet te worden opgemerkt. Simon, de portier, wist wie hij was en keek naar hem zoals een reptiel in de dierentuin een bezoeker observeert, en de manager, Johnny Farrell, wist het ook en liet ondubbelzinnig weten dat al zijn wensen onmiddellijk zouden worden ingewilligd, inclusief zijn wens er als een onderhoudsman uit te zien wanneer hij door het hotel liep, zijn wens een valse naam in het gastenboek te zetten, zijn wens vooraf contant te betalen en zijn wens 's ochtends nooit aan het ontbijt te verschijnen. Hij reserveerde door een dag van tevoren zelf te bellen; hij kreeg altijd deze kamer, 107, aan het eind van de gang. Soms kwam hij hier als hij iemand wilde ontmoeten, andere keren om na te denken, in een paar uur een plan uit te werken op een neutrale plek waar hij niet gestoord kon worden.

Hij lag op het bed van kamer 107 en keek opnieuw naar het schilderij. Krap een uur geleden had hij zijn busje op de parkeerplaats achter Finbar's Hotel gezet. Hij had één ingelijste reproductie van de Rembrandt, in bruin pakpapier gewikkeld, achter in de kofferbak laten liggen en de andere ingelijste reproductie, eveneens in bruin pakpapier verpakt, mee naar zijn kamer genomen. Hij had het uitzicht op de Meren bij Killarney van de muur tegenover het bed gehaald, het pakpapier rond de Rembrandt opengemaakt en die daar opgehangen. Als hem was gevraagd welke van de twee schilderijen vijf miljoen pond waard was, zou hij ongetwijfeld de Meren bij Killarney hebben gezegd, dacht hij.

De politie wist dat hij de schilderijen had. Een paar weken na de roof had hij een artikel in de *Irish Independent* gelezen waarin zijn naam werd 'gekoppeld' aan de internationale kunstroversbende. Dus als ze hem volgden, hadden ze nu een schitterende kans de Rembrandt weer in handen te krijgen. Ze konden die in het busje pakken of degene die aan de muur hing. En het zou ze een paar uur kosten voor ze zouden beseffen dat ze alleen maar reproducties in handen hadden. Het probleem was dat alleen hij bestond, er was geen internationale kunstbende. Het probleem was ook dat hij drie man bij deze klus had betrokken, die alledrie dachten dat ze een half miljoen pond in contanten zouden krijgen. Ze hadden allemaal al plannen voor het geld en bleven hem ernaar vragen. Hij wist nog niet precies hoe hij de schilderijen in contanten moest omzetten.

Hij wachtte. Later op de avond, om acht uur, zouden twee Nederlanders die zich uitgaven voor financiële correspondenten, een kamer nemen op de volgende gang. Ze waren met hem in contact gekomen via een man genaamd

Mousey Furlong, die vroeger voddenboer was met een paard en wagen en nu heroïne verkocht op de North Side. Hij schudde zijn hoofd toen hij aan Mousey Furlong dacht. Hij haatte de heroïnehandel, het was te riskant, bij iedere transactie waren te veel mensen betrokken, en hij haatte het kinderen over straat te zien zwerven, magere kinderen met bleke smoeltjes en enorme ogen. Heroïne zette de wereld op zijn kop, waardoor mannen als Mousey Furlong contact hadden met Nederlanders, en dát, vond hij, was niet zoals het hoorde.

De Nederlanders hadden belangstelling voor de Rembrandt, zei Mousey, maar ze moesten hem wel op echtheid kunnen controleren – Mousey sprak het woord 'echtheid' uit alsof hij een pasgekookt ei in zijn mond hield – voordat ze het over geld konden hebben, maar dat geld, zeiden ze, hadden ze beschikbaar in contanten. Als ze het hadden gezien, konden ze snel met het geld over de brug komen, zeiden ze. Ze konden het later nog over de andere schilderijen hebben. Hij nam aan dat ook zij voorzichtig moesten zijn; als ze het geld bij zich hadden, zou het een fluitje van een cent zijn ze vast te binden en het te stelen en de reproductie voor ze achter te laten op het bed zodat ze die mee terug konden nemen naar Holland. Hij had de Rembrandt in de bergen laten liggen en was van plan ze eerst een Guardi en de Gainsborough te laten zien als bewijs dat hij de schilderijen had.

Een diefstal was zo makkelijk. Je stal geld en dan was het gelijk van jou, je borg het ergens veilig op. Of je stal juwelen of elektrische apparaten of ladingen sigaretten en dan wist je hoe je die van de hand kon doen, je had mensen die je kon vertrouwen, er bestond een hele wereld die wist hoe je zo'n onderneming moest opzetten. Maar met deze schilderijen was het anders. Nu diende je mensen te vertrouwen die je niet kende. Stel dat die twee Nederlanders van de politie waren? Het beste was te wachten, dan behoedzaam te handelen en dan weer te wachten. Hij stond op van het bed en liep naar het raam. Hij verwachtte min of meer een gedaante te zien die hem vanaf de kade in de gaten hield, maar er was niemand. Hij dacht niet dat de politie wist dat hij hier was; als ze hem de trap hadden zien oplopen met het schilderij, zouden ze hem zijn gevolgd en hadden ze hem aangehouden en het schilderij gepakt. Ze snakten naar een succesje. Ze konden niks, vond hij.

Hij moest nog uren wachten in Finbar's Hotel. Hij liep terug naar het bed en ging liggen. Hij staarde naar het plafond en dacht aan niets. Hij sliep 's nachts goed en was nooit moe rond deze tijd van de dag, maar nu voelde hij zich wel moe en ging op zijn zij liggen en doezelde langzaam in slaap. Toen hij wakker werd voelde hij zich nerveus en niet op zijn gemak, het verlies aan concentratie en controle stoorde hem en hij ging rechtop zitten en keek op zijn horloge. Hij had maar een halfuur geslapen, maar toen besefte hij dat hij weer over Lanfad had gedroomd, en hij vroeg zich af of het ooit zou ophouden, de dromen daarover. Het was vijfentwintig jaar geleden dat hij daar was weggegaan.

Hij had gedroomd dat hij er terug was, voor het eerst werd afgeleverd, tussen twee agenten in, er aankwam en de gangen door werd geleid. Alleen was hij het niet als dertienjarige jongen, hij was het nu, na al die jaren waarin hij gedaan had waar hij zin in had, getrouwd was, 's ochtends werd gewekt door het lawaai van kinderen, 's avonds tv-keek, inbraken pleegde en deals sloot. En wat hem verontrustte was het gevoel in de droom dat hij het best vond om opgesloten te worden, orde in zijn leven te hebben, zich aan regels te houden, altijd in de gaten te worden gehouden, niet te veel te hoeven nadenken. Terwijl hij in zijn droom door die gangen werd geleid, voelde hij berusting, blijdschap bijna.

Zo had hij zich het grootste deel van de tijd gevoeld toen

hij zijn eerste en enige veroordeling uitzat in de Mountjoy-gevangenis, acht jaar geleden. Hij had zijn vrouw gemist en hun eerste kind en het plannen maken en kunnen gaan en staan waar hij wilde, maar hij zat er niet mee dat hij elke avond werd ingesloten en al die tijd voor zichzelf had. Het grootste deel van de tijd had hij een eigen cel en overdag voerde hij niet veel uit. Hij had de pest aan het eten, maar besteedde er verder geen aandacht aan, en hij had de pest aan de bewakers, en hij lette er goed op niets te laten merken aan zijn vrouw bij haar wekelijkse bezoek, geen enkele emotie te tonen, geen spoor van hoe eenzaam en geïsoleerd hij zich soms voelde. In plaats daarvan bespraken ze plannen voor als hij weer vrijkwam, en zij vertelde alle nieuwtjes over de buren en de familie, en hij probeerde te lachen of ten minste te glimlachen, en het ging ook best weer na een paar uur als hij weer alleen was. Hij had zijn gemak ervan genomen en zich niet druk gemaakt zolang hij zat.

Maar zo was het bepaald niet geweest in die eerste paar dagen in Lanfad. Misschien lag dat eraan dat hij dertien of veertien was en het in de Midlands lag, kilometers van Dublin. Hij was volkomen overdonderd geweest door de plek, door hoe koud en onvriendelijk het er was en dat hij daar drie of vier jaar zou moeten blijven. Hij had niets gevoeld. Hij huilde nooit en als hij verdrietig was, wendde hij zich eraan een tijdlang aan niets te denken, net te doen of hij nergens was, en hij ontdekte dat hij dat overal kon doen en zo kwam hij zijn jaren in Lanfad door.

In de drieënhalf jaar dat hij er zat, had hij maar één keer een pak slaag gehad en dat was toen de hele slaapzaal een voor een was meegenomen en met een riem op de handen was geslagen. De rest van de tijd werd hij met rust gelaten; hij hield zich aan de regels wanneer hij wist dat er grote kans bestond gepakt te worden. Hij wist dat je in de zomer makkelijk 's avonds kon wegglippen, als je maar wachtte tot alles stil was geworden en de juiste persoon meenam en niet te ver weg ging. Hij wist hoe je de keuken kon plunderen en ook hoe vaak dat kon. Nu hij er, zo op bed liggend, over nadacht, besefte hij dat hij graag alleen was geweest, op een afstand van de rest, nooit degene die staand op de lessenaar werd betrapt als de broeder binnenkwam, of schreeuwend op de slaapzaal, of vechtend.

In zijn eerste nacht daar, of misschien de tweede, hij wist het niet zeker, was er op de slaapzaal een gevecht uitgebroken. Hij hoorde hoe het allemaal begon en toen zoiets als: 'Zeg dat nog een keer en ik sla je op je bek', gevolgd door aanmoedigingskreten van alle kanten. Dus toen moest er wel worden gevochten. Er was zoveel energie in de slaapzaal dat er onmogelijk niets kon gebeuren. Het was helemaal donker, maar vormen en bewegingen waren te onderscheiden. En hij kon horen dat er zwaar werd geademd en bedden achteruit werden geschoven en toen van alle kanten het geschreeuw. Hij verroerde zich niet. Het zou al snel bij zijn stijl horen zich niet te verroeren, maar toen had hij nog geen eigen stijl ontwikkeld. Hij was te onzeker om zich te durven verroeren. Hij keek toe vanaf zijn bed. Toen het licht aanging en broeder Walsh, een van de oudere broeders, binnenkwam, hoefde hij niet naar zijn bed terug te draven zoals alle anderen, maar toch was hij bang toen de broeder door de slaapzaal schreed. Er heerste nu een doodse stilte en een gevoel van angst dat nieuw voor hem was. Broeder Walsh zei niets. Hij liep tussen de bedden door en keek de jongens één voor één aan. Toen de broeder hem aankeek, wist hij niet wat hij moest doen. Hij ontmoette zijn blik en keek toen weg en keek hem toen weer aan. Uiteindelijk begon de broeder te spreken.

'Wie is er begonnen? Degene die is begonnen, stapt nu naar voren.'

Niemand die antwoord gaf. Niemand die naar voren stapte.

'Ik haal er twee jongens uit en die gaan mij vertellen wie er is begonnen en het wordt alleen maar erger voor jullie als jullie nu niet toegeven en naar voren stappen.'

Het accent had hij nooit eerder gehoord. Hij had naar de stem van de broeder geluisterd, maar deed alsof er niets gebeurde. Als hij eruit werd gehaald zou hij niet weten wat hij moest zeggen. Hij kende niemands naam. Hij vroeg zich af hoe alle anderen elkaars naam hadden geleerd. Het leek hem een onmogelijke opgave. Terwijl hij hier nog over nadacht, keek hij op en zag dat er nu twee jongens naast hun bed stonden, met neergeslagen ogen. Een van hen had een scheur in zijn pyjamajasje.

'Goed,' zei broeder Walsh. 'Jullie twee komen met mij mee.'

De broeder liep terug naar de deur en deed het licht uit, waarna het volkomen stil bleef. Niemand die zelfs maar fluisterde. Hij lag daar maar en luisterde. De eerste geluiden waren zwak, maar al snel hoorde hij geschreeuw en een kreet en toen het onmiskenbare geluid van riem op huid, en toen stilte en toen een kreet van pijn. Hij vroeg zich af waar het gebeurde. Hij dacht dat het in de gang voor de slaapzaal of in het trappenhuis moest zijn. Toen werden de slagen regelmatig, onder aanhoudend gekrijs en gejank. En al snel het geluid van stemmen die 'Nee!' gilden, steeds maar weer.

Iedereen in de slaapzaal lag te luisteren, niemand die zich verroerde of iets zei. Er kwam geen eind aan. Ten slotte, toen de twee jongens in het donker weer naar hun bed scharrelden, werd de stilte nog dieper. Ze lagen in bed te huilen en te snikken en de andere jongens luisterden. Hij had hun naam willen weten en vroeg zich af of hij ze morgen zou herkennen en of ze er anders zouden uitzien omdat ze een pak slaag hadden gekregen.

In de maanden daarna vond hij het onvoorstelbaar dat de jongens om hem heen konden vergeten wat er die nacht was gebeurd. Er braken opnieuw gevechten uit op de donkere slaapzaal en jongens schreeuwden en kwamen uit bed en lieten zich gewoon betrappen als de lampen aangingen en broeder Walsh of een andere broeder, of soms twee broeders samen, opeens het licht aandeden en stonden te kijken hoe iedereen naar bed terugdraafde. En elke keer werden de hoofdschuldigen gedwongen naar voren te stappen en meegenomen en gestraft.

Langzaam maar zeker begon hij de broeders op te vallen en begrepen ze dat hij een geval apart was, en geleidelijk aan begonnen ze hem te vertrouwen. Maar hij vertrouwde hen nooit en zorgde ervoor dat niet één van hen vriendelijk tegen hem ging doen. Hij leerde om niets te denken, niets te voelen. In heel die tijd daar had hij geen enkele vriend, liet hij niemand in zijn buurt komen. Een paar keer stopte hij een gevecht, of koos hij partij voor iemand die werd getreiterd, of liet hij het een tijdje toe dat een jongen op hem steunde. Maar het was altijd duidelijk dat het hem koud liet, dat hij altijd ieder moment kon weglopen.

Van de broeders had hij toestemming gekregen buiten in het moeras te werken en daar haalde hij zijn hart op aan de stilte, het trage werk, het vlakke land dat zich uitstrekte tot aan de horizon. Het vermoeid terug naar huis lopen aan het einde van de dag. In zijn laatste jaar mocht hij in de stookkelder werken en het was in de tijd dat hij daar werkte – het moest in de winter van zijn laatste jaar zijn geweest – dat hij iets doorkreeg wat hij niet eerder had geweten.

Er stonden geen muren om Lanfad, maar het werd je te verstaan gegeven dat iedereen die zich buiten een bepaald gebied begaf, zou worden gestraft. In de lente, als de avonden langer werden, waren er ieder jaar weer jongens die probeerden te ontsnappen, maar ze werden altijd gepakt en teruggebracht. Op een keer, in zijn eerste jaar, werden er twee jongens gestraft en moest de hele school toekijken, maar dat schrok degenen die ook wilden ontsnappen niet af. Eerder moedigde het hen aan. Hij kon maar niet begrijpen dat er mensen waren die ontsnapten zonder een plan te hebben, een welomlijnde strategie om in Dublin te komen, en misschien in Engeland.

Die laatste winter hadden twee jongens, ouder dan hij, er genoeg van gehad. Ze hadden bijna elke dag heibel en leken nergens bang voor. Hij herinnerde zich hen omdat hij een keer met ze had gepraat over ontsnappen, wat hij zou doen en waar hij heen zou gaan. Het gesprek was hem gaan interesseren omdat ze schenen te weten waar je aan fietsen kon komen, en hij wist dat dat de enige manier was om te ontsnappen, door 's nachts om een uur of één weg te fietsen en genoeg geld te versieren om meteen op de boot te stappen. Zonder erbij na te denken had hij eraan toegevoegd dat hij voor zijn vertrek nog graag een of twee broeders zou willen neersteken, of ze anders eens goed in elkaar wilde trappen, en hij had dit op dezelfde afstandelijke, vastberaden manier gezegd waarop hij alles zei. Hij merkte dat de twee jongens hem ongemakkelijk aankeken en besefte dat hij zijn mond voorbij had gepraat. Hij stond meteen op en liep weg, en bedacht toen dat hij dat evenmin had moeten doen. Hij speet hem dat hij überhaupt met ze had gepraat.

Uiteindelijk ontsnapten de twee jongens zonder fietsen en zonder een plan en werden ze teruggebracht. Hij hoorde ervan toen hij een emmer turf naar de eetzaal van de broeders bracht. Broeder Lawrence hield hem staande en bracht hem op de hoogte. Hij knikte en liep door. Bij het avondeten viel hem op dat de twee jongens die waren ontsnapt er nog steeds niet waren. Hij nam aan dat ze ergens waren opgesloten. Hij ging de trap af naar de stookkelder.

Het was later die avond, tegen de tijd dat de lichten uitgingen, dat hij een geluid hoorde toen hij het pad overstak om extra turf te halen. Hij wist wat het was, het was het geluid van iemand die werd geslagen en huilde. Hij kon er niet achter komen waar het vandaan kwam, maar toen drong het tot hem door dat het in de speelkamer was. Hij zag dat er licht brandde, maar het raam zat zo hoog dat hij niet naar binnen kon kijken. Hij ging terug naar de stookkelder om een kruk te halen en zette die onder het raam. Toen hij naar binnen keek zag hij dat de twee jongens die hadden proberen te ontsnappen, voorover lagen vastgebonden op een oude tafel met hun broek rond hun enkels en dat ze door broeder Fogarty op hun kont werden geslagen met een rietje en daarna met een riem. Broeder Walsh stond naast de tafel en hield met beide handen de jongen vast die een pak slaag kreeg. En toen zag hij opeens nog iets anders. Achter in de speelkamer stond een oude biechtstoel. Die was hem al eerder opgevallen, hij werd gebruikt om oude rommel in op te bergen. Nu stonden er twee broeders in en de deur was open. Hij kon ze van achter het raam duidelijk zien – broeder Lawrence en broeder Murphy – en hij begreep dat de twee andere broeders zich bewust moesten zijn van hun aanwezigheid, maar vermoedelijk niet konden zien wat ze deden.

Ze waren beiden aan het masturberen. Ze hielden hun ogen strak op het tafereel voor hen gericht – de jongens die straf kregen en het elke keer uitschreeuwden als ze werden geslagen met de riem of het rietje. Hij kon zich niet herinneren hoelang hij naar ze had staan kijken, maar het was in zijn geheugen gegrift alsof hij er een foto van had genomen. Hiervóór had hij het vreselijk gevonden als er jongens om hem heen werden gestraft, hij had de stilte en de angst verafschuwd. Maar hij had bijna geloofd dat de straf noodzakelijk was, deel uitmaakte van een natuurlijk systeem waarin de broeders het voor het zeggen hadden. Nu wist hij dat er nog iets anders meespeelde, iets wat hij niet kon bevatten, waarover hij niet wilde nadenken. Het beeld was hem bijgebleven: de twee broeders in de biechtstoel zagen er niet uit als mannen die het voor het zeggen hadden, het leken eerder hijgende honden. Hij was er al achter gekomen dat hij in staat was zich te beschermen tegen bepaalde gevoelens waarvan hij uit zijn doen raakte, nu had hij iets nieuws om af te weren.

Dat bracht hem terug bij het probleem van de schilderijen. Hij zat op de rand van het bed in de hotelkamer en krabde zich op zijn hoofd. Hij liep naar het raam en keek opnieuw naar de rivier. Hij had nu hetzelfde gevoel als toen – dat iets wat hij niet kon bevatten hem lokte en dat hij zijn geest leeg wilde houden, niets wilde voelen behalve afweer. Hij was bang. Hij wist dat als hij de diefstal in zijn eentje had gepleegd, hij de schilderijen zou wegsmijten, of ze hier in de gangen van Finbar's Hotel zou achterlaten ter vervanging van de zeegezichten en paardenprenten aan de muur. Toen hij uit Lanfad was vertrokken, was dat met het gevoel dat achter alles iets anders schuilging, een verborgen motief misschien of iets onvoorstelbaar duisters, dat de persoon die je zag slechts één laag was en er waren altijd andere lagen, geheime lagen waarop je per ongeluk kon stuiten of die zichtbaar werden als je maar goed genoeg keek.

Ergens in deze stad of in een andere stad bestond er iemand die wist hoe je deze schilderijen van de hand kon doen, het geld opstreek, dat verdeelde. Hij vroeg zich af of hij erachter zou komen als hij er lang genoeg over nadacht. Telkens als hij zich erover beraadde, liep hij vast. Maar er moest een manier zijn. Hij vroeg zich af of hij naar de anderen toe kon gaan die bij de diefstal waren betrokken – en ze waren zo trots op zichzelf geweest die nacht, het was allemaal perfect gegaan – om ze uit te leggen wat het probleem was. Maar hij had nog nooit iemand iets uitgelegd. Het zou als een lopend vuurtje rondgaan. Bovendien, als hij er al niet uitkwam, dan lukte het hun zeker niet. Het enige waar ze goed in waren, was doen wat ze gezegd werd.

Hij staarde vaag uit het hotelraam en keek toen een

ogenblik scherp naar de kade. Niemand die de boel in de gaten hield, tenzij ze iemand in het hotel hadden ondergebracht. Maar misschien wist de politie dat ze hem niet in de gaten hoefden te houden, dat hij zelf fouten zou maken. Maar zo dachten ze niet, meende hij. Als hij een agent of een advocaat of een rechter zag, zag hij een broeder in Lanfad, mensen die verzot waren op hun autoriteit, deze ook gebruikten, hun macht etaleerden op een manier die naar hij wist verborgen en beschamende elementen en motieven bevatte. Hij liep naar de wasbak en draaide de koude kraan open en plenste water in zijn gezicht. Hij rekte zich uit en keek nog een keer naar het schilderij en glimlachte. Het was tenminste een schilderij van een vrouw.

Hij moest nog een uur wachten. Hij pakte zijn sleutel en ging naar beneden. Hij liep langs de receptiebalie met het prettige idee dat de receptioniste daar door hem heen keek. Als iemand haar over een paar minuten ernaar zou vragen, zou ze hem niet kunnen beschrijven, ze zou zich niets van hem herinneren. Hij liep de bar binnen en ging bij het raam zitten. Ten slotte liep hij naar de toog en bestelde thee. De jongeman achter de bar vroeg of hij er een koekje bij wilde. Hij knikte en zei: 'Ja, graag.'

Hij voelde zich triest terwijl de middag langzaam ten einde liep. Hij verafschuwde dit gevoel en probeerde weer over de schilderijen na te denken. Misschien was het allemaal veel eenvoudiger dan hij dacht. De Nederlanders zouden komen, hij zou ze meenemen om de schilderijen te bekijken, zij zouden bereid zijn hem het geld te geven, hij zou ze naar de plek rijden waar ze het geld hadden liggen. En dan? Waarom zou hij niet gewoon het geld van ze aannemen en de schilderijen laten zitten? Maar dat moesten zij ook hebben bedacht. Misschien zouden ze hem bedreigen en duidelijk maken dat als hij zich niet aan de afspraken hield, zij hem lieten neerschieten. Hij was niet bang voor ze. De thee en het koekje arriveerden. Hij zuchtte terwijl hij afrekende, schonk thee in en deed er suiker bij. Hij voelde zich weer triest, en zoals altijd wanneer hij zich zo voelde, kwamen er dingen bovendrijven waarover hij spijt had. Hij probeerde weer aan iets anders te denken, maar het lukte niet. Er waren maar een paar mensen op de hele wereld die hij vertrouwde, liefhad misschien – al was liefde niet het goede woord – en wilde beschermen. Zoals zijn dochter Lorraine, ze was nu vier. Ze praatte graag en wist wat ze wilde. Alles aan haar was volmaakt en hij verheugde zich bij het vooruitzicht thuis te komen en dat zij er dan was. Hij vond het fijn als ze boven lag te slapen. Hij wilde dat ze gelukkig en geborgen was. Dat gevoel had hij niet bij zijn andere kinderen.

Hij had hetzelfde gevoel gehad bij Frank, zijn jongste broer, en hij had het afschuwelijk gevonden toen die was gaan stelen. Frank was er niet goed in. Hij raakte snel in paniek. Frank hoefde maar opgepakt te worden of hij sloeg door; de politie maakte dankbaar gebruik van hem. Hij vond het afschuwelijk als Frank in de gevangenis zat. Hij was hem nooit gaan opzoeken, maar wachtte totdat hij werd vrijgelaten en gaf hem dan geld en probeerde op hem in te praten naar Engeland te gaan of een eigen zaak te beginnen. Hij wist niet dat Frank toen al verslaafd was en het geld in een paar weken aan heroïne zou opmaken en weer zou gaan stelen.

Het was maar een paar maanden na zijn vrijlating dat Frank inbrak in het souterrain van een van die huizen aan Palmerston Road. Hij was onschuldig, er waren dingen die hij nooit begrepen had. Eén gouden regel was dat mensen die een huis bezaten, veel banger voor jou waren dan jij voor hen. Als ze je in huis betrappen, hoef je niet op ze af te stappen. Zet het op een hollen. Maak dat je wegkomt. Maar ga niet op ze af.

Frank moet zijn geschrokken toen de eigenaar van het

appartement thuiskwam. Hij moet het keukenmes op de tafel hebben gevonden en uit angst hebben toegestoken. Frank – hij zag hem nu voor zich met een vriendelijk gezicht en een zwak glimlachje, en zijn hart ging naar hem uit – liet overal vingerafdrukken achter en de man bloedde dood. Frank werd schuldig bevonden aan moord, en iemand in de gevangenis of een bezoeker, misschien wel iemand van de familie tijdens het bezoekuur, gaf hem genoeg heroïne voor een week. Hij moet het allemaal in één keer hebben opgebruikt, of het meeste ervan, want ze troffen hem dood aan met naast zich een naald. De politie wilde dat de familie het lichaam zou komen identificeren, maar geen van hen wenste ook maar iets te maken te hebben met de politie.

Hij zat daar en dacht aan zijn broer die onder de grond lag, die nu geen bescherming meer nodig had. Achteraf leek het onontkoombaar, iets wat niet te vermijden was geweest. Maar destijds was dat anders geweest, had het allemaal vermeden kunnen worden, elke seconde ervan.

Als hij maar van die schilderijen kon afkomen, dan ging het wel weer, dacht hij. Kon hij weer zijn eigen gang gaan. Misschien zou hij wat risico moeten nemen met die Nederlanders, het geld van ze zien los te krijgen en ze de schilderijen geven en er verder niets meer mee van doen hebben. Maar, bedacht hij, dat was geen goed idee. Hij moest op zijn hoede zijn. Hij dronk zijn thee en keek naar de bar. Er kwam een vrouw binnen die aan de bar ging zitten, hij keek toe hoe ze ergens om vroeg en hoe de barman zijn hoofd schudde, waarna ze om iets anders vroeg. Ze had een Amerikaans accent, maar zag er niet uit als een Amerikaanse. Hij ving heel even haar blik en keek zo snel mogelijk weg. Toen hij weer opkeek, zat ze hem aan te staren. Hij keek om zich heen voor het geval ze naar iets anders staarde, maar nee, het ging om hem. Toen haar drankje arriveerde, richtte ze haar aandacht op de barman.

Een van de redenen dat hij altijd Finbar's Hotel nam, was dat niemand hier enige aandacht aan hem besteedde. Het kon niet waar zijn, dacht hij, dat zij van de politie was. Maar toen bekeek hij het van de kant van de politie en leek het logisch dat ze een vrouw naar binnen stuurden die gekleed ging als een Amerikaanse. Hij nam aan dat ze hadden gedacht dat zij niet zou opvallen, maar, dacht hij, ze hadden haar moeten zeggen dat ze niet naar mensen moest staren. Toen hij opkeek, zat ze hem weer aan te staren. Hij kon zijn ogen niet geloven. Hij vroeg zich af wat hij nu het beste kon doen. Hij wachtte even en keek toen haar kant weer op. Nu was ze verdiept in een of ander oud logboek. Hij dacht erover haar van achteren te besluipen en 'Boe!' te roepen. Misschien was ze gewoon een onschuldige Amerikaanse die naar mensen staarde. Maar er was iets met haar gezicht en haar haar dat niet klopte. Ze was typisch zo'n vrouw die bij de politie ging. Ze had die lege, hongerige, ietwat opgejaagde blik die je vaak bij politie-agenten zag. Hij bedacht dat hij beter naar zijn kamer kon gaan om daar te wachten. Hij liep naar de lobby en nam de lift naar de eerste verdieping.

Een tijdje later klonken er voetstappen in de gang. Vlak voor zijn deur hielden ze halt. Hij wist dat ze van een vrouw waren. Hij deed zijn deur net ver genoeg open om een glimp op te vangen van de rug van de vrouw uit de bar terwijl ze de deur van de kamer naast de zijne opendeed. Hij ging op bed zitten en dacht nog wat meer over haar na.

Eindelijk, heel veel later, ging de telefoon en zei hij tegen de Nederlandse stem aan de andere kant van de lijn dat ze naar zijn kamer moesten komen. In zijn hoofd bezag hij alles nog eens vanuit het standpunt van de politie. Voor hen was het het allerbelangrijkst de schilderijen in handen te krijgen. Ze zouden niets doen totdat ze zeker wisten dat ze de schilderijen hadden. Als dit een val is, dacht hij, moeten ze afluisterapparatuur hebben. Misschien was zij daarmee in de weer geweest voordat ze naar beneden was gegaan om in de bar een oogje in het zeil te houden.

Hij deed zijn deur open en zag een man van middelbare leeftijd voor een kamer aan het eind van de gang met zijn sleutel klungelen. De man keek hem aan of hij hulp nodig had en verdween toen in zijn kamer. Hij dacht niet dat hij voor de politie kon werken, daar keek hij te bang voor, maar misschien was dat juist een list. Toen de man de deur achter zich dicht had getrokken, kwamen de twee Nederlanders de gang inlopen. Een van hen had een koffertje bij zich.

Terwijl ze op hem toe kwamen lopen, legde hij zijn vinger op zijn lippen. Hij had al *Deze is vals* op een papiertje geschreven. Toen ze in de kamer waren, sloot hij de deur en wees naar de reproductie, waarna hij het papiertje gaf. Beiden waren blond, de ene was mager en droeg een bril. Hij schreef *Blijf hier wachten* op een ander papiertje en legde zijn vinger op zijn lippen. Hij liet hen achter in de kamer en draaide de deur op slot. Dat zal ze even zoet houden, zei hij bij zichzelf terwijl hij de gang afliep en aan het eind ervan even bleef wachten om te zien of de deur van de vrouw zou opengaan.

Hij ging naar beneden en nam weer plaats in de bar. Hij dacht dat hij ze daar twintig minuten zou laten zitten, om ze af te laten koelen. Misschien vonden ze het wel leuk om naar het schilderij te kijken. Hij bestelde een glaasje fris en liep toen naar de lobby en ging op een bankje zitten vanwaar hij iedereen kon zien in- en uitlopen. Een figuur met een Temple Bar-T-shirt die een praatje stond te maken met de portier, zag er zo onmiskenbaar niet uit als een politieagent dat hij er vermoedelijk eentje was. Maar dat lag er wel erg dik op, vond hij. Hij moest voorzichtig zijn. Hij had nu drie mensen gezien van wie hij vermoedde dat het politieagenten waren, maar het was nog altijd mogelijk dat ze het geen van allen waren, of allemaal, of maar twee of desnoods een van hen. Als hij erover door zou blijven malen, zou hij gek worden.

Hij liep naar buiten, de kade op, en toen door naar de achterzijde van het hotel. Hij stond op de parkeerplaats. Niemand te zien. Hij besloot naar boven te gaan en de twee Nederlanders uit hun lijden te verlossen. Maar toen hij door de gang liep, bedacht hij ineens dat hij een kijkje in hun kamer moest gaan nemen. Aan zijn sleutelring zat een stukje ijzerdraad dat in combinatie met iemands lang-verlopen creditcard meestal wel afdoende was voor deze simpele sloten. Hij keek om zich heen: niets te horen, er kwam niemand aan. Hij draaide om en nam de trap naar de tweede verdieping. Nog altijd niemand te bekennen. Zo was het meestal in gangen, dacht hij, leeg, ongestoord, in stille afwachting van een eenzame indringer. Binnen een paar tellen had hij de deur open. Er lagen een koffer en een weekendtas op het ene bed. Hij sloot zachtjes de deur achter zich en liep de kamer door om de koffer open te ritsen. Er zat niets in. De weekendtas was ook helemaal leeg. Hij keek onder het matras en in de klerenkast en in de nachtkastjes, maar er was niets te vinden. Hij wist niet wat dit betekende, of het goed of slecht was, of dat het te verwachten was geweest. Hij deed de deur open en luisterde aandachtig. Hij sloop de gang op en ging terug naar zijn kamer. Toen hij door de gang liep, zag hij de Amerikaanse vrouw uit kamer 106 komen. Hij besteedde geen aandacht aan haar, maar vroeg zich wel af waarom ze juist op dit moment haar kamer uitkwam. Toen hij bij zijn eigen deur was en achterom keek, was ze verdwenen. Hij had nog nooit zoveel rare mensen in het hotel gezien.

Toen hij de deur naar zijn kamer opendeed, zag hij dat de twee Nederlanders op het bed zaten. Ze stonden op. Ze zagen eruit als twee mannen die liever ergens anders waren.

Waar is het geld? schreef hij op een stukje papier.

Niet ver hiervandaan, schreef een van hen.

Ik moet het zien, schreef hij.

Wij moeten het schilderij zien, schreef de Nederlander.

Hij keek een poosje naar het briefje en beraadde zich op een antwoord. Hij moest ze laten voelen dat als ze hem zouden belazeren, ze hun leven niet veilig waren, maar hij nam aan dat ze dat al wel wisten. Hun laatste antwoord, vond hij, was erg bijdehand. Hij vroeg zich af of hij niet gewoon tegen ze moest zeggen dat ze moesten maken dat ze wegkwamen, maar toen trof het hem dat ze een zakelijke en professionele indruk maakten. Hij vroeg zich opnieuw af of dit nu een goed of een slecht teken was. Opeens hervond hij zijn zelfvertrouwen. Als hij geld in hun kamer had gevonden, of paspoorten of waardevolle spullen, zou hij hebben geweten dat het amateurs waren. Hij vroeg zich af wat ze van hem dachten. Hij moest doen alsof hij wist wat hij deed.

Hij gebaarde hun hem te volgen naar zijn busje. In de gang bleef hij staan toen hij stemmen hoorde en hij zorgde ervoor dat de Nederlanders achter hem gingen staan. Hij stond stil en lette op en vroeg zich af wat hij nu moest doen. Dit liep alle spuigaten uit, dacht hij. Hij kende de man die samen met de manager voor de open deur van kamer 104 stond, hij kende hem al jaren, had hem alleen al heel lang niet gezien. Wel raar dat hij nu ineens opdook! Een van de redenen dat hij naar Finbar's Hotel kwam, was om tuig als dit te mijden. Het was Alfie FitzSimons, echt tuig van de richel, dacht hij. Hij stond ruzie te maken met de manager.

Hij wist dat FitzSimons niet voor de politie kon werken. Hij was zo iemand die zijn eigen oma zou beroven en dan gepakt werd; iedereen meed hem als de pest. Drugs deed hij ook. Hij keek hem oplettend aan om hem goed duidelijk te maken dat hij hem in de gaten had. In Dublin wemelde het van zulke kerels, dacht hij, terwijl FitzSimons maakte dat hij wegkwam door de gang. Hij gebaarde de Nederlanders hem te volgen. Hij had gedacht dat FitzSimons naar Londen was vertrokken, hij wist zeker dat Alfie FitzSimons te verstaan was gegeven naar Londen te gaan en daar te blijven. Hij moest niet vergeten Joe O'Brien ernaar te vragen. Er waren veel te veel mensen in het hotel, en toch kon het best zijn dat ze allemaal van niets wisten en hij gewoon te voorzichtig was, te paranoïde.

Ze liepen naar de parkeerplaats. Hij reed eerst met het busje naar de noordelijke rondweg en vervolgens door Prussia Street naar de kades. Hij stak opnieuw de rivier over en zette koers naar Crumlin. Niemand in het busje zei iets. Hij hoopte dat ze niet wisten in welk deel van de stad ze zich bevonden.

Hij reed een zijstraat in en toen een pad op, en draaide een garage binnen waarvan de deuren openstonden. Hij stapte uit het busje en trok het rolluik van de garage omlaag. Nu zaten ze in het donker. Hij vroeg zich af wat de Nederlanders daarvan vonden. Toen hij een lichtknopje vond, gebaarde hij hun in de auto te blijven zitten. Hij ging een deur door die naar een tuintje leidde en tikte op het keukenraam. Hij zag drie of vier kinderen rond een tafel en een vrouw bij het aanrecht, met naast haar een man die zich omdraaide toen hij het tikken hoorde. Het was Joe O'Brien. Ineens stonden de kinderen op en pakten hun borden en glazen en verdwenen naar de voorkamer. Ook de vrouw pakte haar spullen bij elkaar en vertrok.

Joe O'Brien deed de deur open en stapte zwijgend de tuin in. Ze liepen door de tuin naar de garage en bekeken de Nederlanders door een klein, smerig raampje. Beide mannen zaten doodstil in de auto.

Hij knikte naar Joe O'Brien, die daarop de garage inliep en tegen hen zei dat ze mee moesten komen. Het was voor het eerst dat iemand iets zei. Ze liepen het pad op en gingen een deur door naar de tuin van het buurhuis. Een oude man die aan de keukentafel de *Evening Herald* zat te lezen, stond op en liet hen binnen toen Joe op het raam tikte. Ook hij zei geen woord, maar ging weer zijn krant zitten lezen. Ze sloten de deur en liepen langs hem heen en gingen de trap op naar de slaapkamer achter.

Hij wist niet of de Nederlanders er aldoor al zo ongemakkelijk hadden uitgezien, of dat ze alleen nu niet op hun gemak waren. Ze spiedden om zich heen in de slaapkamer alsof ze in de ruimte waren. Hij had ze bijna gevraagd of ze nog nooit een slaapkamer hadden gezien. Joe had een ladder tegen het krappe gat in het plafond gezet dat naar de vliering leidde en was naar beneden gekomen met twee schilderijen – de Gainsborough en een van de Guardi's. De twee Nederlanders bekeken de schilderijen aandachtig. Niemand zei iets.

Waar is de Rembrandt? schreef een van hen.

Betaal deze twee. Gaat dat goed, dan krijgen jullie morgen de Rembrandt, schreef hij.

We zijn hier voor de Rembrandt, schreef de Nederlander.

Zijn jullie doof? schreef hij. Beide Nederlanders keken hem aan met een gekwetste en verwarde uitdrukking.

Het geld? schreef hij.

Niet ver hiervandaan, schreef de Nederlander.

Dat heb je al gezegd, schreef hij. *Waar?*

Ander hotel, schreef de Nederlander. En daarna: *We willen de Rembrandt zien*.

Hij nam hen beiden nauwlettend op. Ze leken niet bang te zijn.

Breng de helft van het geld naar Finbar's Hotel, schreef hij. *Jullie kunnen deze schilderijen krijgen. Morgen, zelfde tijd, als alles goed gaat, krijgen jullie de andere twee.*

We zullen erover nadenken. Degene met bril had deze keer de pen gepakt.

Rot op met je nadenken, schreef hij. *Ga naar Finbar's Hotel en wacht daar.*

Deze keer schreef de ander, en de man met de bril keek

toe. *Als we om middernacht niet terug zijn, gaat de deal niet door. We kwamen hier om de Rembrandt te zien. Er is geen Rembrandt. We moeten nieuwe instructies halen.*

Opeens besefte hij dat deze twee mannen de gemaakte afspraken heel serieus namen. Hij had ermee ingestemd hun de Rembrandt te laten zien en nu had hij de afspraak geschonden. Maar hij kon niet van tactiek veranderen. Hij kon niet verslappen. Hij besefte dat er gevaar bestond dat de deal zou afketsen. Hij was zich ervan bewust dat Joe O'Brien naar hem keek. Misschien moesten ze een van die kerels grijpen en vastbinden en tegen de ander zeggen dat hij het geld moest gaan halen, anders zouden ze zijn maat vermoorden. Maar daarmee raakte hij zijn schilderijen niet kwijt. Plus dat de politie er dan bij betrokken zou kunnen raken. Hij aarzelde. De drie anderen stonden hem aan te kijken.

Deze man, schreef hij en hij wees naar Joe, *zal met jullie meegaan.*

Nee, schreef een van hen. *Hij kan ons naar de stad rijden. Meer niet. Wanneer kunnen we de Rembrandt zien?*

Ze keken hem beiden rustig aan en juist die rust verontrustte hem, deed hem aarzelen, nog eens denken, en maakte het toen onmogelijk verder te denken.

Dat heb ik al gezegd, schreef hij. Ze knikten beiden. Ze zagen eruit als mannen die een te zachte huid hadden om zich te kunnen scheren. Hij kwam er maar niet achter of ze erg dom waren of erg slim. Er viel niets meer te zeggen. Hij had de schilderijen, maar zij hadden alle macht, want ze hadden het geld. Hij wist dat er niets anders op zat dan terug te gaan naar Finbar's Hotel en daar te wachten.

Ik ben daar tot middernacht, schreef hij, alsof hij degene was die het eerst iets over middernacht had gezegd. Hij besefte dat hij geen contact met ze kon opnemen, tenzij via Mousey Furlong, die waarschijnlijk geen idee had in welk hotel ze zaten. Hij pakte weer de pen en het papier.

Als jullie voor middernacht naar het hotel komen, kunnen jullie de Rembrandt zien, schreef hij.

In het hotel? schreef een van hen.

Vlakbij, schreef hij.

Goed, schreef de Nederlander. *We moeten nieuwe instructies halen.*

Hij kon verder niets meer zeggen. Hij zou nu naar de bergen moeten om de andere schilderijen op te graven. Hij knikte naar Joe en ze liepen de kamer uit. De oude man, die nog altijd de krant zat te lezen toen ze langs hem door de keuken liepen, keek niet op. Joe nam de twee Nederlanders mee naar zijn eigen huis, zijn auto stond voor de deur. Ze liepen zonder iets te zeggen weg.

Joe O'Brien was de enige man met wie hij had samengewerkt die altijd exact zou doen wat hem werd verteld, nooit vragen zou stellen, nooit te laat zou komen of bedenkingen zou uiten. Hij zou alles doen. Hij wist ook alles van bedradingen, auto-onderdelen, sloten, explosieven. Toen hij de advocaat Kevin McMahon het hiernamaals in had willen jagen, was Joe O'Brien de enige geweest die hij had benaderd en ingelicht. Hij had de eerste keer dat Frank had moeten voorkomen gezien hoe McMahon voor het openbaar ministerie door de rechtszaal had lopen pronken, en toen Frank voor moord terechtstond was McMahon erg persoonlijk geworden over Franks hele familie. Hij had de indruk gewekt niet gewoon zijn werk te doen, maar er juist erg van te genieten. Op dat moment had hij besloten McMahon te grazen te nemen. Het zou een fluitje van een cent zijn geweest hem neer te schieten of hem in elkaar te laten slaan of zijn huis plat te branden, maar hij had McMahon willen opblazen in zijn auto. Dat gebeurde aan de lopende band in het Noorden, de afwikkeling deed het altijd goed op televisie. Het zou de rest van de juridische stand te denken geven. Zelfs nu hij richting Wicklow reed, moest hij glimlachen als hij eraan dacht. Zo onvoorzichtig als die mensen waren! McMahon had zijn auto op de oprit van zijn huis laten staan. Op bepaalde nachtelijke uren – zeg, tussen drie en vier – kon je in Dublin alles uitvreten, dan was het doodstil. Het had Joe O'Brien nog geen kwartier gekost het ding onder de auto te plaatsen.

'Het ontploft zodra hij zijn contactsleuteltje omdraait,' had Joe gezegd toen ze terugliepen, de kant van Ranelagh op. Joe had nooit gevraagd waarom McMahon werd opgeblazen. Hij vroeg zich af of Joe O'Brien thuis ook zo was. Als zijn vrouw hem vroeg de afwas te doen, of thuis te blijven om op de kinderen te passen, of haar haar vinger in zijn kont te laten steken, zou hij dan ook gewoon ja zeggen en het doen?

Hij lachte bij zichzelf terwijl hij afremde voor een stoplicht. Uiteindelijk was de bom niet ontploft toen McMahon zijn auto had gestart, maar een kwartier later op een drukke rotonde. En het was ook niet de dood van McMahon geworden, alleen zijn benen waren eraf gevlogen.

Hij herinnerde zich Joe O'Brien een paar dagen later te hebben ontmoet en een tijdje niets te hebben gezegd over de auto of McMahon, en dat hij toen de opmerking had gemaakt dat de uitdrukking 'geen poot om op te staan' een nieuwe betekenis had gekregen door de hele affaire. O'Brien had alleen even gegrinnikt, maar niets gezegd.

Hij reed verder de kant van de bergen op en stopte regelmatig om te zien of hij niet werd gevolgd. Het was kwart voor tien, dus als hij snel doorwerkte, dacht hij, kon hij om half twaalf terug zijn in het hotel. Eenmaal van de grote weg af was er geen verkeer meer. Toen hij eindelijk zijn busje stilzette en de motor uitdraaide, heerste er absolute stilte. Hij zou in alle rust kunnen werken.

Hij had een schop onder de achterbank liggen. Hij wist waar hij was, alles was zorgvuldig gemarkeerd. Zolang hij in leven was, konden deze schilderijen gemakkelijk naar de stad worden teruggebracht. Joe O'Brien en een van de anderen wisten het gebied waar ze begraven lagen, maar niet de precieze plek. Je liep een kaal veldje op tot de grond rechts van je schuin begon af te hellen. Je telde twaalf bomen af, draaide naar rechts en telde er nog zes af, en net even daarachter lag een door bomen overschaduwd open stuk terrein.

De grond was zacht, maar het graven ging niet gemakkelijk. Hij hield telkens op en luisterde scherp, maar hoorde alleen de stilte en de wind in de bomen. Al snel raakte hij buiten adem van het graven. Maar hij hield wel van een klusje als dit, waarbij hij niet hoefde na te denken en zich nergens druk om hoefde te maken. Hij moest voorzichtig verder graven nadat zijn schop op de lijsten van de schilderijen was gestoten. Het was hard werken voordat hij ze de grond uit kon trekken. Ze waren beschermd door ladingen plastic verpakkingsmateriaal. Hij legde ze op de grond en vulde het gat op, legde toen de schop neer en liep terug naar de auto. Hij wilde er zeker van zijn dat er niemand in de buurt was.

Even schoot het door hem heen dat hij gelukkig zou zijn als alles zo leeg en donker was als nu, als er helemaal niemand op de wereld was, alleen deze rust en vrijwel complete stilte, en als dat altijd zo zou blijven. Hij stond stil en luisterde en genoot bij de gedachte dat er nu in de ruimte om hem heen geen ideeën of gevoelens of toekomstplannen bestonden.

Toen liep hij terug om de schop en de schilderijen te halen. Het enige wat hij nu kon doen was een veilige plek voor ze te vinden en terug te gaan naar Finbar's Hotel en daar te wachten. Het idee dat hij nu verder niets meer in te brengen had, dat hij geheel afhankelijk was van deze twee Nederlanders, bezorgde hem het gevoel dat hij niets voorstelde, dat hij evengoed met zijn auto de greppel in kon rijden, of zich kon aangeven, of jaren in de gevangenis kon gaan zitten, of iemand kon vermoorden. Op dat moment was hij nergens bang voor. Hij voelde een ongelooflijke stoot energie en concentratie door zich heen stromen toen hij terugreed naar de stad.

Hij overwoog de schilderijen in het busje te laten liggen op de parkeerplaats van het hotel. Als de politie ze de eerste keer niet had meegenomen, was het erg onwaarschijnlijk dat ze dat nu wel zouden doen. Maar hij was opnieuw gaan nadenken en terwijl hij vanuit Rathfarnam Terenure inreed, werd hij langzaam maar zeker behoedzamer en getergder. Hij reed naar het huis van zijn schoonzus in Clanbrassil Street en zei tegen haar toen ze de deur opendeed dat ze het hek naar de tuin moest openmaken. Ze glimlachte naar hem.

'Ik sta op het punt weg te gaan,' zei ze, 'maar de kinderen zijn thuis.'

'Zou je het hek kunnen openmaken?' herhaalde hij.

'Wat heb jij een haast vanavond,' zei ze.

Hij keek de straat af om er zeker van te zijn dat er niemand keek, reed toen met het busje naar de achterkant van het huis, laadde de schilderijen uit en zette ze bij haar in het tuinhuisje.

'Laat ze niks overkomen,' zei hij.

'Ik zal ze met mijn leven bewaken,' zei ze. 'Je kent me toch.'

'Ik dacht dat je zei dat je naar de kroeg ging.'

'Is ook zo.'

Toen hij haar keuken in keek, wou hij dat hij bij haar woonde en niet in zijn eigen huis. Ze glimlachte weer naar hem, maar hij draaide zich om.

Hij reed het busje terug naar het hotel. Het was twintig over elf. Hij vroeg zich af waarom Finbar's Hotel er een parkeerplaats op na hield, want geen hond die er zijn auto neerzette en iedereen kon er een auto stelen omdat er geen hek of bewaking was. Hij zette het busje in de verste hoek vanaf de inrit en liep om het gebouw heen naar de hoofd-ingang. Hij hoorde discomuziek uit het souterrain schallen. Hij zou hier een tijdje in de lobby gaan zitten, dan naar zijn kamer gaan en wachten. Vanaf waar hij hier zat, kon hij door de deur zien dat er in de bar een kantoorfeest gaande was. Toen viel zijn oog op de Amerikaanse vrouw die in haar eentje aan de bar zat. Opnieuw ving ze zijn blik en bleef ze hem strak aanstaren. Hij keek weg en weer terug, maar nu zat ze naar iets anders te staren. Misschien was ze gewoon een onschuldige Amerikaanse, maar hij vroeg zich af waarom ze zo naar hem keek. Het was een fluitje van een cent om erachter te komen wie ze was door naar haar kamer te gaan en haar spullen te doorzoeken. Als haar koffer leeg was, net als die van de Nederlanders, wist hij dat ze van de politie was. Dan moest hij maatregelen nemen. De hele dag al hadden er te veel rare mensen in het hotel rondgehangen, dacht hij, niet alleen de Amerikaanse vrouw, maar ook Alfie FitzSimons.

Vroeger was dat nooit zo geweest hier. Hij wist nu zeker dat er iets stond te gebeuren, maar hij kon niet bedenken wat. Opeens was hij blij dat het hotel dichtging.

Hij nam de trap naar de eerste verdieping en liep zacht-jes de gang door. Het was zijn ervaring dat als je je in situaties als deze maar goed genoeg concentreerde, de mensen vanzelf verdwenen, niemand je stoorde. Hij kreeg de deur van haar kamer makkelijk open, schandalig slechte sloten zo eenvoudig als die opengingen. Hij sloot de deur achter zich en deed het licht aan. Ze had inderdaad een tas, maar toen hij erin keek zag hij dat er amper iets in zat – alleen ondergoed en een oude haarborstel en wat toiletspullen. Kon ze helemaal uit Amerika zijn gekomen met alleen deze bagage? vroeg hij zich af. En toen zag hij het boek, een soort logboek, ouderwets. Het lag op het bed. Hij pakte het op zonder het echt te bekijken en liep de kamer door met het ding onder zijn arm. Hij deed het licht uit en bleef even staan luisteren voordat hij de deur opendeed. Hij ging naar zijn eigen kamer en legde het logboek neer.

Hij sloot de gordijnen in zijn kamer en bleef een minuut staan nadenken voordat hij weer de gang opliep en de deur achter zich dichttrok. Hij voelde dat er nog maar kortgeleden iemand op de gang was geweest. Hij moest de kamer van de Nederlanders controleren. Hij dacht dat hij ze misschien maar het beste daar in het donker kon opwachten. Ze zouden zich een ongeluk schrikken als ze terugkwamen en hem daar gehurkt aantroffen, maar als ze niet terugkwamen zou hij het gevoel hebben voor gek te zijn gezet. Het was nu tien over half twaalf.

Hij keek om zich heen toen hij het licht aandeed. De koffer en de weekendtas lagen nog precies zoals hij ze had achtergelaten. Er was hier niemand geweest. Terwijl hij terugliep naar zijn eigen kamer, liep hij alles nog eens na vanuit het standpunt van de Nederlanders en wist hij dat ze hem zouden laten wachten, dat ze het nu zouden laten afweten. Misschien dat ze de volgende keer andere mensen zouden sturen. Er was geen prijs afgesproken en dat zou wel moeten gebeuren. Terwijl hij zo terugliep naar zijn eigen kamer en hierover nadacht, voelde hij zich al beter. Ze hadden contact met hem gelegd, ze wisten dat hij de figuur was met wie ze zaken moesten doen. Binnenkort zouden ze opnieuw contact met hem opnemen. Hij was een stap verder gekomen met het kwijtraken van de schilderijen. Hij vond dat hij nu moest vertrekken, wegwezen hier.

Toen hij de deur van zijn kamer opendeed, herinnerde hij zich het logboek. Dat zou hij samen met de reproductie naar zijn busje brengen als het wat rustiger was geworden in Finbar's Hotel. Hij ging op bed zitten en staarde naar het logboek. Er stond op: *Brandweerkazerne Drimnagh 1962-1969*. Hij sloeg het logboek open en bekeek het oude handschrift. *Schade: nihil; aanzienlijk; uitgebrand; nihil.* Hij keek naar de namen: *St Agnes' Park, Knocknarea Avenue, Darley Street, Carrow Road.* Wie was deze vrouw? Hoe kwam ze hieraan? Waarom had ze dit wel, maar verder nauwelijks iets anders op haar kamer? Hij wilde dat alles eenvoudiger was, dat hij kon aantonen dat ze van de politie was, of een informante van de politie, of een Amerikaanse op vakantie. Dat was ze allemaal niet. Ze was een of andere brandfanaat of iemand uit Drimnagh met een Amerikaans accent die in bars naar mannen staarde. Hij wilde dat ze hem niet had zitten aanstaren. Er ging bijna een uur voorbij terwijl hij langzaam door het logboek bladerde.

Opeens hoorde hij stemmen en stappen op de gang. Zelfs voordat er werd geklopt, wist hij dat het de politie was, wist hij dat ze met hun drieën waren en in uniform. Hij wist ook dat ze niets konden bewijzen. Hij deed de deur open en keek ze nietszeggend aan. Het klopte, ze waren met hun drieën. Hij deed een stap naar achteren, alsof het hem niet kon schelen of ze binnenkwamen of niet, alsof hem dit allemaal niets aanging. Maar hij lette er wel op niet brutaal of moeilijkdoenerig te kijken. Ze kwamen alledrie binnen. Onmiddellijk viel hem op dat de jongste naar de Rembrandt-reproductie keek. Hij was op alles voorbereid.

Maar hij was niet voorbereid op de Amerikaanse stem die uit de gang krijste: 'Hij was het! Ik zag hem uit mijn kamer komen met mijn logboek! Pak het terug!' De vrouw van kamer 106 kwam tevoorschijn. Ze draaiden zich allemaal om en keken naar haar. Hij wist dat ze hem onmogelijk het logboek uit haar kamer had kunnen zien meenemen.

'Hebt u een logboek dat aan deze dame toebehoort?' vroeg een van de agenten hem met een plattelandsaccent.

'Ze heeft het me eerder op de avond gegeven,' zei hij. Hij keek ze kil aan. Hij besefte opeens dat ze niet wisten wie hij was.

'Geef terug!' gilde de vrouw. 'Ik zag dat je het meenam.'

'Hè, wat doe je nu weer moeilijk,' zei hij tegen haar alsof hij haar goed kende, en hij gaf haar het logboek terug alsof het iets tussen hun tweeën was. 'Waarom gaf je het me dan, als ik het niet mocht houden?' ging hij door. Hij wist wat agenten normaal vonden: het moest ofwel heel eenvoudig, ofwel heel ingewikkeld zijn. Dit, wist hij, zou ingewikkeld klinken. En de vrouw had gedronken. Maar hij wist nog steeds niet precies hoe de vork in de steel zat. Ze pakte het logboek van hem aan. Hij zag dat de jongste agent zijn pet had afgenomen, hij had een kaal hoofd en stond nog steeds naar de Rembrandt te staren.

Hij concentreerde zich. Hij zei niets. Hij wist dat als hij zijn hoofd erbij hield, ze de kamer zouden uitgaan en lachend om de Amerikaanse vrouw en haar logboek de trap zouden aflopen, en hem zouden vergeten. In nog geen vijf minuten zouden ze hem niet meer kunnen beschrijven: als hij zijn zenuwen in bedwang hield zou hij geen enkele indruk bij hen achterlaten. Maar de kale agent bleef naar het schilderij staren en zijn twee collega's begonnen ongemakkelijk heen en weer te schuifelen. Als ze lang genoeg om zich heen keken, zouden ze beseffen dat hij geen bagage had. Ze hadden nog niet gevraagd hoe hij heette.

'Als jij nu naar de gastenbar gaat,' zei hij tegen de Amerikaanse vrouw, 'dan kom ik er zo aan. Ik weet dat je overstuur bent.'

Hij sprak tegen haar alsof ze zijn vrouw of zijn schoonzuster was.

'Houd jij je mond,' zei de Amerikaanse vrouw. 'Ik ken je niet. Ik wil niks met je drinken. Je hebt godverdomme in mijn kamer ingebroken.'

Zodra ze 'godverdomme' zei, draaiden de drie agenten zich om en keken haar aan.

'Kom, kom,' zei de oudste. 'Dat is nergens voor nodig.'

'Je bent godverdomme een dief,' zei ze.

'Nou, nou,' zei de oudste agent.

Op dat moment zette de agent die naar het schilderij had staan kijken zijn pet weer op en deed een paar stappen naar de deur. De Amerikaanse vrouw draaide zich om, ging de kamer uit en liep door de gang van hen weg. Ze liep te mompelen.

'Ik ga zo wel achter haar aan,' zei hij tegen de agenten.

'Zo is dat,' zei de oudste. 'We laten het verder aan u over. Ze was beneden erg overstuur over dat logboek.' De agent sprak alsof hij hem iets zeer gewichtigs toevertrouwde.

'Die heeft ze nu terug,' zei hij. 'Maar ik ga zo wel even naar haar toe en dan trekt ze wel weer bij.'

'Zo is dat,' zei de agent.

Alledrie aarzelden. Op dit moment wisten ze niet hoe hij heette, wat zijn relatie met de vrouw was of wat hij in het hotel deed. Ze stonden wat bedremmeld in de gang. Hij wist nog steeds dat hij zijn hoofd leeg moest houden, niets moest denken, geen enkele gezichtsuitdrukking moest hebben, alleen berustend moest kijken, maar niet al te berustend. Nu het stil was geworden, wist hij dat hij de stilte moest vullen.

'Ach, morgen zal ze wel weer zijn bijgetrokken.' Hij zuchtte.

'Zo is dat,' zei de oudste agent nogmaals. Hij knikte en gedrieën liepen ze langzaam door de gang weg.

Hij sloot de deur en liep naar het raam. Op momenten als deze was hij in staat iemand te vermoorden. Hij balde zijn vuisten. Een volgende keer zou het hem misschien niet meer lukken, dacht hij. Het viel niet mee. Hij leunde met zijn hoofd tegen de muur en sloot zijn ogen.

Hij ging op bed liggen en luisterde naar het bonzen van zijn hart. Hij liep terug naar het raam en bleef daar staan met samengebalde vuisten en opengesperde ogen. Hij zag de politiewagen wegrijden. Hij besloot nu meteen te vertrekken, voordat ze zich zouden bedenken en voor hem terugkwamen. Hij zou de Rembrandt-reproductie laten hangen, daar mocht de volgende gast van genieten. Hij pakte zijn sleutel en knipte het licht uit en liep de gang op.

In de lobby zag hij Simon met een dienblad in de hand. Hij zag er zo mager uit, alsof hij ter plekke doodging.

'Alles in orde, meneer?' vroeg Simon hem. 'Kan ik iets voor u doen?' Er was verder niemand in de lobby.

'Die Amerikaanse vrouw in de kamer naast mij,' zei hij. 'Zou je haar hiervan een drankje kunnen aanbieden?' Hij overhandigde Simon zijn kamersleutel en een briefje van twintig pond.

'U gaat al, meneer?' vroeg Simon, maar het was duidelijk dat hij geen antwoord verwachtte. 'Prettige nacht, meneer.'

Simon liep voor hem uit om de voordeur van het slot te halen, hield hem open en bleef even in de nachtlucht buiten staan. Even verderop was het rustig bij de ingang van de nachtclub; het was te laat om nog naar binnen te gaan en te vroeg om al te vertrekken.

'Wat zijn je plannen als het hotel sluit?' vroeg hij aan Simon. Hij wist dat hij hier niet moest blijven hangen, dat hij snel in zijn busje moest stappen en naar huis moest gaan. Voor Simon kwam de vraag duidelijk onverwacht. Hij dacht even na.

'Ik weet het niet, meneer.'

'Je vindt wel iets,' zei hij. Hij wilde weglopen, maar hij had de indruk dat dat niet zomaar ging. Of hij wilde de man even aanraken, iets tegen hem zeggen als steun in de rug. Hij wist niet wat hij wilde.

'Erg aardig dat u dat zegt, meneer.' Toen draaide Simon zich om, het dienblad nog in de hand, en hij liep terug het hotel in.

Er klonk een politiesirene, of een ambulancesirene, vanaf de brug over de rivier. Terwijl hij voor de laatste keer wegliep van Finbar's Hotel, draaide hij zich om en keek ernaar, maar hij wist dat het hem allemaal niets aanging.

Dermot Bolger

Dermot Bolger is in 1959 in Dublin geboren en heeft zes romans op zijn naam staan, waaronder *The Journey Home*, *The Woman's Daughter*, *A Second Life* (*Een tweede leven*, De Geus 1998) en *Father's Music*. Ook heeft hij een groot aantal toneelstukken geschreven, waaronder *The Lament for Arthur Cleary*, *In High Germany* (bij Penguin verschenen als onderdeel van zijn *Dublin Quartet*) en *April Bright*. Tevens is hij dichter en uitgever en redigeerde hij *The Picador Book of Contemporary Irish Fiction* en het vervolg op *Finbar's Hotel*, *Ladies' Night at Finbar's Hotel*.

Roddy Doyle

Roddy Doyle is in 1958 geboren in Dublin. De romans van zijn *Barrytown trilogie* (Nijgh & Van Ditmar 1997) – *The Commitments* (*De Commitments*), *The Snapper* (*De bastaard*) en *The Van* (*De bus*) – zijn elk met veel succes verfilmd. Zijn vierde roman, *Paddy Clarke Ha Ha Ha* (Nijgh & Van Ditmar 1993), is bekroond met de Booker Prize. Ook is hij de auteur van de veelgeprezen BBC-televisieserie *Family*. Verder verschenen van hem *The Woman Who Walked into Doors* (*De vrouw die tegen de deur aan liep*, Nijgh & Van Ditmar 1996) en *A Star Called Henry* (*De ster Henry Smart*, Nijgh & Van Ditmar 1999).

Anne Enright

Anne Enright is in 1962 geboren in Dublin. Voor de RTE-televisie produceerde ze de baanbrekende serie *Night Hawks*. Van haar hand zijn de bundel korte verhalen *The Portable Virgin* en de roman *The Wig My Father Wore*.

Hugo Hamilton

Hugo Hamilton is in 1953 in Dublin geboren uit Duitse en Ierse ouders. Zijn eerste drie romans, *Surrogate City*, *The Last Shot* en *The Love Test*, spelen zich af in Duitsland. De romans *Headbanger* en *Sad Bastard* hebben Ierland als achtergrond. Hij is de auteur van de korte verhalenbundel *Dublin Where The Palm Trees Grow*.

Jennifer Johnston

Jennifer Johnston is in 1930 geboren in Dublin en woont al lange tijd in Derry. Van haar romans, waaronder *The Captains and the Kings*, *How Many Miles to Babylon*, *The Railway Station Man*, *The Old Jest*, *The Invisible Worm* en *The Illusionist*, is een groot aantal met succes verfilmd.

Joseph O'Connor

Joseph O'Connor is in 1963 geboren in Dublin. Hij heeft drie romans geschreven: *Cowboys and Indians*, *Desperadoes* en *The Salesman* (*De verkoper*, Nijgh & Van Ditmar 1998), het boek dat algemeen als zijn grote doorbraak wordt gezien. Verder publiceerde hij de verhalenbundel *True Believers*, twee bestsellers in het komische genre: *The Secret*

World of the Irish Male en *The Irish Male at Home and Abroad*,
het reisverhalenboek *Sweet Libery: Travels in Irish America*
en twee toneelstukken: *Red Roses and Petrol* en *The Weeping
of Angels*.

Colm Tóibín

Colm Tóibín is in 1955 geboren in Enniscorthy in
County Wexford en woont al sinds lang in Dublin. Hij is
redacteur geweest van *Magill* en *In Dublin*, heeft romans
geschreven – *The South* (*Het zuiden*, Agathon 1991), *The
Heather Blazing* (*In lichterlaaie*, Atlas 1995), *The Story of
the Night* (*Het verhaal van de nacht*, Atlas 1997) en *The
Blackwater Lightship* – en ook een aantal non-fictiewerken,
waaronder *The Sign of the Cross: Travels in Catholic Europe*
(*Het kruisteken. Reizen door katholiek Europa*, Atlas 1995)
en *Homage to Barcelona*.